GW01018259

SAS

RETOUR À SHANGRI-LA

ABONNEMENT / RÉABONNEMENT 2008

Je souhaite m'abonner aux collections suivantes

Merci de nous préciser à partir de quel numéro vous vous abonnez

Remise 5 % incluse par abonnement

❒ **BLADE**
6 titres par an - 40,56 € port inclus

❒ **BRIGADE MONDAINE**
11 titres par an - 74,36 € port inclus

❒ **L'EXÉCUTEUR**
10 titres par an - 72,38 € port inclus

❒ **GUY DES CARS**
6 titres par an - 46,26 € port inclus

❒ **POLICE DES MŒURS**
6 titres par an - 40,56 € port inclus

❒ **ALIX KAROL**
6 titres par an - 40,56 € port inclus

Paiement par chèque à l'ordre de :
GECEP
15, chemin des Courtilles - 92600 Asnières

❒ **S.A.S.**
4 titres par an - 31,56 € port inclus

Paiement par chèque à l'ordre de :
EDITIONS GÉRARD DE VILLIERS
14, rue Léonce Reynaud - 75116 Paris

Frais de port EUROPE : 3,50 € par livre

Nom : .... Prénom : ....

Adresse : ....

....

Code postal . ... Ville : ....

SAS : Je souhaite recevoir ·

- le catalogue général
- les volumes cochés ci-dessous au prix de 6,99 € l'unité, soit :

N°...

....livres à 6,99 € =..............€

+ frais de port =..............€

(1 vol. : 1,50 €, 1 à 3 vol. : 3,50 €, 4 vol. et plus : 5,00 €)

TOTAL.................(ajouter à TOTAL abonnements)................ =................€

DU MÊME AUTEUR

(* TITRES ÉPUISÉS)

N° 1 S.A.S. A ISTANBUL
N° 2 S.A.S. CONTRE C.I.A.
*N° 3 S.A.S. OPÉRATION APOCALYPSE
N° 4 SAMBA POUR S.A.S.
*N° 5 S.A.S. RENDEZ-VOUS A SAN FRANCISCO
*N° 6 S.A.S. DOSSIER KENNEDY
N° 7 S.A.S. BROIE DU NOIR
*N° 8 S.A.S. AUX CARAÏBES
*N° 9 S.A.S. A L'OUEST DE JÉRUSALEM
*N°10 S.A.S. L'OR DE LA RIVIÈRE KWAÏ
*N°11 S.A.S. MAGIE NOIRE A NEW YORK
N° 12 S.A.S. LES TR OIS VEUVES DE HONG KONG
N° 13 S.A.S. L'ABOMINABLE SIRÈNE
N° 14 S.A.S. LES PENDUS DE BAGDAD
N° 15 S.A.S. LA PANTHÈRE D'HOLLYWOOD
N° 16 S.A.S. ESCALE A PAGO-PAGO
N° 17 S.A.S. AMOK A BALI
N° 18 S.A.S. QUE VIVA GUEVARA
N° 19 S.A.S. CYCLONE A L'ONU
N° 20 S.A.S. MISSION A SAIGON
N° 21 S.A.S. LE BAL DE LA COMTESSE ADLER
N° 22 S.A.S. LES PARIAS DE CEYLAN
N° 23 S.A.S. MASSACRE A AMMAN
N° 24 S.A.S. REQUIEM POUR TONTONS MACOUTES
*N° 25 S.A.S. L'HOMME DE KABUL
*N° 26 S.A.S. MORT A BEYROUTH
N° 27 S.A.S. SAFARI A LA PAZ
N° 28 S.A.S. L'HÉROÏNE DE VIENTIANE
*N°29 S.A.S. BERLIN CHECK POINT CHARLIE
N°30 S.A.S. MOURIR POUR ZANZIBAR
N°31 S.A.S. L'ANGE DE MONTEVIDEO
*N°32 S.A.S. MURDER INC. LAS VEGAS
N°33 S.A.S, RENDEZ-VOUS A BORIS GLEB
*N°34 S.A.S. KILL HENRY KISSINGER !
N°35 S.A.S. ROULETTE CAMBODGIENNE
*N°36 S.A.S. FURIE A BELFAST
*N°37 S.A.S. GUÊPIER EN ANGOLA
*N°38 S.A.S. LES OTAGES DE TOKYO
*N°39 S.A.S. L'ORDRE RÈGNE A SANTIAGO
*N°40 S.A.S. LES SORCIERS DU TAGE
N°41 S.A.S. EMBARGO
N°42 S.A.S. LE DISPARU DE SINGAPOUR
N°43 S.A.S. COMPTE A REBOURS EN RHODÉSIE
N°44 S.A.S. MEURTRE A ATHÈNES
N°45 S.A.S. LE TRÉSOR DU NÉGUS
N°46 S.A.S. PROTECTION POUR TEDDY BEAR
N°47 S.A.S. MISSION IMPOSSIBLE EN SOMALIE
N°48 S.A.S. MARATHON A SPANISH HARLEM
*N°49 S.A.S. NAUFRAGE AUX SEYCHELLES
*N°50 S.A.S. LE PRINTEMPS DE VARSOVIE
N°51 S.A.S. LE GARDIEN D'ISRAËL
N°52 S.A.S. PANIQUE AU ZAÏRE
*N°53 S.A.S. CROISADE A MANAGUA
*N°54 S.A.S. VOIR MALTE ET MOURIR
N°55 S.A.S. SHANGHAÏ EXPRESS
N°56 S.A.S. OPÉRATION MATADOR
N°57 S.A.S. DUEL A BARRANQUILLA
*N°58 S.A.S. PIÈGE A BUDAPEST
N°59 S.A.S. CARNAGE A ABU DHABI
N°60 S.A.S. TERREUR AU SAN SALVADOR
N°61 S.A.S. LE COMPLOT DU CAIRE
N°62 S.A.S. VENGEANCE ROMAINE
N°63 S.A.S. DES ARMES POUR KHARTOUM
N°64 S.A.S. TORNADE SUR MANILLE
*N°65 S.A.S. LE FUGITIF DE HAMBOURG
*N°66 S.A.S. OBJECTIF REAGAN
*N°67 S.A.S. ROUGE GRENADE
*N°68 S.A.S. COMMANDO SUR TUNIS
N°69 S.A.S. LE TUEUR DE MIAMI
*N°70 S.A.S. LA FILIÈRE BULGARE
*N°71 S.A.S. AVENTURE AU SURINAM
*N°72 S.A.S. EMBUSCADE A LA KHYBER PASS
*N°73 S.A.S. LE VOL 007 NE RÉPOND PLUS
*N°74 S.A.S. LES FOUS DE BAALBEK
*N°75 S.A.S. LES ENRAGÉS D'AMSTERDAM
*N°76 S.A.S. PUTSCH A OUAGADOUGOU
*N°77 S.A.S. LA BLONDE DE PRÉTORIA

*N°78 S.A.S. LA VEUVE DE L'AYATOLLAH
*N°79 S.A.S. CHASSE A L'HOMME AU PÉROU
*N°80 S.A.S. L'AFFAIRE KIRSANOV
*N°81 S.A.S. MORT A GANDHI
*N°82 S.A.S. DANSE MACABRE A BELGRADE
N° 83 S.A.S. COUP D'ÉTAT AU YEMEN
N° 84 S.A.S. LE PLAN NASSER
N° 85 S.A.S. EMBROUILLES A PANAMA
N° 86 S.A.S. LA MADONE DE STOCKHOLM
N° 87 S.A.S. L'OTAGE D'OMAN
N° 88 S.A.S. ESCALE A GIBRALTAR
N° 89 S.A.S. AVENTURE EN SIERRA LEONE
N° 90 S.A.S. LA TAUPE DE LANGLEY
N° 91 S.A.S. LES AMAZONES DE PYONGYANG
N° 92 S.A.S. LES TUEURS DE BRUXELLES
N° 93 S.A.S. VISA POUR CUBA
*N° 94 S.A.S. ARNAQUE A BRUNEI
*N° 95 S.A.S. LOI MARTIALE A KABOUL
*N° 96 S.A.S. L'INCONNU DE LENINGRAD
N° 97 S.A.S. CAUCHEMAR EN COLOMBIE
N° 98 S.A.S. CROISADE EN BIRMANIE
N° 99 S.A.S. MISSION A MOSCOU
N° 100 S.A.S. LES CANONS DE BAGDAD
*N°101 S.A.S. LA PISTE DE BRAZZAVILLE
N° 102 S.A.S. LA SOLUTION ROUGE
N° 103 S.A.S. LA VENGEANCE DE SADDAM HUSSEIN
N° 104 S.A.S. MANIP A ZAGREB
N° 105 S.A.S. KGB CONTRE KGB
N° 106 S.A.S. LE DISPARU DES CANARIES
*N°107 S.A.S. ALERTE AU PLUTONIUM
N° 108 S.A.S. COUP D'ÉTAT A TRIPOLI
N° 109 S.A.S. MISSION SARAJEVO
N° 110 S.A.S. TUEZ RIGOBERTA MENCHU
N° 111 S.A.S. AU NOM D'ALLAH
*N° 112 S.A.S. VENGEANCE A BEYROUTH
*N° 113 S.A.S. LES TROMPETTES DE JÉRICHO
N° 114 S.A.S. L'OR DE MOSCOU
N° 115 S.A.S. LES CROISÉS DE L'APARTHEID
N° 116 S.A.S. LA TRAQUE CARLOS
N° 117 S.A.S. TUERIE A MARRAKECH
*N°118 S.A.S. L'OTAGE DU TRIANGLE D'OR
N° 119 S.A.S. LE CARTEL DE SÉBASTOPOL
N° 120 S.A.S. RAMENEZ-MOI LA TÊTE D'EL COYOTE
*N°121 S.A.S. LA RÉSOLUTION 687
N° 122 S.A.S. OPÉRATION LUCIFER
N° 123 S.A.S. VENGEANCE TCHÉTCHÈNE
N° 124 S.A.S. TU TUERAS TON PROCHAIN
N° 125 S.A.S. VENGEZ LE VOL 800
N° 126 S.A.S. UNE LETTRE POUR LA MAISON-BLANCHE
N° 127 S.A.S. HONG KONG EXPRESS
N° 128 S.A.S. ZAÏRE ADIEU

AUX ÉDITIONS GÉRARD DE VILLIERS

N° 129 S.A.S. LA MANIPULATION YGGDRASIL
*N° 130 S.A.S. MORTELLE JAMAÏQUE
N° 131 S.A.S. LA PESTE NOIRE DE BAGDAD
*N° 132 S.A.S. L'ESPION DU VATICAN
N° 133 S.A.S. ALBANIE MISSION IMPOSSIBLE
*N° 134 S.A.S. LA SOURCE YAHALOM
N° 135 S.A.S. CONTRE P.K.K
N° 136 S.A.S. BOMBES SUR BELGRADE
N° 137 S.A.S. LA PISTE DU KREMLIN
N° 138 S.A.S. L'AMOUR FOU DU COLONEL CHANG
*N°139 S.A.S. DJIHAD
N° 140 S.A.S. ENQUÊTE SUR UN GÉNOCIDE
*N° 141 S.A.S. L'OTAGE DE JOLO
*N° 142 S.A.S. TUEZ LE PAPE
*N°143 S.A.S. ARMAGEDDON
N° 144 S.A.S. LI SHA-TIN DOIT MOURIR
*N° 145 S.A.S. LE ROI FOU DU NÉPAL
N° 146 S.A.S. LE SABRE DE BIN LADEN
*N°147 S.A.S. LA MANIP DU « KARIN A »
N° 148 S.A.S. BIN LADEN: LA TRAQUE
N° 149 S.A.S. LE PARRAIN DU « 17-NOVEMBRE »
N° 150 S.A.S. BAGDAD EXPRESS
*N° 151 S.A.S. L'OR D'AL-QUAIDA
*N° 152 S.A.S. PACTE AVEC LE DIABLE
N° 153 S.A.S. RAMENEZ-LES VIVANTS
N° 154 S.A.S. LE RÉSEAU ISTANBUL
*N° 155 S.A.S. LE JOUR DE LA TCHÉKA
*N° 156 S.A.S. LA CONNEXION SAOUDIENNE
N° 157 S.A.S. OTAGE EN IRAK
*N° 158 S.A.S. TUEZ IOUCHTCHENKO
*N° 159 S.A.S. MISSION : CUBA
*N° 160 S.A.S. AURORE NOIRE
N° 161 S.A.S. LE PROGRAMME 111
N° 162 S.A.S. QUE LA BÊTE MEURE
*N° 163 S.A.S. LE TRÉSOR DE SADDAM Tome I
N° 164 S.A.S. LE TRÉSOR DE SADDAM Tome II
N° 165 S.A.S. LE DOSSIER K.
N° 166 S.A.S. ROUGE LIBAN
N° 167 POLONIUM 210
N° 168 LE DÉFECTEUR DE PYONGYANG Tome. I
N° 169 LE DÉFECTEUR DE PYONGYANG Tome. II
N° 170 OTAGE DES TALIBAN
N° 171 L'AGENDA KOSOVO

COMPILATIONS DE 5 SAS

LA GUERRE FROIDE Tome 1 (20 €)
*LA GUERRE FROIDE Tome 2 (20 €)
*LE CONFLIT ISRAËLO-PALESTINIEN (20 €)
LA TERREUR ISLAMISTE (20 €)
*GUERRE EN YOUGOSLAVIE (20 €)
GUERRES TRIBALES EN AFRIQUE (20 €)
L'ASIE EN FEU (20 €)
LA GUERRE FROIDE Tome 3 (20 €)
LES GUERRES SECRÈTES DE PÉKIN (20 €)
RÉVOLUTIONNAIRES LATINOS (20 €)
RUSSIE ET CIA (20 €)
LA GUERRE FROIDE Tome 4 (20 €)
TUMULTUEUSE AFRIQUE (20 €)
LA GUERRE FROIDE Tome 5 (20 €)
CONFLITS LATINOS (20 €)
VIOLENCES AU MOYEN-ORIENT (20 €)

AUX ÉDITIONS VAUVENARGUES

LA CUISINE APHRODISIAQUE DE S.A.S. (10 €)
LA MORT AUX CHATS (10 €)
LES SOUCIS DE SI-SIOU (10 €)

GÉRARD DE VILLIERS

RETOUR À SHANGRI-LA

Éditions Gérard de Villiers

COUVERTURE
Photographe : Thierry VASSEUR
Armurerie : Courty et fils
44 rue des Petits-Champs 75002 PARIS
maquillage/coiffure : Marion MAZO

Le Code de la propriété intellectuelle n'autorisant, aux termes de l'article L. 122-5, 2° et 3° a), d'une part, que les « copies ou reproductions strictement réservées à l'usage privé du copiste et non destinées à une utilisation collective » et, d'autre part, que les analyses et les courtes citations dans un but d'exemple et d'illustration, « toute représentation ou reproduction intégrale ou partielle faite sans le consentement de l'auteur ou de ses ayants droit ou ayants cause est illicite » (art. L. 122-4).
Cette représentation ou reproduction, par quelque procédé que ce soit, constituerait donc une contrefaçon sanctionnée par les articles L. 335-2 et suivants du Code de la propriété intellectuelle.

© Éditions Gérard de Villiers, 2008.

ISBN 978-2-84267-879-1

CHAPITRE PREMIER

Accroupi sur le bas-côté herbeux à l'entrée du village de Ban Thasi, son sac à dos posé à côté de lui, Xai Vang guettait la route n° 41 menant à Phonsavan. Depuis son camp dans la jungle le long de la rivière Nam Xan, il avait marché une partie de la nuit sur les sentiers escarpés pour arriver à ce ruban d'asphalte troué comme une vieille couverture mitée. Le réseau routier du Laos se bornait à quelques grandes voies à peu près entretenues, la route n° 13 et la numéro 7, reliant Luang Prabang, Vientiane et Phonsavan. Le reste était à l'abandon, faute d'argent.

Xai Vang dressa l'oreille, en entendant un bruit de moto, et guetta la sortie du virage, le long des premières maisons de Ban Thasi. Une petite moto surgit, roulant à faible allure, et le jeune Méo se leva, le cœur battant.

C'était sûrement l'homme qui venait le chercher pour l'emmener à Phonsavan.

Depuis trois jours, il attendait, tapi dans la jungle, non loin de la route, le premier jour de la nouvelle lune, date du rendez-vous.

La moto se rapprochait, chevauchée par un homme coiffé d'un chapeau de toile, emmitouflé dans une sorte de canadienne verdâtre. Sur ces hauts plateaux, il faisait froid en décembre. Xai Vang sentit soudain son pouls s'envoler : l'inconnu en moto avait une Kalachnikov en bandoulière ! Or, seuls les miliciens communistes des milices d'autodéfense avaient le droit de porter une arme. Ce n'était donc pas l'homme qu'il attendait.

Les jambes tremblantes, il se rassit sur ses talons, le regard baissé. Surtout, ne pas attirer l'attention. La moto passa devant lui sans ralentir. Au Laos, on se déplaçait souvent à pied, donc sa présence n'avait rien d'exceptionnel. Soudain, il se rendit compte que le bruit de la moto s'était brutalement atténué

Xai Vang glissa un bref regard dans sa direction et son pouls regrimpa au ciel : le motard venait de stopper et faisait demi-tour, revenant vers lui ! Le jeune Méo s'imposa de ne pas bouger. Il attendit que l'homme s'arrête en face de lui et l'interpelle pour lever la tête.

– D'où viens-tu ? demanda le milicien. Je ne te connais pas.

Les milices communistes d'autodéfense des villages surveillaient tout, attentives à traquer les partisans des groupes de combattants méos [1] anticommunistes, qui, retranchés dans les jungles épaisses de ce pays très peu peuplé, tenaient toujours tête au régime du Pathet Lao, en place depuis 1975 [2]. Environ cinq cent mille Méos vivaient au grand jour, souvent mêlés à des Laotiens d'autres ethnies, ce qui permettait aux maquisards d'obtenir une petite aide logistique.

– Je vais à Phonsavan, murmura Xai Vang. Je me suis arrêté parce que j'étais fatigué.

– De quel village viens-tu ?

– Ban Mok.

1. Aussi appelés Hmongs par les Américains.

2. Date de l'abolition de la royauté et de l'instauration de la République démocratique populaire du Laos.

– Tu as tes papiers ?

Chaque Laotien devait posséder une carte d'identité mentionnant son ethnie. Bien entendu, né et vivant dans la clandestinité, Xai Vang n'en avait pas. Devant son silence, le milicien immobilisa sa machine sur la béquille et saisit la bretelle de sa Kalachnikov, afin de dégager l'arme. Xai Vang tremblait de tous ses membres. Le milicien allait sûrement, sous la menace de son arme, l'emmener au village voisin. Et lorsqu'on découvrirait qui il était, il serait, au mieux, envoyé dans un camp de rééducation d'où on ressortait rarement vivant. D'un seul élan, il plongea la main sous sa chemise et saisit le manche de corne du poignard aiguisé comme un rasoir qui ne le quittait jamais.

Dans la jungle, c'était un compagnon indispensable.

Lorsqu'il vit jaillir la lame brillante et recourbée, le milicien fit un bond en arrière, essayant désespérément de faire passer la courroie de la Kalach par-dessus sa tête. Il y était presque arrivé lorsque Xai Vang lui plongea son poignard dans le ventre, de toutes ses forces. La lame enfoncée jusqu'à la garde, il la remonta, d'un violent coup de poignet, ouvrant le milicien en deux, comme un lapin. Ensuite, il recula, tenant le poignard à l'horizontale. Les deux mains crispées sur son ventre, le milicien titubait, la bouche ouverte, les traits crispés de douleur.

Xai Vang saisit l'extrémité du canon de la Kalach que le milicien portait toujours en bandoulière et tira violemment vers lui, faisant tomber le blessé dans le fossé. Il bondit ensuite sur lui et l'égorgea d'un seul coup, d'une oreille à l'autre. Il se redressa, les mains pleines de sang. Il avait l'impression d'avoir tué un animal, pas un être humain. Il regarda autour de lui : la route était toujours déserte.

Il courut à la moto, releva la béquille et jeta l'engin dans le fossé, à côté du cadavre de son propriétaire. Le cerveau en capilotade, il hésitait sur la conduite à tenir. S'il ratait son rendez-vous, il n'avait plus qu'à retourner dans la jungle. C'était tentant. En plus, la Kalachnikov était un bien précieux... Seulement, il était en mission.

Il fallait qu'il gagne Phonsavan et, de là, la Thaïlande avec les précieux documents qu'il transportait. Comme le lui avait ordonné, par téléphone satellite, l'homme qu'il respectait le plus au monde, le général Teng Thao, le chef militaire des Méos, celui qui les avait menés au combat contre les Nord-Vietnamiens et les Pathet Lao[1] depuis trente ans, avec des fortunes changeantes. Mais, en dépit de tout, c'était toujours leur chef. Même s'il vivait à des milliers de kilomètres du Laos, en Californie.

Tandis que Xai Vang réfléchissait, une bande de cochons noirs nains, échappée d'une ferme voisine, surgit des broussailles et, attirée par l'odeur du sang, fonça vers le fossé, entourant le cadavre de l'homme qu'il venait de tuer.

Xai Vang se rassit sur ses talons, le pouls à 200. Il devait attendre l'homme avec qui il avait rendez-vous. Quels que soient les risques. Le regard glué à la sortie du village, il resta sur place, immobile comme une statue.

Une demi-heure plus tard, surgit enfin une autre moto, conduite par un homme jeune, moustachu, encore plus maigre et petit que Xai Vang. L'inconnu pronoça un seul mot :

– Xai Vang ?

– Oui.

– Monte.

Xai Vang grimpa sur le tan-sad et l'inconnu démarra

1. Mouvement communiste d'indépendance du Laos, devenu parti unique au pouvoir, sous le nom de Parti révolutionnaire du peuple laotien (PPRL).

immédiatement, sans même voir le cadavre entouré de porcelets noirs et la moto. Xai Vang se retourna, regrettant de ne pas pouvoir emporter la Kalachnikov, un bien précieux pour les combattants de la forêt.

Il avait hâte d'accomplir sa mission secrète.

Edgar Mac Bride, *senior case officer* de la Central Intelligence Agency, occupait un modeste bureau au sixième étage de l'OHB [1], dans le complexe de la CIA, une centaine d'hectares en bordure du Potomac, en Virginie. À travers la baie vitrée, il pouvait d'ailleurs apercevoir le fleuve. À six mois de la retraite, il traitait vraisemblablement sa dernière affaire, tellement secrète que seuls deux hommes étaient au courant de toutes ses implications : le DCI [2], le général Michael Hayden, et le directeur des Opérations de la CIA, Ted Simpson.

On frappa à sa porte et l'employé du courrier déposa sur son bureau une pile d'enveloppes. Edgar Mac Bride les tria rapidement et en sortit une longue enveloppe grise dont l'adresse était écrite à la main. Un faux nom et une fausse adresse, celle d'une infrastructure de la CIA, à Washington DC, dont le courrier était relevé tous les matins.

Il l'ouvrit et la lut rapidement. Pour préserver le secret absolu de l'opération qu'il gérait, il ne passait ni par le téléphone, ni par Internet. La bonne vieille poste était encore ce qu'il y avait de plus sûr. Lorsqu'il eut terminé, il enferma la lettre dans son coffre et appela Ted Simpson, sur sa ligne directe.

– Ted, annonça-t-il, l'opération « Pop-corn » est sur les rails.

1. Original Headquarter Building.
2. Director of Central Intelligence.

⁂

Xai Vang, assis sur un banc de bois, en face de la maison de son hôte, Vieng Sin, nichée sur le flanc d'une colline couverte de pins dominant Phonsavan, dégustait avec ses doigts du *foe*[1] contenu dans un récipient de paille tressée. Depuis quelques heures, il se détendait enfin.

Pas pour longtemps, car dès le lendemain il devrait poursuivre son chemin en direction de la frontière thaïlandaise, matérialisée par le Mékong.

Il se félicitait d'avoir réagi brutalement à l'interception du milicien. Son seul regret était d'avoir abandonné sur place la Kalachnikov qui aurait été si utile à ses amis restés dans la jungle.

Le soleil se couchait sur la plaine des Jarres, s'étendant tout autour de Phonsavan. Une légère brume recouvrait les moutonnements des petites collines, piquetées des lumières, de la capitale du district de Xieng Khouang.

C'était la première fois que Xai Vang découvrait ce plateau accidenté de soixante kilomètres de côté, situé à 1200 mètres d'altitude, qui tenait son nom des amoncellements d'énormes jarres en pierre, vieilles de plusieurs milliers d'années, dont la provenance et l'usage n'avaient jamais été établis de façon certaine. La région, située à mi-chemin entre le Vietnam et la Thaïlande, avait toujours été un carrefour de civilisations. Et si, aujourd'hui, ce paysage bucolique respirait la paix et la sérénité, il n'en avait pas toujours été ainsi.

Pendant une vingtaine d'années, de 1945 à 1973, la plaine des Jarres avait été le théâtre de combats féroces, presque tous les villages avaient été rasés, soit par les

1. Nouilles de riz.

Nord-Vietnamiens, soit par les monstrueuses bombes des B-52 de l'US Air Force, durant la guerre secrète menée au Laos par la CIA, de 1960 à 1973.

Les affrontements avaient commencé durant l'occupation japonaise du Sud-Est asiatique. Une poignée de soldats français avaient attaqué l'armée japonaise, en s'appuyant sur une des ethnies du Laos, les Méos, aussi appelés Hmongs. Une peuplade arrivée des siècles plus tôt de Chine, constituée de guerriers, montagnards, animistes, férocement indépendants, souvent méprisés par les autres composantes du pays à cause de leur côté « barbare ». Ravis de posséder enfin quelques armes modernes, ils avaient traqué les Japonais aux côtés des Français, jusqu'à leur reddition. Demeurant ensuite à leurs côtés durant la période trouble de la décolonisation.

En 1954, sous le commandement d'un officier français, le colonel Trinquier, ils s'étaient portés au secours du camp retranché de Dien Bien Phu. Arrivés trop tard pour participer aux combats, ils étaient parvenus à sauver plusieurs dizaines de soldats français pourchassés par les Nord-Vietnamiens.

Dien Bien Phu était tombé le 7 mai 1954, mettant fin à la présence française au Vietnam, et les Méos avaient regagné leurs villages. Ils n'y étaient pas restés longtemps. La guerre d'Indochine avait repris et les Nord-Vietnamiens, soutenus par les Chinois et armés par les Russes, étaient bien décidés à contrôler les trois *Ky*[1] de la péninsule indochinoise : le Vietnam, le Cambodge et le Laos.

Les Américains avaient vite réalisé que l'armée royale laotienne n'était pas de taille à s'opposer aux divisions nord-vietnamiennes aguerries. Souriants,

1. « Région », en vietnamien.

nonchalants et pacifiques, les Laotiens étaient tout sauf des guerriers.

Les Méos, eux, étaient des guerriers, et haïssaient viscéralement les Vietnamiens.

D'abord, le Pentagone avait demandé à celui qui en avait fait des combattants modernes, le colonel Trinquier, s'il voulait continuer la lutte. L'officier français avait décliné, sans illusion sur l'issue de ce combat douteux. Il s'était attaché aux Méos et savait que les Américains partiraient un jour, laissant leurs alliés payer l'addition. Alors, dès 1960, la Central Inteligence Agency avait pris le relais des Français.

C'est le président américain John F. Kennedy qui avait d'abord ordonné qu'on leur remette mille armes modernes. L'enjeu était de taille : si les Nord-Vietnamiens parvenaient à occuper la plaine des Jarres, plus rien ne les empêcherait de s'emparer de Luang Prabang, l'ancienne capitale, et de Vientiane, celle du Laos moderne.

Il fallait donc les empêcher de passer.

Les Nord-Vietnamiens étaient appuyés par le mouvement Pathet Lao, rebellion communiste comparable aux Khmers rouges cambodgiens. Peu à peu, ils grignotaient les positions de l'armée royale laotienne, convergeant vers la plaine des Jarres.

Une drôle de guerre secrète, féroce, interminable, dirigée et financée par la CIA, avait alors commencé, avec des militaires américains « détachés », l'appui aérien de l'US Air Force et surtout les Méos.

Durant la période française, le colonel Trinquier avait repéré un jeune officier méo, un certain Teng Thao. Celui-ci combattait depuis l'âge de treize ans et, parlant français, avait servi d'interprète au colonel Trinquier qui l'avait envoyé à l'École militaire du cap Saint-Jacques, d'où il était sorti commandant.

Petit, le visage rond, extrêmement courageux,

polygame comme beaucoup de Méos, énergique, très superstitieux, c'est l'homme que les Américains avaient choisi pour commander leur guerre clandestine.

Ils avaient installé une base d'opérations ultra-secrète au sud de la plaine des Jarres, dans un village nommé Long Tien, qu'on ne trouvait même pas sur les cartes. Au milieu d'une petite vallée en forme de bol, on avait construit une piste d'envol, un peu comme un porte-avions en pleine jungle. Très vite, Long Tien était devenue une ruche où cohabitaient mercenaires thaïs entraînés par la CIA, aviateurs américains pilotant de petits appareils d'observation destinés à repérer les cibles, et des milliers de Méos combattant désormais sous les ordres du général Teng Thao.

Les aviateurs américains – des FAC [1] – prenaient des risques insensés pour guider les avions d'attaque ou les bombardiers venus du Sud-Vietnam ou de Thaïlande. Et, au sol, les Méos, payés directement par la CIA, galvanisés par leur chef, combattaient comme des lions.

Tous les soirs, on faisait le point dans la maison attribuée au général Teng Thao, protégée par une mitrailleuse de 12,7 installée sur le toit.

La nourriture était frugale, les pertes élevées, les distractions inexistantes, mais la petite guerre secrète tournait rond. Long Tien était devenu, pour les rares Américains au courant de cette opération clandestine, *Spooks Heaven* [2]. Certains le surnommaient par dérision Shangri-La, du nom d'un royaume féerique perdu au fond de l'Himalaya, inventé par le romancier britannique James Hilton.

En 1963, trente mille Méos combattaient pour la CIA. Le général Teng Thao ratissait tous les villages méos pour trouver de nouveaux combattants dont

1. Forward Air Controllers : contrôleurs aériens avancés.
2. Le paradis des barbouzes.

certains, qui n'avaient pas quinze ans, étaient plus petits que leur fusil d'assaut M 16.

Tous les ans, à la fin de la saison des pluies, la 316e division nord-vietnamienne se lançait à l'assaut de la plaine des Jarres, aidée par les maquis du Pathet Lao. Après quelques mois de combats féroces, les agresseurs étaient repoussés vers le Vietnam par les Méos.

Seulement, au fil des ans, les Nord-Vietnamiens s'aguerrissaient et se renforçaient. En 1968, il avait fallu faire appel aux bombardiers B-52 dont les bombes d'une tonne avaient troué la plaine des Jarres de monstrueux cratères.

Les FAC et les Méos continuaient à se battre et à mourir, mais peu à peu, le vent de l'Histoire avait tourné, les Américains ayant décidé d'abandonner le Sud-Est asiatique. La guerre secrète de la CIA s'était arrêtée officiellement le 22 février 1973.

Les Américains s'étaient repliés sur la Thaïlande, les Méos, eux, étaient restés…

Deux ans plus tard, le Pathet Lao, qui avait submergé la fragile armée laotienne et pris le pouvoir à Vientiane, avait déclaré qu'il fallait exterminer tous les Méos.

Entraîné par son *case officer* de la CIA, Jerry Daniels, le général Teng Thao avait franchi le Mékong, frontière naturelle séparant le Laos de la Thaïlande, dans un Porter Pilatus de la CIA, emportant une mitrailleuse lourde de 12,7 qui tenait tout juste dans la cabine du petit monomoteur. Les Américains l'avaient persuadé qu'il serait plus utile à son peuple vivant qu'empalé sur des bambous par le Pathet Lao. Les Méos, sans chef, sans argent, sans ravitaillement, s'étaient dispersés.

Vingt-cinq mille d'entre eux avaient franchi le Mékong pour se réfugier en Thaïlande. En 1979, il en arrivait encore trois mille par mois.

Soixante mille s'étaient réfugiés dans le massif de Phou Bia dont le sommet culminait à 2807 mètres, au sud de Long Tien. Avec femmes et enfants.

D'autres groupes avaient gagné la jungle, dans différentes parties du Laos. Frugaux, habitués à une vie rustique, les Méos parvenaient à survivre, dans des conditions difficiles. Seulement, la répression avait été féroce. Nord-Vietnamiens et Pathet Lao les avaient traités un peu comme le FLN, en Algérie, l'avait fait avec les harkis…

Le massif de Phou Bia avait été attaqué par l'artillerie lourde nord-vietnamienne, bombardé au phosphore, arrosé de poisons chimiques.

Les Méos survivants étaient envoyés dans les « samanas », le goulag laotien, où ils mouraient comme des mouches. Les plus chanceux avaient réussi à se mêler à la population des villages méos, très nombreux dans la région de Luang Prabang et dans la plaine des Jarres. Mais, sur une population globale de 500 000 membres environ – 10 % de la population du Laos –, près de cent mille Méos avaient été tués dans la « petite » guerre de la CIA.

Au début des années 1980, on ne parlait plus des Méos au Laos. Le Pathet Lao, soutenu par ses alliés communistes nord-vietnamiens, avait établi une République populaire dans le plus pur style stalinien, une sorte de Corée du Nord de la jungle.

Et pourtant, les Méos n'avaient pas abandonné toute résistance.

Morcelés en petits groupes retranchés dans la jungle, certains avaient réussi à survivre et, même, à continuer le combat ! Certes, il ne s'agissait pas d'opérations importantes, mais ils arrivaient à mener des coups de main, à abattre des miliciens communistes, à couper des routes. Vivant dans des conditions horriblement pénibles mais n'abandonnant pas un combat sans espoir.

Contre vents et marées, ils s'obstinaient à lutter depuis plus de trente ans, devenant avec les FARC colombiens les plus vieux maquisards du monde.

Xai Vang était né dans la jungle où s'était enfoncé le groupe commandé par son père, en 1975. Ce dernier avait été capturé par le Pathet Lao, alors qu'il allait chercher des médicaments pour ses hommes, et envoyé au camp n° 7, près de Sam Nena, où il était mort, deux ans plus tard.

Se nourrissant de racines, de fruits ou de petits animaux, Xai Vang avait grandi, un vieux M 16 à la main, le long de la rivière Nam Xan. Les Méos se fournissaient en munitions dans d'anciens dépôts datant de la guerre du Vietnam ou les volaient à des miliciens abattus.

Et ils continuaient à faire des enfants... Tout en maintenant une activité militaire réduite.

Assez pour rendre paranoïaques les dirigeants communistes de Vientiane, ivres de rage de ne pas parvenir à éliminer ces moustiques dont les piqûres étaient encore capables de pourrir la vie de certaines zones. Les Vietnamiens, qui avaient d'autres chats à fouetter, ne voulaient plus les aider et l'armée laotienne n'avait pas envie d'affronter ces desperados, bien meilleurs combattants qu'eux.

Au début du XXIe siècle, tout le monde avait oublié les Méos. Sauf les dirigeants de Vientiane et les Méos qui avaient réussi à se réinstaller en Thaïlande, en France ou aux États-Unis.

Beaucoup avaient réussi et n'oubliaient pas leurs cousins ou amis. Peu à peu, un réseau d'aide, d'argent, de matériel, avait permis d'atteindre les derniers groupes de combattants, retranchés dans leurs bastions de la jungle. Des Méos installés à l'extérieur revenaient au Laos avec des passeports étrangers ou bien, à partır de la Thaïlande, franchissaient clandestinement le Mékong, pour entrer en contact avec des Méos « officiels ».

Un an plus tôt, Xai Vang, qui descendait se ravitailler régulièrement au village de Ban Mok, avait rencontré un homme qui lui avait remis un cadeau magnifique et inattendu : un téléphone satellite Thuraya, avec des piles longue durée.

Et un numéro à appeler, aux États-Unis, dans le Minnesota ! C'est le chef de son groupe qui l'avait composé. Ils n'avaient d'abord obtenu aucune réponse : ils avaient oublié le décalage horaire… Enfin, à force d'essayer, ils avaient eu un interlocuteur qui parlait leur langue !

Les Méos avaient tous pleuré, en écoutant cette voix qui, à des milliers de kilomètres, leur disait que désormais ils n'étaient plus seuls ! Qu'on pensait à eux. On leur avait donné des conseils pratiques : ne pas émettre de leur campement, car ces téléphones faisaient GPS et on pouvait les localiser facilement. Même si l'aviation laotienne ne possédait plus que deux hélicoptères en état de marche, cela pouvait se révéler dangereux. Ensuite, on leur avait appris que d'autres groupes continuaient le combat, ce qui leur avait encore plus remonté le moral…

Au fil des mois, ils avaient établi des contacts réguliers, reçu de l'argent, des médicaments.

60 % des habitants de la plaine des Jarres étaient des Méos. Même si, officiellement, ils pactisaient avec le régime communiste, ils n'oubliaent pas leurs frères tapis dans la jungle. Xai Vang, ragaillardi, avait lancé lui-même un raid sur un village et abattu deux miliciens, récupérant deux AK47 et des chargeurs. Prise précieuse car, en dépit du Thuraya, ils n'avaient que quelques armes en mauvais état.

Des mois s'étaient écoulés. Le groupe auquel appartenait Xai Vang avait reçu de ses sponsors américains une mission délicate : recenser les groupes de combattants dissimulés dans différents endroits de la jungle. Cela s'était fait grâce à des messagers, par des contacts oraux. Désormais, Xai Vang et ses amis connaissaient le nombre et l'emplacement des guérilleros méos qui n'avaient pas cessé le combat, tapis au cœur des montagnes couvertes de jungle.

Un ordre était alors arrivé du Minnesota : il fallait qu'un volontaire emporte ces informations en Thaïlande, à un Méo habitant le village de Na Pha, au bord du Mékong. Avant, ce volontaire devait accomplir un voyage périlleux : quitter son refuge de la forêt et gagner le village de Ban Thasi sur la route n° 41. Il devait se poster à la sortie du village, direction Phonsavan, le premier jour de la nouvelle lune, vers midi, et attendre. Un homme nommé Vieng Sin viendrait le chercher pour l'emmener à Phonsavan. Ensuite, il l'aiderait à gagner le Mékong et le lui ferait traverser, pour gagner Na Pha.

C'était un périple long et dangereux. Xai Vang avait été choisi pour son courage et sa bonne forme physique, après que les plus anciens du groupe eurent observé la lune pendant plusieurs jours. La configuration des nuages passant devant indiquait une conjoncture favorable ou défavorable. Or, si le «*phi*[1]» de la lune était de leur côté, tous les espoirs étaient permis. Animistes, les Méos étaient incroyablement superstitieux et pensaient qu'il y avait des «*phi*» partout.

Après avoir quitté son camp de la forêt, Xai Vang avait marché plus de vingt kilomètres dans la jungle, avant de rejoindre le lieu du rendez-vous. Ensuite, il

1. Esprit.

était arrivé sans encombre à Phonsavan, sur la moto de Vieng Sin.

Pour la première fois de sa vie, à trente-deux ans, il allait dormir avec un toit sur la tête… Le lendemain, un minibus appartenant à des Méos le conduirait à Vientiane, escorté par celui qui le logeait, Vieng Sin. Ce dernier lui trouverait un passeur pour franchir clandestinement le Mékong, dans une jonque de trafiquants. Il avait deux cent mille kips [1] dans sa ceinture.

Xai Vang frissonna : le soleil était en train de disparaître, noyant la plaine des Jarres dans une ombre crépusculaire ; il plissa les yeux, essayant d'imaginer les combats qui s'y étaient déroulés.

Il continua à regarder le ciel et, bientôt, la lune se découvrit. Un disque presque parfait. Il se sentit mieux, avec l'impression que des myriades de «*phi*» bienfaisants l'entouraient. Il n'arrivait pas à quitter le disque brillant des yeux et sursauta quand la voix d'une femme l'appela. La nuit tombée, on se couchait… Machinalement, il referma les doigts sur le petit bouddha de bois sculpté suspendu à son cou par une chaîne d'argent. Priant pour que des «*phi*» favorables l'accompagnent dans son étrange voyage.

Il n'avait jamais quitté son coin de jungle et appréhendait de se retrouver en Thaïlande, dont il ne parlait même pas la langue, même accompagné par un Méo installé là-bas.

Seulement, la voix du Minnesota lui avait annoncé que l'heure de la revanche avait enfin sonné pour les Méos, et qu'il allait participé à cette revanche. Pour venger son père et tous ceux tombés dans le combat contre les Vietnamiens et le Pathet Lao.

L'intérieur de la maison au toit de chaume ne comportait qu'une seule pièce au sol de terre battue, avec

1. Environ 18 euros.

des crochets aux murs pour suspendre quelques vêtements. Un coin cuisine où il s'installa sur une natte, un bâti surélevé pour les enfants et une grande natte servant de lit, avec des couvertures.

Les enfants avaient déjà mangé et il partagea un *larb*[1] puis une salade de papaye avec Vieng Sin et sa femme, Nam. Ensuite, ils s'allongèrent tous les trois sur la grande natte, recouverts par la même couverture, lui, à côté de Vieng Sin. Ici, on se couchait pratiquement avec le soleil. Les yeux ouverts, tout étonné d'avoir un toit sur la tête, Xai Vang n'arrivait pas à s'endormir. Enfin, il bascula dans le sommeil pour se réveiller quelques heures plus tard, taraudé par l'envie de faire pipi. Il se leva tout doucement et sortit. Ensuite, il revint se coucher à tâtons. Tout de suite, il réalisa que quelque chose avait changé. Nam, la femme de son hôte, s'était placée au milieu de la natte et Xai Vang était donc obligé de se coucher à côté d'elle. Ce qu'il fit, un peu étonné. À peine allongé, il sentit une main se poser sur sa poitrine. Puis, un corps se rapprocha du sien, jusqu'à le toucher. Il retenait son souffle. Désormais, Nam était collée à lui. Il sentait son souffle dans son cou.

Ils restèrent ainsi quelques instants tandis que le jeune homme sentait son désir s'éveiller. Puis, la jeune femme s'éloigna et Xai Vang se dit qu'il avait rêvé. Pourtant, il perçut un froissement de tissu et presque aussitôt, la croupe nue de Nam se colla à son ventre !

La jeune femme avait ôté son *phaa nung*[2] et s'offrait silencieusement.

Ce n'était pas absolument extraordinaire : les Méos pratiquaient la polygamie et jouissaient d'une grande

1. Salade de poulet
2. Sarong.

liberté sexuelle. Mais, à quelques centimètres de son mari, c'était un geste audacieux !

Elle se mit à remuer tout doucement contre lui et Xai Vang sentit son sexe durcir. À son tour, il bougea précautionneusement et l'extrémité de son membre effleura un sexe humide. D'un coup de reins furtif, il s'enfonça dans le ventre de Nam, qui se cambra de toutes ses forces pour l'aider.

Ils firent l'amour presque sans bouger, emboîtés l'un dans l'autre comme des petites cuillères. Lorsqu'il jouit, Xai Vang se mordit les lèvres pour ne pas faire de bruit.

Ensuite, Nam roula sur elle-même, remit discrètement son *phaa nung*, puis se retourna de l'autre côté. Apaisé, Xai Vang se rajusta puis tendit la main pour tâter l'enveloppe de plastique qui contenait les précieux documents sur l'implantation des guérilleros méos réclamés par le général Teng Thao.

Il était fier qu'on ait fait appel à lui pour une mission aussi importante. Tout en sachant que si les forces de sécurité laotiennes l'interceptaient, il serait torturé et tué.

La route était encore longue jusqu'en Thaïlande.

CHAPITRE II

Les mains posées à plat sur la table, le visage grave, le général Teng Thao plongea son regard dans celui de son vis-à-vis, Harrison Foster, et martela d'une voix basse et tendue, en détachant chaque mot :

– Je ne veux pas mourir sans avoir remis les pieds dans mon pays ! Vous avez enfin trouvé ce qu'il nous faut ?

Harrison Foster lui adressa aussitôt un sourire chaleureux, plein de compréhension.

– Général, je crois que cette fois nous touchons au but. J'ai de très bonnes nouvelles.

– C'est vrai ? demanda anxieusement le général méo.

Après avoir regardé par-dessus la rambarde du box tout au fond de la salle à manger de l'hôtel *Double-Tree*, un des meilleurs établissements de Sacramento, capitale administrative de la Californie, au 2001 Point West Way, pour s'assurer que personne ne les écoutait, Harrison Foster se pencha au-dessus de la table et lui confia à voix basse :

– Martin Soloway, mon ami de Phoenix, a bien travaillé. Nous avons rendez-vous tout à l'heure avec un type qu'il connaît bien, un certain Bob Twiss qui possède exactement ce dont nous avons besoin.

– Vous l'avez déjà rencontré ? demanda aussitôt le général Teng Thao.

– Pas encore. Mais mon ami de Phoenix me le garantit. C'est un ancien officier du SEAL[1] passé dans le privé. Il fournit différents matériels à des gens comme nous, qui en ont besoin pour la bonne cause.

Le général laotien se tourna vers la ravissante Asiatique assise à sa droite dans le box et lui dit dans sa langue :

– Tu vois, Yi Li, on va enfin y arriver !

Bien qu'il vive aux États-Unis depuis 1975, l'anglais du chef des Méos était encore rugueux, et il préférait s'exprimer dans sa langue.

Yi Li était sa dernière épouse, rencontrée deux ans plus tôt, fin 2005, à un dîner de charité donné en faveur des Méos par l'ONG *Facts Finding Commission*. Tout de suite, Teng Thao était tombé fou amoureux de sa beauté délicate. Un visage de camée aux traits fins, avec des yeux très bridés qui la faisaient ressembler à une Mongole, et un corps de Tanagra. Yi Li, elle-même venue avec sa famille en 1975, divorcée, ne faisait pas ses trente-cinq ans. Toujours soigneusement maquillée, vêtue de tailleurs ou de robes près du corps pour mettre ses formes en valeur, elle essayait de faire oublier son mètre cinquante-cinq en portant des talons de douze centimètres. Une ravissante poupée orientale avec, en plus de son physique séduisant, un cerveau qui fonctionnait parfaitement. Négociatrice dans une agence immobilière de Newport Beach, elle gagnait très bien sa vie.

– Je suis heureuse, monsieur Foster, dit-elle de sa voix flûtée. Très, très heureuse.

Harrison Foster s'épanouit, laissant son regard glisser jusqu'au décolleté carré de son haut. Contrairement

1. Commandos de marine des États-Unis.

à beaucoup d'Asiatiques, Yi Li avait une très belle poitrine, presque trop importante pour son torse menu. Parfois, l'ancien agent de la CIA se demandait comment le général Teng Thao, que certains de ses amis américains surnommaient « Moonface[1] », avait pu la séduire, avec son nez épaté et son visage rond.

Pourtant, elle n'avait résisté à la cour assidue du général Teng Thao que quelques semaines, durant lesquelles celui-ci n'avait cessé de faire le va-et-vient entre sa maison de Santa Ana et Newport Beach. Fou amoureux, il avait répudié sa sixième femme, qui, âgée de soixante ans, ne pouvait rivaliser avec cette jeune beauté. Teng Thao avait déjà répudié, en arrivant aux États-Unis, ses cinq autres femmes, qui lui avaient donné en tout trente-cinq enfants.

Les Méos, polygames, avaient tous de grandes familles.

Mais, cette fois, le général Teng Thao avait visiblement décidé de se contenter de sa septième épouse, de quarante ans sa cadette, et elle avait emménagé dans sa maison de Santa Ana, tout en prenant le Newport Freeway tous les matins pour rejoindre son agence. Très vite, elle avait exercé une influence grandissante sur son mari, le persuadant qu'il devait à tout prix tenter de revenir dans son pays, en y fomentant un coup d'État, grâce aux maquis méos – ses partisans – qui continuaient à lutter contre le régime communiste de Vientiane. Yi Li n'avait pas eu beaucoup de mal à le convaincre. Tel était, depuis son départ forcé du Laos, le rêve secret du général Teng Thao.

Pendant des années, la CIA l'avait d'ailleurs entretenu dans sa chimère. Puis, la chute du mur de Berlin et l'écroulement de l'Union soviétique avaient fait passer la reconquête du Laos aux oubliettes. La CIA, qui

1. Face de lune.

veillait de près sur le général, avait espacé ses visites. Les secrets qu'il détenait sur la guerre clandestine américaine au Laos avaient vieilli avec lui.

Et le régime communiste laotien ne gênait plus les Américains, occupés à lutter contre leur nouvel ennemi, l'islamisme radical. D'ailleurs, Washington avait établi des relations diplomatiques avec Vientiane et rouvert son ambassade dans la capitale laotienne.

Le dernier mauvais coup subi par les Méos s'était produit en 2001, après les attentats du World Trade Center. Le Patriot Act qui mettait hors la loi les mouvements terroristes les avait englobés dans sa liste. Sous prétexte qu'ils luttaient contre un gouvernement légal, ami des États-Unis. Ceux qui connaissaient les services qu'ils avaient rendus à l'Amérique, versant leur sang sans compter dans une guerre qui n'était pas la leur, en avaient été outrés.

En dépit des couinements des anciens de la CIA, le rouleau compresseur aveugle de la loi avait mis les Méos au ban de l'Amérique. Et, du coup, la CIA avait reçu l'ordre de couper tout contact avec le général Teng Thao et son organisation de résistance, Meo Hom.

Depuis, le vieux général continuait à parcourir les États-Unis pour rendre visite aux communautés les plus importantes, dans le Minnesota, le New Jersey, et surtout en Californie. Il recueillait des fonds pour aider les plus démunis. Poussé par Yi Li, il avait demandé à ses sponsors s'ils seraient prêts à investir dans le financement d'une reconquête armée du Laos. Plusieurs avaient accepté !

En moins de deux ans, il avait levé près de dix millions de dollars.

Il ne restait plus qu'à les transformer en armes, outils indispensables à la reconquête du Laos. Sans vouloir se l'avouer, dans son for intérieur, il savait qu'il se lançait dans cette aventure en partie afin de briller aux yeux de sa jeune et ravissante épouse.

L'homme assis à côté d'elle, un Asiatique mince aux cheveux gris en brosse et au visage émacié, lui dit quelques mots en lao.

Ly Lu, un ancien pilote de T-28[1] aux cinq mille sorties de combat, n'avait jamais quitté le général Teng Thao. De dix ans son cadet, il lui vouait un dévouement sans bornes et lui servait à la fois de garde du corps, de confident et de secrétaire. Lui aussi ne rêvait désormais que de la reconquête de son pays. Mais il était méfiant, sachant que son chef faisait parfois preuve de naïveté.

Yi Li se tourna aussitôt vers Harrison Foster.

– Monsieur Foster, dit-elle, êtes-vous sûr de cet homme ? Il ne va pas nous dénoncer ?

Depuis le revirement de 2001, tous les Méos étaient sur leurs gardes, Ly Lu particulièrement, qui se sentait chargé de la mission sacrée de protéger son chef.

Harrison Foster intervint, presque faché :

– Martin, notre ami de Phoenix, est absolument sûr, je le connais depuis des années et je travaille pour lui comme consultant depuis cinq ans. Il s'est d'abord adressé à un de ses amis proches qui est aussi dans le *defence business*, mais ce dernier n'avait pas le matériel qu'il nous faut. C'est lui qui l'a dirigé vers Bob Twiss.

– Où vit ce Bob Twiss ?

– En *Southern California*. Comme nous. Il dirige un petit bureau d'exportation d'armes légères. Cependant, le matériel qu'il vend ne transite jamais par le territoire américain.

– D'où tient-il ses armes ? demanda le général Teng Thao.

1. Chasseur à hélices.

– Il se fournit auprès de divers pays est-européens, Biélorussie, Ukraine, Russie, et aussi en Israël. Ou encore dans certains pays où il existe des stocks inutilisés. Il n'a jamais trahi personne.

Cette explication ne semblait pas avoir convaincu Ly Lu. L'ancien pilote remarqua :

– Qui nous dit que cet homme n'est pas un agent *undercover* du FBI cherchant à démanteler des trafics d'armes ? Si ce Bob Twiss opère à partir de la Californie, il a forcément des contacts avec une agence fédérale, sans quoi, il ne pourrait pas travailler.

Le sourire de Harrison Foster s'épanouit. Il baissa la voix pour répliquer :

– Justement ! D'après Martin Soloway, Bob Twiss a des contacts avec l'Agence[1]. Et c'est même pour cela qu'il souhaite nous donner un coup de main…

Un silence pesant suivit sa déclaration, tandis qu'un ange se mettait à voler lentement au-dessus du petit box tendu de velours rouge.

Le roman d'amour entre les Méos et la CIA avait pris fin le 22 février 1973, lorsque la guerre au Laos s'était officiellement arrêtée.

Ensuite, les relations s'étaient fortement distendues, comme dans un couple qui divorce. Pourchassés par les Pathet Lao qui avaient pris le pouvoir, les Méos avaient connu le même genre de sort que les harkis algériens. Exécutés, torturés, enfermés dans des camps de « rééducation »… Les plus chanceux avaient pu émigrer, tandis que de petits groupes continuaient la lutte. Comme d'habitude, l'Amérique s'était montrée plus qu'ingrate envers ses anciens alliés, et seul William Colby, alors directeur de la CIA, était intervenu en leur faveur, sans succès.

Le rideau de bambou était tombé sur le Laos,

1. La CIA.

enclavé entre la Chine et le Vietnam, séparé de la Thaïlande par le Mékong.

Après un court séjour dans le Montana, où demeurait son *case officer* de la CIA, le général Teng Thao s'était fixé en Californie, dans la petite ville de Santa Ana, au cœur d'Orange County. Rongeant son frein, venant en aide aux Méos dispersés aux États-Unis et ailleurs, et rêvant de revanche.

Sans la pression de Yi Li, il n'aurait peut-être pas bougé... Mais persuadé de l'impopularité des dirigeants communistes dans leur propre pays et convaincu par sa jeune épouse qu'en dépit de moyens restreints, il pouvait envisager une reconquête, il s'était tout naturellement tourné vers son vieil ami Harrison Foster pour les problèmes logistiques. Ce dernier, agent de la CIA, avait été affecté à la surveillance du général Teng Thao depuis son arrivée aux États-Unis. C'est lui qui filtrait tous ses contacts avec la presse, veillait à ce qu'il ne manque de rien, l'aidait discrètement dans ses démarches courantes.

Comme le fils de Reza Shah, pendant des années, le général Teng Thao avait fait partie des « *assets*[1] » de la Central Intelligence Agency. Des gens qui pouvaient éventuellement resservir. Dans le cas iranien, la solidité du régime des ayatollahs avait mis fin aux espoirs du fils de Farah Dibah, et la fin de l'Union soviétique avait fait passer le Laos par profits et pertes.

Malgré tout, Harrison Foster avait continué à veiller sur le général Teng Thao, jusqu'à sa retraite en 1994.

À cette date, il était venu s'installer en Californie où il avait monté une petite structure de consulting pour certaines entreprises liées à la Défense. Tout en restant très proche de son « client », devenu, au fil des ans, son ami. Il écoutait, fasciné, les récits du vieux combattant

1. « Placements ».

laotien, qui lui racontait les mœurs féroces de cette guerre secrète. Le général Teng Thao avait un faible pour la liquidation des prisonniers du Pathet Lao. Évidemment, ces derniers, lorsqu'ils capturaient un Méo, l'attachaient à un arbre, pratiquaient une incision dans son abdomen, en sortaient un bout d'intestin. Ensuite, ils y nouaient une cordelette dont ils attachaient l'autre extrémité à un buffle. Il n'y avait plus qu'à donner un coup de baïonnette au ruminant pour qu'il s'enfuie, emportant avec lui les intestins du prisonnier.

Lorsque le général Teng Thao avait décidé de monter son opération, il avait certes établi un budget modeste, environ dix millions de dollars – à peine une heure de guerre en Irak –, mais il lui fallait trouver des armes. Harrison Foster n'avait pas beaucoup hésité. D'abord, il trouvait cette idée de reconquête très romantique et, ensuite, il espérait toucher une commission confortable sur le matériel qu'il procurerait. Et, jusque-là, tout se passait comme prévu. Sauf qu'il devait compter avec la méfiance de Ly Lu, relayé par Yi Li en qui le général avait toute confiance.

Teng Thao ne put s'empêcher de réagir.

– Harrison ! lança-t-il à mi-voix, vous n'êtes pas en train de me dire que la CIA va nous aider à chasser les Pathet Lao du Laos ! Vous savez que c'est complètement impossible ! Ils n'ont même plus le droit de me parler !

Il fixait son vieil ami avec une expression presque douloureuse.

Harrison Foster avait prévu cette réaction. Il posa sa grande main, à laquelle manquait le petit doigt, sur celle, fine et ridée, du vieux général laotien.

– Général, fit-il d'un ton convaincu, certaines choses sont en train d'évoluer. Bien sûr, la politique officielle de l'Amérique n'a pas varié : le Laos et les États-Unis sont deux pays amis qui entretiennent des relations diplomatiques normales. Seulement, en sous-main, les choses ont changé. La Maison Blanche souhaite mener une politique plus « agressive » vis-à-vis de la Chine. Le Président aimerait entourer la Chine de quelques pays favorables aux intérêts américains. Un peu comme on a fait en Europe, en aidant l'Ukraine et la Géorgie à se détacher de la Russie. Les États-Unis sont déjà bien installés en Mongolie et il semble qu'ils ne verraient pas d'un mauvais œil un changement de gouvernement au Laos.

Il se tut et alluma une cigarette. Ses trois interlocuteurs l'avaient écouté, bouche bée. Le général Teng Thao retrouva le premier la parole.

– D'où tenez-vous ces informations, Harrison ?

– Lorsque vous m'avez parlé de votre projet, général, j'ai donné quelques coups de fil à mon ancienne « maison ». Apparemment, certaines personnes ont été intéressées. On m'a même demandé de venir sur la côte Est en m'envoyant un billet d'avion. J'ai eu un déjeuner dans un restaurant de Tyson Corner, pas loin de Langley, avec un des nouveaux responsables de la Division des Opérations.

– Il vous a donné son nom ?

– Smith, répondit Harrison Foster avec un sourire entendu. N'oubliez pas qu'il ne doit rien y avoir d'officiel...

Le général Teng Thao était cloué à la banquette par les révélations de son ami. Il insista :

– Harrison, voulez-vous dire que cette Administration voudrait renverser le gouvernement communiste de Vientiane ?

L'ancien agent de la CIA arbora un sourire prudent.

– Je n'irai pas jusque-là ! Mais je pense que la Maison Blanche verrait d'un bon œil un gouvernement proaméricain s'installer à Vientiane.

Le général demeura un long moment perdu dans ses

pensées, bouleversé par tout un passé qui remontait à la surface. Il se revoyait survolant le Mékong dans le petit Pilatus piloté par un agent de la CIA, avec la mitrailleuse de 12,7 encombrant toute la cabine.

Trente années s'étaient écoulées depuis. Une éternité…

La voix coupante de Ly Lu brisa le silence.

– Mister Harrison, comment pourrait-on vérifier ces bonnes dispositions ?

Harrisson Foster arbora une mine contrite.

– Directement, c'est impossible. Il est hors de question d'obtenir un aval explicite. Vous connaissez les règles régissant les opérations clandestines. Les gouvernements n'avouent jamais les sponsoriser. Même en cas de succès. En Ukraine, le gouvernement américain a toujours nié être derrière la Révolution orange. C'est pourtant une des plus belles opérations de la CIA.

Le général Teng Thao, sans même s'en rendre compte, serrait son verre de thé de toutes ses forces. Se disant soudain qu'il avait eu raison de ne pas se décourager, au cours de ces années de frustration.

– Donc, conclut-il d'une voix émue, les Américains veulent que nous reprenions le Laos.

Harrison Foster le corrigea gentiment.

– Pas tous les Américains… Mais je peux quand même vous donner une preuve indirecte. Comme le faisait remarquer Ly Lu, l'homme que nous allons rencontrer, Bob Twiss, ne fait rien sans avoir le feu vert de la CIA. S'il a accepté de nous livrer du matériel de guerre, c'est qu'il l'a eu…

L'ange repassa, volant bas.

Ly Lu demeura muet comme une carpe. Tout ce que disait Harrison Foster était d'une logique implacable : il cherchait en vain une faille. Il s'en voulut brusquement de douter d'un homme qui était leur ami depuis si longtemps.

Le général Teng Thao but une longue gorgée de son thé. Cette scène à des milliers de kilomètres du Laos, au fond de ce restaurant désert, était surréaliste. En dépit des affirmations d'Harrison Foster, il avait du mal à imaginer une volte-face des Américains.

La voix d'Harrison Foster l'arracha à sa brève rêverie.

– Général, vous avez apporté la liste du matériel ? C'est-à-dire celle des armes nécessaires à la reconquête du Laos.

– Oui, admit de mauvaise grâce le général Teng Thao.

– Alors, il faut aller à notre rendez-vous, conclut Harrison Foster. C'est à dix heures, à trois quarts d'heure de route.

Malko eut la chance de trouver une place dans Zelingstrasse, presque en face du restaurant *Livingstone* où ils avaient rendez-vous. Au moment où il coupait le contact, Alexandra poussa un soupir énervé.

– Je me demande ce que je fais là !

Apaisant, Malko posa la main sur son genou gainé de Nylon et remarqua en souriant :

– Tu n'es pas venue à Vienne pour rien...

Le coffre de la Rolls était rempli des emplettes d'Alexandra, prise d'une frénésie de shopping. Sans parler de ce qu'elle portait sur elle. C'est elle qui, lorsqu'il avait mentionné son rendez-vous au *Livingstone*, avait suggéré de l'accompagner à Vienne. Histoire de faire exploser sa penderie. Elle se tourna vers lui avec un sourire salace.

– Tu aimes ce que j'ai trouvé ?

Sa magnifique poitrine était à peine protégée par un soutien-gorge pourpre qui en laissait les pointes libres.

Celles-ci jouaient librement sous la mousseline d'un chemisier quasi transparent. Son tailleur noir, harmonieusement désassorti, s'arrêtait au premier tiers de ses cuisses, juste avant le haut des bas « stay-up ».

Elle arborait une expression tellement provocante que Malko sentit sa température interne monter de plusieurs degrés. La voix rauque, cassée, de la jeune femme lui emplit le cerveau d'adrénaline.

– Et si tu me baisais tout de suite, ici ? suggéra-t-elle. Je n'ai pas très faim.

Tout en parlant, elle avait légèrement ouvert les jambes, comme pour inviter Malko à la caresser... Ce dernier, d'un effort admirable, réussit à décoller sa main du genou d'Alexandra. Truman Young, le chef de station de la CIA en Autriche, devait l'attendre depuis une demi-heure déjà. Il ouvrit sa portière et Alexandra, de mauvaise grâce, en fit autant. Elko Krisantem était en vacances en Turquie, il avait dû prendre le volant lui-même. L'entrée d'Alexandra dans le restaurant stoppa toutes les conversations. Avec sa cascade de cheveux blonds, son chemisier laissant deviner sa somptueuse poitrine et ses interminables jambes terminées par des escarpins rouge sang, elle ne passait pas inaperçue...

Un bras s'agita au fond de la salle.

Truman Young se leva et vint à leur rencontre, visiblement mesmérisé par Alexandra. Petit, brun, il semblait fasciné comme un lapin par un cobra. Malko fit les présentations. L'Américain bredouilla. Malko avait l'impression que son cerveau s'était brutalement liquéfié. Vicieusement, Alexandra s'assit en face de lui et plongea son regard dans le sien.

– *So, Mister Spook*[1], fit-elle de sa voix rauque, dans quoi allez-vous encore entraîner le prince Malko ?

1. Alors, monsieur l'Affreux.

Désarçonné par cette attaque brutale, l'Américain héla le garçon et lança, stressé :

– Vous apportez le champagne, s'il vous plaît.

– *Sofort! Mein Herr*[1], dit aussitôt le garçon.

Ce n'est qu'une fois la bouteille de Taittinger Comtes de Champagne Rosé 2000 ouverte que Truman Young annonça d'une voix mal assurée :

– Je crois que l'Agence souhaite vous envoyer en Extrême-Orient.

Alexandra émit un son qui ressemblait au sifflement d'un serpent.

– *Ohne mich*[2]*!*

Elle avait gardé un mauvais souvenir de leur lune de miel à Bangkok[3].

1. Tout de suite, monsieur.
2. Sans moi !
3. Voir SAS n° 168 et n° 169 : *Le Défecteur de Pyongyang*, t. 1 et t. 2.

CHAPITRE III

Le général Teng Thao se pencha vers une grosse serviette en cuir posée par terre, l'ouvrit et en sortit une liasse de papiers qu'il avait retirés la veille du coffre de la banque Wells Fargo de Santa Ana où il conservait tous les documents relatifs à son opération. Ses contacts au Laos et en Thaïlande, les numéros des téléphones satellite distribués aux différents maquis répartis dans plusieurs zones du Laos, les filières permettant de faire passer des armes et des gens de Thaïlande au Laos. Certains maquis méos exploitaient un bois précieux, le *mai kitsando*, qu'ils vendaient à des marchands thaïlandais. Un industriel établi à Vientiane, qui y possédait une usine de confection de jeans et importait du tissu de Thaïlande, permettait aussi certains transferts.

Cependant, le document le plus important était sa « *shopping list* » d'armements, établie sur les conseils de Ly Lu. Il la tendit à Harrison Foster qui dit simplement :

– Je voulais être certain que vous l'aviez. C'est à Bob Twiss qu'il faudra la donner. Allons-y.

Il était déjà debout.

– Où est le rendez-vous ? demanda le général Teng Thao.

– Sur le parking du Wall-Mart qui se trouve sur

l'I-5, à l'ouest de Stockton, juste après le croisement avec Chester Way.

Le général Teng Thao posa un billet de dix dollars sur la note et se leva à son tour. Yi Li et Ly Lu l'imitèrent. Harrison Foster eut un sourire un peu crispé et avertit :

– Général, je pense que nous ne devrions aller que tous les deux à ce rendez-vous…

Il y eut un silence pesant. Yi Li et Ly Lu avaient toujours assisté aux réunions avec Harrison Foster. Et l'ancien agent de la CIA semblait apprécier la présence de la ravissante épouse du général. Il insista, fermement.

– C'est une demande de Bob Twiss, expliqua-t-il. L'achat sur le sol américain d'armes destinées au renversement du gouvernement légal d'un pays avec lequel les États-Unis ne sont pas en guerre est un crime fédéral. Bob Twiss ne souhaite pas de témoins.

Un ange passa, arborant le drapeau en berne sur ses ailes. La CIA en avait fait d'autres, dont le débarquement de la baie des Cochons à Cuba, terminé par un fiasco. Quarante-cinq ans plus tard, Fidel Castro était toujours là.

Cette évocation muette déplut au général laotien. Il se tourna vers Yi Li et dit :

– *Honey*, je crois qu'il a raison, il faut mettre toutes les chances de notre côté.

Ly Lu, l'ancien pilote, lui jeta quelques mots en laotien, avant que la jeune femme ait eu le temps de répondre, puis il se tourna vers le général et dit :

– Je vais raccompagner votre femme.

Ils se séparèrent sur le parking du *DoubleTree*, Yi Li et Ly Lu gagnant une Toyota Toundra stationnée sous le soleil déjà brûlant. Après un mois de mai pluvieux, juin était magnifique en Californie.

Yi Li tendit la main à Harrison Foster.

– Merci pour ce que vous faites pour nous, dit-elle de sa voix cristalline.

Harrison Foster en rougit de contentement. Secrètement, il était amoureux de la jeune femme, dont la sensualité ne se révélait que par de brefs regards intenses, vite éteints, comme si elle avait honte. Il escorta le général Teng Thao jusqu'à sa voiture, une Jeep Cherokee verte. En sortant du parking, l'Américain prit la direction de l'ouest pour rejoindre l'I-5, qui descendait jusqu'à San Diego. Le Wall-Mart de Stockton se trouvait à une quarantaine de miles au sud. Plongé dans ses pensées, le général Teng Thao regardait distraitement défiler le paysage sans surprise. Il aurait voulu être plus vieux de quelques semaines.

– Les voilà ! lança à mi-voix Ly Lu, au volant de la Toundra.

La Cherokee verte venait de passer devant leur voiture, arrêtée sur le parking d'un petit centre commercial, au bord de l'I-5. En quittant l'hôtel *DoubleTree*, il avait foncé directement vers le freeway, l'atteignant avant Harrison Foster, lequel, terrorisé par les *Highway Patrols*, conduisait à une allure d'escargot.

Le général Teng Thao l'avait entendu faire part de ses intentions à Yi Li et ne pouvait blamer cette précaution. Ly Lu était aussi chargé de sa sécurité.

À son tour, la Toyota Toundra se glissa dans la circulation du San Diego Freeway, laissant plusieurs voitures entre eux et la Cherokee. Yi Li, assise à l'avant, était muette comme une carpe et Ly Lu s'était juré d'éviter tous les problèmes à son chef. À soixante-quinze ans, le général Teng Thao était encore plein d'énergie, mais il avait tellement envie de mener à bien son expédition qu'il en perdait une partie de sa prudence… Et puis, en dépit de tout, il avait toujours eu une confiance aveugle dans les Américains.

Pas Ly Lu.

Trente-huit minutes plus tard, ils virent le conducteur de la Cherokee mettre son clignotant et se diriger vers la rampe menant au Wall-Mart.

Ly Lu se dit qu'il allait voir à quoi ressemblait l'homme qui devait leur procurer les armes pour leur guerre de libération. Après tout, quand Fidel Castro avait « libéré » Cuba, il ne disposait que d'une poignée d'hommes et de quelques armes dépareillées.

Bien sûr, Cuba était une île, mais le Laos aussi, en quelque sorte, coincé entre les jungles birmane, thaïe, vietnamienne et le sud de la Chine.

L'armée laotienne, même si elle était motivée idéologiquement, était en pièces : du vieux matériel russe et plus aucun entraînement depuis bien longtemps… Le centre nerveux du pays était Vientiane, où se trouvait le gouvernement. Si le général Teng Thao réussissait à couper la tête du serpent, le reste du Laos tomberait tout seul. Les Laotiens étaient des paysans paisibles, peu motivés politiquement, nonchalants et résignés.

L'enseigne du Wall-Mart apparut et Yi Li ouvrit enfin la bouche.

– Vous ne croyez pas que c'est imprudent ? Si cet homme nous repère, il risque de ne pas donner suite à sa proposition…

Ly Lu sourit, sûr de lui.

– Il ne nous verra pas ! affirma-t-il péremptoirement.

La Cherokee était déjà sur le parking du Wall-Mart. Ly Lu se gara à l'entrée et partit à pied à sa recherche dans l'immense parking, laissant Yi Li dans la Toundra.

***

À peine la Cherokee de Harrison Foster s'était-elle arrêtée qu'une Chevrolet beige garée dans la rangée voisine fit un bref appel de phares.

– C'est Bob, annonça aussitôt l'ancien agent de la CIA.

Le Laotien avait déjà la main sur la poignée pour sortir, mais Harrison Foster lança :

– Attendez ! Il veut d'abord me voir seul.

Il sortit de la Cherokee et traversa l'allée pour rejoindre l'autre véhicule. Son occupant resta au volant, descendant la glace pour discuter. Harrison Foster revint vers la Cherokee.

– Par prudence, il ne veut pas nous rencontrer ici, annonça-t-il. On va le suivre jusqu'à un autre endroit.

La Chevrolet quitta lentement sa place de parking et il la suivit. La voiture avait une plaque californienne et le général Teng Thao se dit que Ly Lu, qui n'était sûrement pas loin, l'avait repérée et enregistrée. Ils roulèrent quelques minutes sur le freeway, puis la Chevrolet s'engagea dans la rampe suivante et tourna dans Eldorado Street, une voie parallèle au freeway, bordée d'entrepôts et de garages. Elle s'arrêta en face d'une grille noire surmontée d'un panneau : STOCKTON MINISTORAGES. MONTHLY. ANNUALY[1].

Des petits box de la taille d'un garage, où les gens entassaient leurs affaires entre deux déménagements.

Un calicot rouge annonçait « *Vacancies*[2] ». Les deux véhicules franchirent la grille, suivirent une allée desservant une vingtaine de *ministorages* et finalement la Chevrolet stoppa devant la porte du box n° 26. Aussitôt, le volet roulant électrique s'ouvrit en coulissant, permettant aux deux véhicules d'y entrer.

La porte se referma derrière eux, et un homme de

1. Box. Au mois. À l'année.
2. Places libres.

haute taille émergea de la Chevrolet. Le box, presque vide à part quelques caisses rangées au fond, était éclairé par des néons blafards. Pas gai. Harrison Foster était sorti à son tour : il s'avança vers Bob Twiss, échangea quelques mots avec lui, puis se tourna vers le général Teng Thao.

– Voici Bob Twiss, qui est prêt à nous aider.

Les deux hommes se serrèrent longuement la main. Bob Twiss, avec ses cheveux ras, son visage énergique, ses épaules larges et sa tenue décontractée, inspirait confiance. Lorsqu'il parla, le général Teng Thao reconnut la façon de s'exprimer classique des anciens soldats. Il en avait fréquenté assez pour ne pas se tromper.

Cela lui plut.

Bob Twiss lui adressa un large sourire et entra dans le vif du sujet.

– Je crois que j'ai ce dont vous avez besoin. Venez.

Il les emmena au fond du garage, où étaient empilées quelques caisses, puis se retourna vers le général.

– Regardez.

Il ouvrit la première caisse et les trois hommes aperçurent cinq Kalachnikov AK 47 flambant neuves, équipées de la baïonnette et du lance-grenades. Le marchand d'armes souleva ensuite le couvercle de la caisse voisine, découvrant deux fusils d'assaut M 16 équipés de lance-grenades M 203.

La caisse suivante contenait trois roquettes antichars AT 4. Et la dernière, un missile Stinger sol-air avec sa poignée et son dispositif de mise à feu. Le général Teng Thao fut impressionné : ce n'était pas le genre de matériel qu'on achetait dans les épiceries. Surtout le Stinger, redoutable contre les appareils militaires. Le vainqueur de la guerre contre les Russes en Afghanistan…

Bob Twiss désigna alors une autre caisse en bois, avec des poignées en corde.

– C'est du C4[1], précisa-t-il. Il y a autant de cordons détonants que vous voulez.

Le général Teng Thao revivait ! Cette fois, c'était du sérieux, et cet homme lui faisait bon effet. C'était un professionnel... Bob Twiss s'appuya à sa voiture et alluma une Camel.

– Ceci n'est qu'un échantillon ! annonça-t-il. Si vous avez besoin d'autre matériel classique, je peux vous le procurer.

Le général sauta sur l'occasion.

– Des RPG7 et des mitrailleuses M30, demanda-t-il. C'est possible ?

– Combien ? demanda simplement Bob Twiss.

Le Laotien s'aperçut qu'il transpirait. Le bonheur ! Il n'avait plus aucune réticence. Plongeant la main dans sa poche, il déplia la liste sur laquelle il travaillait depuis des mois, chaussa ses lunettes et lut :

– Il me faudrait 500 AK47 ou M16, annonça-t-il, avec vingt chargeurs par arme. Cent RPG7, dix mitrailleuses légères et deux lanceurs Stinger avec chacun deux fusées.

Bob Twiss ne broncha pas.

– Cela représente pas mal d'argent ! remarqua-t-il d'un ton neutre. Rien qu'un AK47 vaut 800 dollars.

– J'ai l'argent, répliqua sèchement le général Teng Thao. Vous avez le matériel ?

– Je peux l'avoir, sans problème, dans un délai de trois ou quatre semaines. Où voulez-vous qu'on vous le livre ?

– Dans trois endroits différents, en Thaïlande, non loin de la frontière laotienne, précisa le général Teng Thao. Je me chargerai moi-même de l'acheminement jusqu'au Laos.

1. Explosif militaire brisant.

Le marchand d'armes tira un court instant sur sa cigarette puis la jeta et l'écrasa d'un coup de talon.

– O.K., conclut-il, mettons-nous d'accord sur les conditions de règlement. Vous me donnez 50 % à la commande et le solde à la livraison. Vous avez du monde en Thaïlande ?

– Oui, affirma Teng Thao sans s'étendre. Quels sont vos prix ?

– Il faut que je vous recontacte, répondit aussitôt Bob Twiss. Ces armes ne sont pas en ma possession et je dois négocier avec leur propriétaire.

– Qui ?

Le marchand d'armes eut un sourire contenu.

– On s'est beaucoup battu dans le Sud-Est asiatique, remarqua-t-il d'un ton léger. Au Cambodge, en Birmanie, au Vietnam, au Laos : il y a encore beaucoup de dépôts d'armes aux mains de gens qui ont besoin d'argent. Ils sont sûrs, ils ne font pas de politique : ils veulent seulement gagner un peu d'argent. Avec eux, vous n'aurez pas de problèmes.

– Des militaires thaïs ? demanda le général Teng Thao.

La cupidité et la corruption de l'armée thaïe étaient connues du monde entier. Les généraux thaïs trafiquaient de tout, de l'héroïne au bois précieux, en passant par les êtres humains et les armes. Bob Twiss ne répondit pas, se contentant d'un vague sourire.

Harrison Foster eut une quinte de toux. La poussière. Ensuite, il se tourna vers le général Teng Thao.

– Qu'en pensez-vous, général ?

Le Laotien ne répondit pas immédiatement. Il ne voulait pas se montrer trop enthousiaste et désirait aussi éclaircir certains points. Vieux routier des opérations clandestines, il aimait savoir où il mettait les pieds.

Levant la tête vers Bob Twiss qui le dépassait de vingt centimètres, il demanda d'une voix égale :

– Pour qui travaillez-vous ?

Le marchand de mort subite ne se troubla pas.

– Pour moi, depuis que j'ai quitté l'armée. J'ai une famille à nourrir.

– Vos armes ne se trouvent pas sur le territoire américain ?

– Généralement, non.

– Je suppose que vous transmettez vos commandes par e-mail.

– La plupart du temps, reconnut Bob Twiss. Pourquoi cette question ? Tout le monde travaille ainsi maintenant.

Le général Teng Thao le fixa droit dans les yeux.

– Vous savez bien que tous les e-mails peuvent être interceptés. Et ils le sont souvent. Vous n'avez jamais eu de problèmes ?

Bob Twiss sourit.

– Je vois où vous voulez en venir ! Non, je n'ai pas de problèmes parce que je ne fais aucune opération qui puisse nuire à mon pays.

Autrement dit, il travaillait sous le contrôle d'une Agence fédérale, FBI ou plus probablement la CIA. C'était ce qu'on appelait des opérations « grises ». Cela rassura le général Teng Thao, car cela confirmait les informations de Harrison Foster : la CIA voyait son projet d'un œil favorable. Il voulut en savoir plus.

– Donc, enchaîna-t-il, lorsque votre ami de Phoenix vous a parlé de cette affaire, vous avez demandé un feu vert…

– C'est un peu cela, reconnut Bob Twiss. Vous avez de l'expérience : vous savez bien qu'on ne travaille pas sans filet dans notre métier. Dans votre cas, il y a un filet et il est solide. Cependant, il faut accepter les formes.

– C'est-à-dire ?

– Lorsque vous me verserez les acomptes, cela ne se passera pas ici en Californie. Je ne peux pas accepter d'argent sur le sol américain. Il faudra que vous versiez ces sommes sur un compte *off shore*, que je vous indiquerai.

Le général Teng Thao se rembrunit.

– Cela me pose un problème, avoua-t-il. L'argent que je vais utiliser provient de dons en liquide. Je ne possède pas de compte *off shore*.

– C'est ennuyeux, soupira Bob Twiss. Je ne veux rien faire d'illégal. L'IRS [1] est très vigilant.

Harrison Foster intervint, d'une voix pressante.

– Bob, vous ne pouvez pas faire une exception ? Accepter un paiement cash ? Ensuite, ajouta-t-il en riant, vous pourrez toujours aller passer un week-end aux Caïman Islands [2] pour le remettre dans le circuit. Il fait toujours beau là-bas...

– Je vous paierai les frais en plus, proposa le général Teng Thao.

– O.K., on va s'arranger comme ça, conclut Bob Twiss. Mais c'est vraiment à cause de notre ami commun de Phoenix.

Le général Teng Thao avait envie de danser sur place et jeta un regard de reconnaissance à Harrison Foster. Sans lui, il n'aurait jamais pu entrer en contact avec son « sauveur ». L'histoire était claire. Peut-être au nom du passé, peut-être pour d'autres raisons, la CIA désirait lui donner un coup de main dans sa folle entreprise. C'était le miracle : il ne rencontrerait jamais aucun officiel américain, mais il avait une sorte de parapluie. Puissant et bienveillant. Bob Twiss regarda sa montre.

1. Internal Revenu Service : le fisc américain.
2. Paradis fiscal dans les Caraïbes.

– On se revoit dans trois jours, sur le parking du K-Mart à l'intersection de Farmington Road et de Mariposa Road, à Stockton. Je vous communiquerai les prix et les délais de livraison. Maintenant, on se quitte.

Il était déjà remonté dans sa voiture. Le volet roulant se releva et un flot de lumière entra dans le box. Ils sortirent en marche arrière et à la grille, les deux véhicules se séparèrent, la Chevrolet de Bob Twiss filant vers le sud, tandis que Harrison Foster repartait vers Sacramento.

– Qu'en pensez-vous, général ? demanda-t-il.

– Cela semble sérieux ! reconnut le Laotien. J'espère que ce n'est pas un escroc. Il va falloir lui donner de l'argent d'avance.

– Mon ami de Phoenix en répond comme de lui-même, affirma l'Américain. Il le connaît depuis longtemps.

– Pourvu que Langley ne me joue pas de tour !

– Je ne pense pas, affirma Harrison Foster. Vous avez réuni l'argent ?

– J'ai plus de neuf millions de dollars, annonça fièrement le général. Et je peux en obtenir plus.

– Parfait, conclut l'ex-agent de la CIA. Où allons-nous ?

– Chez moi.

C'est-à-dire à Santa Ana, plus au sud. Le général avait hâte de raconter à Yi Li ce qui s'était passé. En même temps, il était en proie à une excitation extraordinaire. Après toutes ces années de frustration, il allait pouvoir agir de nouveau. Et peut-être, enfin, changer le sort de son pays. Comme ils passaient devant un *liquor store*, il lança à Harrison Foster :

– Arrêtez-moi quelques instants ici.

À peine la Cherokee eut-elle stoppé, qu'il bondit de la voiture et s'engouffra dans le magasin, sous le regard étonné de Harrison Foster. Le général était tout sauf un ivrogne… Il ressortit du *liquor store* avec un carton contenant une bouteille de champagne. L'étiquette indiquait « Taittinger Comtes de Champagne, Blanc de Blancs 1998 ». Le général avait pris le goût du champagne avec les Français et ne l'avait jamais perdu. Mais, depuis bien longtemps, il n'avait rien eu à célébrer…

Hue Vang s'était posté presque en face des *ministorages*, sur le parking d'une petite station-service, peu après l'arrivée du général Teng Thao. Il examinait sa moto comme si elle était en panne. Il avait été appelé à la rescousse par Ly Lu. Motard expérimenté et tout dévoué au général Teng Thao, Hue Vang, propriétaire d'un petit garage à Sacramento, avait reçu l'ordre de prendre en filature la voiture de l'homme avec qui le général avait rendez-vous.

Il fallait absolument en apprendre le maximum sur lui.

Protégé par un casque intégral, Hue Vang ne pouvait pas être reconnu et on ne voyait pas qu'il était asiatique…

Lorsque la Chevrolet beige était ressortie du parc de *ministorages*, il était remonté sur sa moto et l'avait suivie, à bonne distance. Après avoir roulé quelques miles en direction du sud, le conducteur de la Chevrolet avait repris le San Diego Freeway vers le nord, était sorti à Sacramento et s'était finalement arrêté dans le *drive-way* d'un cottage, au 1821 Brodewick Drive, dans un quartier résidentiel, à l'ouest de la ville. Le conducteur avait ouvert la porte du cottage avec sa clef. Il était chez lui.

Hue Vang avait noté l'adresse et le numéro de la voiture, avant de repartir. Quelqu'un d'autre allait exploiter ces premiers éléments.

***

Le général Teng Thao, d'énervement, claqua la porte de la maison. Passant devant les deux énormes chevaux en bois doré de l'entrée, il traversa la cuisine et trouva Yi Li sur le canapé en L du living, en train de lire en mangeant un yoghourt.

Elle leva vers lui un regard un peu étonné. D'habitude, il fermait les portes très doucement. Puis, elle aperçut l'étui contenant la bouteille de Taittinger.

– Qu'est-ce que tu as ramené ? demanda-t-elle.

Le général se planta devant elle, dégoulinant de bonheur et lança :

– Du champagne ! Et on va le boire maintenant ! Viens.

Elle le suivit dans la grande cuisine donnant sur le jardin et la piscine. Le général Teng Thao sortit deux flûtes d'un placard, puis déboucha la bouteille de Taittinger. Le bouchon sauta avec un *plop* qui lui parut particulièrement joyeux. Yi Li souriait, indulgente.

– Qu'est-ce qui te prend ?

– Bois ! lança-t-il en lui tendant une flûte pleine de bulles irisées. J'ai une très grande nouvelle à t'annoncer.

Lui-même vida sa flûte d'un trait, les bulles lui picotant délicieusement la langue. En reposant son verre, son regard se posa sur Yi Li et il éprouva d'un coup une violente pulsion sexuelle. Avec son décolleté carré offrant sa poitrine comme sur un plateau et sa jupe découvrant très haut ses cuisses, son maquillage parfait, Yi Li était super sexy. Le général posa sa flûte et passa le bras autour de la taille de sa femme, l'appuyant à la grande table de bois occupant le centre de la cuisine.

– Tu es très belle ! souffla-t-il.

Une de ses mains remonta et se referma sur un sein

lourd. Elle ne portait pas de soutien-gorge et il sentit la pointe du sein durcir sous sa main. Aussitôt, il se colla à Yi Li, de tout son corps. La jeune femme se tortilla un peu, cherchant à lui échapper, gênée.

– Buvons ce champagne ! proposa-t-elle. Et dis-moi à quoi nous trinquons.

Le général Teng Thao ne l'écoutait plus. Il avait déjà vidé une seconde flûte de Comtes de Champagne. Sa main droite disparut sous la jupe et Yi Li sursauta en sentant ses doigts atteindre son sexe.

Comme un soudard, son mari se mit à tirer sur l'élastique de sa culotte, la faisant glisser le long des cuisses de la jeune femme.

Il était dans un état second. Pris par ses soucis d'organisation, il n'avait pas fait l'amour avec sa femme depuis une quinzaine de jours. Tout ce désir refoulé semblait se ruer d'un coup dans son ventre.

Comme un collégien, il descendit fébrilement le zip de son pantalon, extirpa son sexe, déjà dur comme du fer, de son caleçon. Yi Li, surprise par cette fougue inhabituelle, poussa un soupir à la fois réprobateur et indulgent.

– Teng, tu es fou !

Sans répondre, il fit passer la culotte de dentelle blanche sous un des escarpins, la laissant accrochée à l'autre cheville, et écarta les jambes de Yi Li avec une brutalité dont il ne se serait pas cru capable. Elle tenta de le repousser et, ce faisant, sa main droite frôla le sexe dressé.

Ses doigts y restèrent collés comme si la peau de son mari avait été un métal brûlant. Depuis très longtemps, elle ne l'avait pas vu dans cet état. D'un coup, elle se sentit inondée, ses muscles se relâchèrent, elle se laissa aller en arrière, appuyée à la table, abandonnée, offerte.

Le général Teng Thao sentit sa réaction et revint à

ses seins qu'il pétrit brutalement, travaillant leurs pointes durcies entre ses doigts.

Yi Li se laissait faire, une main serrée autour du sexe de son mari, l'autre tenant toujours la flûte de champagne qu'elle reposa à tâtons. Sans qu'elle s'en rende compte, sa respiration s'était accélérée et le sang battait dans son ventre. Machinalement, sa main commença à aller et venir le long du membre de son mari, comme pour en augmenter la dureté.

Le général Teng Thao poussa une exclamation.

– Non, arrête !

Il ne voulait pas se répandre dans sa paume mais au fond de son ventre.

Il écarta sa main, retourna Yi Li comme une crêpe, la poussant contre la table, puis releva la minijupe, découvrant sa croupe ronde. D'elle-même, Yi Li ouvrit les jambes et se cambra pour qu'il la pénètre plus facilement. D'un trait, son mari plongea au fond de son ventre, avec un grognement d'aise, ce qui déclencha un cri bref de la jeune femme.

Elle eut un orgasme violent avant même qu'il se soit totalement fiché en elle. Cette étreinte inattendue et brutale l'avait mise dans un état second.

Les mains crispées sur ses hanches, Teng Thao se mit à donner de furieux coups de reins, tandis que la sève montait inexorablement. Yi Li le sentit se répandre en elle et elle imagina le sperme heurtant les parois de son sexe. C'était merveilleux. Ses reins continuaient à être agités de petits soubresauts, tandis que son plaisir mourait doucement. Elle resta appuyée à la table, ravie, inondée. Son mari encore collé à elle comme une ventouse. Il ne lui avait jamais fait l'amour de cette façon.

Le général Teng Thao se dégagea enfin, un peu honteux de cette pulsion animale. Il se rajusta, tandis que Yi Li se redressait et se retournait, tirant pudiquement sur sa jupe. Elle n'osa pas ramasser sa culotte et, pour se donner une contenance, vida d'un coup sa flûte de Taittinger. Après l'orgasme qui lui avait asséché le gosier, le champagne lui parut encore plus délicieux.

– Alors, demanda-t-elle, tu me dis ce qui t'a mis dans cet état ?

Le général Teng Thao prit le temps de leur resservir du champagne. La tête lui tournait : le champagne, la violente pulsion sexuelle, la joie. Il leva sa flûte et dit d'une voix empreinte de gravité :

– J'ai vu l'homme qui doit nous aider ! Je pense que dans quelques semaines, nous serons à Vientiane ! Et que nous y resterons.

CHAPITRE IV

– *Ihre Hoheit*[1], un certain Gordon Backfield vous demande au téléphone, annonça Elko Krisantem à Malko.

Celui-ci, en équilibre sur le toit pentu de l'aile ouest du château de Liezen, en train de répertorier les tuiles à changer, étouffa une exclamation furieuse. La tête de son majordome émergeait d'une lucarne comme un jeu de massacre.

– Dites-lui que je vais le rappeler ! lança-t-il. J'ai son numéro.

– Il souhaite vous inviter à déjeuner, *Ihre Hoheit*, précisa Elko Krisantem.

Malko faillit en perdre l'équilibre : Gordon Backfield étant le chef de station de la CIA à Bangkok, c'était peu probable qu'il appelle de Thaïlande. Cela ne fit pas fléchir sa détermination.

– Qu'il laisse un numéro, je le rappelle dans une demi-heure.

La tête d'Elko Krisantem disparut et Malko reprit le comptage des tuiles à changer avant l'hiver. Encore des fortunes ! Décidément, ce château était un gouffre financier, mais il n'arrivait pas à s'en séparer. Finalement, il lui coûtait infiniment plus cher que la pulpeuse

1. Votre Altesse.

comtesse Alexandra, sa fiancée de toujours, qui se contentait de quelques virées chez les couturiers et d'un abonnement aux meilleures boutiques de lingerie de Vienne, quand elle ne surfait pas sur Internet à la recherche de nouveautés piquantes.

Un budget que Malko n'amputerait qu'en cas de catastrophe majeure. L'imagination d'Alexandra était infinie dans ce domaine et il éprouvait toujours un petit choc agréable en découvrant de nouveaux dessous utilisés d'une façon imaginative. Dès le début de leur idylle, Alexandra lui avait expliqué qu'à ses yeux « seuls les animaux et les pauvres faisaient l'amour tout nus ». Non qu'elle ait honte d'un corps magnifique qui semblait défier le temps, mais elle estimait que s'offrir dans un écrin érotique ajoutait du piment à un acte sexuel qui ne s'était pas tellement renouvelé depuis l'âge des cavernes. Malko lui donnait entièrement raison : il valait mieux manger du caviar dans de la vaisselle de Sèvres avec une cuiller de cristal qu'avec ses doigts...

Pourtant, lorsqu'il regagna le grenier, son inspection terminée, il avait le moral en berne : le nombre de tuiles à remplacer dépassait ses prévisions les plus pessimistes. Les dollars de la CIA, pourtant généreuse avec lui, semblaient avalés par un gouffre sans fond. Et le ralliement de l'Autriche à l'euro semblait avoir multiplié les prix par deux...

Il était de méchante humeur lorsqu'il rappela le numéro laissé par le chef de station de la CIA à Bangkok. Un des numéros de l'ambassade américaine. Il n'était qu'à moitié surpris par l'appel de Gordon Backfield. Quinze jours plus tôt, Truman Young, le chef de station de la CIA en Autriche, l'avait averti que l'Agence souhaitait lui confier une nouvelle mission en Asie. Sans plus de précision. Leur rencontre avait permis de mettre Malko en *stand by*.

Une secrétaire répondit, d'une voix neutre qui se teinta de chaleur lorsqu'il s'annonça.

– Je vous passe tout de suite M. Backfield, dit-elle.

La voix de l'Américain était encore plus chaleureuse.

– Je ne vous dérange pas ? s'enquit-il poliment. Je viens d'arriver à Vienne et je tenais absolument à vous saluer.

Ils s'étaient connus quelques mois plus tôt, lors de l'enquête à Bangkok sur le réseau nord-coréen de blanchiment d'argent qui avait entraîné la récupération mouvementée d'un défecteur venu de Pyongyang à travers la Chine [1].

Dans le sang et les larmes.

– Vous arrivez de Bangkok ? demanda Malko.

– Non, de Washington, où j'ai assisté à la conférence annuelle de tous les chefs de station.

Une ennuyeuse grand-messe à laquelle personne ne pouvait se dérober, sous peine d'être privé à tout jamais du moindre avancement.

Feignant l'étonnement, Malko demanda :

– Et vous passez par Vienne pour retourner en Thaïlande ?

Gordon Backfield marqua une imperceptible hésitation.

– À vrai dire, j'ai un message de Ted Simpson à votre intention que j'aimerais vous communiquer de vive voix. Votre intervention dans l'affaire Kim Song-hun a été vivement appréciée à tous les échelons.

– Merci ! dit Malko, dont tous les voyants passèrent à l'orange.

Le flatteur vit toujours aux dépens du flatté.

1. Voir SAS n° 168 et 169, *Le Défecteur de Pyongyang*, t. 1 et t. 2.

Ted Simpson était le directeur de la Division des Opérations de la CIA : son principal employeur.

– Seulement, je ne comptais pas venir à Vienne aujourd'hui. Vous restez quelques jours ?

– Je repars ce soir, annonça piteusement l'Américain, mais, si cela ne vous dérange pas, je pourrais parfaitement venir vous rendre visite et vous emmener déjeuner dans l'endroit de votre choix...

Malko retint un sourire : autour de Liezen, il n'y avait que des *Gasthäuser* campagnards où on servait uniquement du *Schinken*[1] ou des saucisses, accompagnées de purée de pommes de terre. Gordon Backfield lui forçait la main et il devait avoir une bonne raison. Les gens de la CIA étaient d'habitude des assassins très bien élevés... Le rappel de la facture du toit le rendit diplomate.

– Ce sera un plaisir de vous convier à déjeuner ici, précisa-t-il. Si vous pouvez être là vers une heure. Nous serons en tête à tête...

La comtesse Alexandra avait commencé ses vendanges à quelques kilomètres de là, dans un champ d'éoliennes qui défiguraient le paysage. Sinon, elle aurait fait la tête en voyant débarquer un de ces *spooks* qu'elle détestait de tout son cœur. D'un commun accord, ils étaient interdits au château de Liezen, réservé à leur vie privée.

– Je saute dans ma voiture ! annonça joyeusement Gordon Backfield. La station m'a fourni un véhicule équipé d'un GPS. Vous ne pouvez pas savoir comme je suis heureux et fier de vous rencontrer à nouveau.

– Moi de même, affirma Malko, avec la même admirable conviction.

Après avoir raccroché, il gagna la cuisine pour

1. Jambon.

annoncer à la vieille Ilse qu'ils auraient un invité et qu'il fallait le traiter convenablement.

***

À une heure du matin, le général Teng Thao n'arrivait pas à trouver le sommeil. Depuis son premier rendez-vous avec Bob Twiss, beaucoup de choses s'étaient passées.

D'abord, comme prévu, il l'avait rencontré trois jours plus tard sur le parking d'un K-Mart, à Stockton. À l'issue de cette rencontre, il lui avait remis un acompte de cent mille dollars pour une première livraison d'armes comportant 125 AK 47, 20 000 cartouches, quatre caisses de grenades « ananas », 750 chargeurs vides d'AK 47 et deux caisses d'explosif C 4 à haut pouvoir brisant.

Les armes devaient être livrées à Gomer Brentwood, un ancien « Forward Air Controller » de l'US Air Force, qui avait combattu deux ans avec les Méos et, une fois démobilisé, s'était installé à Udon Thani, en Thaïlande, comme planteur de tabac. Elles l'avaient été deux jours plus tard. Une livraison discrète, effectuée par des Thaïlandais muets comme des carpes, qui ne semblaient pas savoir ce qu'ils transportaient. Gomer Brentwood avait stocké les caisses au milieu de ses ballots de tabac et prévenu le général Teng Thao par e-mail, précisant que sa nièce était arrivée.

Le lendemain même, le général Teng Thao envoyait Ly Lu, porteur d'une enveloppe marron contenant la seconde partie de la somme, rencontrer Bob Twiss sur un parking de Freeport Boulevard, à Sacramento.

Il avait ensuite revu Bob Twiss dans son *ministorage*, pour lui remettre la liste de la « grosse » commande, celle qui allait permettre d'armer les Méos lancés à la conquête du Laos. Deux jours plus tard, le marchand d'armes lui avait fait savoir qu'il était en mesure de se procurer le matériel requis par Teng Thao.

Cette fois, le versement s'élevait à 1 200 000 dollars. Le général Teng Thao les avait retirés de son coffre à la Wells Fargo et les liasses se trouvaient dans une grosse serviette de cuir, au pied de son lit. Il devait remettre l'argent à Bob Twiss le jour même, à quatre heures, au bar du *Hilton* de Sacramento.

Ce paiement effectué, il avait prévu de s'envoler pour Bangkok le surlendemain, avec huit de ses hommes. Avant de déclencher son opération, il avait besoin de réactiver certains contacts en Thaïlande et au Laos, ce qu'il ne pouvait faire par téléphone.

Là-bas, il s'installerait chez Gomer Brentwood, dont la propriété n'était qu'à une demi-heure du Mékong. Et du village de Na Pha où demeurait un de ses anciens officiers, Phu Tat, qui avait monté une petite agence de tourisme, offrant des promenades-dîners sur le Mékong. C'est chez lui que serait stockée la plus grande partie des armes.

Gomer Brentwood, lui, devait organiser la partie « pyrotechnique » de l'opération. La destruction des centres vitaux du gouvernement, à Vientiane.

Le cerveau bouillonnant, le général Teng Thao se retourna pour contempler Yi Li allongée sur le côté. Il ne lui avait pas refait l'amour depuis leur brève étreinte, la préparation de sa croisade occupant toutes ses pensées. Un peu bêtement, il s'était promis de ne l'honorer à nouveau qu'à Vientiane. Après la victoire.

Il n'arrivait pas encore à croire au retournement, même secret, de la CIA ! Lui qui avait frappé en vain à toutes les portes, depuis des années. Ses interlocuteurs réagissaient comme si le Laos avait disparu de la surface de la planète... Ce régime communiste sclérosé et pauvre, soutenu par la Chine et le Vietnam, n'intéressait plus personne.

Tout cela allait changer. Il ferma les yeux, s'imaginant en tenue de combat, prenant d'assaut le palais présidentiel de Vientiane, une grosse pâtisserie posée au bout de l'avenue Lane Xang, presque au bord du Mékong. Pas un objectif stratégique, mais un symbole.

Il avait hâte d'être à la fin de la journée, pour verrouiller sa commande en remettant les 1 200 000 dollars. Cette fois, elle comportait, en plus des AK 47, des mitrailleuses légères, des lance-roquettes RPG 7, des mortiers de 60, des grenades et beaucoup de munitions. Il avait convenu avec Bob Twiss que ce dernier attendrait son feu vert, transmis par e-mail, pour la livraison des armes. Le général voulait être là et réglerait lui-même. Lui et ses hommes emportaient une grande quantité d'argent liquide, répartie entre eux tous, au cas improbable d'un contrôle douanier.

Bob Twiss avait promis de lui donner le nom et le contact de son « agent » en Thaïlande, qui réceptionnerait l'argent et livrerait les armes, là où on le lui dirait.

Désormais, le général Teng Thao n'était plus inquiet. Sa confiance en Bob Twiss était totale.

Gordon Backfield, dans un costume clair plutôt froissé, le crâne toujours aussi dégarni, avait les paupières gonflées, comme s'il avait passé une mauvaise nuit, ce qui lui donnait une apparence asiatique inattendue. Il n'avait pas maigri et n'avait rien perdu de son air un peu précieux.

Il serra longuement la main de Malko, avec un regard admiratif pour les boiseries de la bibliothèque.

– Vous habitez un endroit magnifique ! lança-t-il,

indéniablement sincère. On se croirait dans un autre siècle… Un vrai château de conte de fées. Cela doit être très lourd à gérer…

– En effet ! admit Malko sans s'étendre. Scotch ? Vodka ? Porto ?

L'Américain se contenta d'un jus de tomate, louchant sur la silhouette voûtée d'Elko Krisantem, toujours aussi stylé.

– Votre délicieuse amie n'est pas là ? demanda-t-il.

– Non, fit Malko, s'abstenant de préciser que la « délicieuse amie » lui aurait probablement arraché les yeux si elle l'avait trouvé là.

Discrètement, il consulta sa montre : il avait encore la moitié du toit à ausculter. Sa Breitling indiquait une heure vingt : le déjeuner était prêt.

– Je vous ai fait préparer quelque chose de très simple, annonça-t-il : une perdrix au chou, avec un peu de charcuterie locale pour commencer…

– C'est parfait ! affirma Gordon Backfield qui aurait mangé des croquettes pour chat, tant il était heureux de se trouver dans ce cadre imposant…

La salle à manger, avec ses tableaux de famille et ses lambris, lui fit ouvrir de grands yeux. Deux couverts, en Meissen, avaient été dressés au milieu de l'immense table. Poliment, Malko attendit que Gordon Backfield se soit goinfré de charcutailles pour demander :

– Quel est donc le message que voulait me transmettre le DDO ? J'aurais pu me rendre à l'ambassade de Vienne pour parler avec lui sur une ligne protégée…

Gordon Backfield se servit de perdrix et précisa :

– Il tenait à ce que ce soit fait de vive voix. Et cela me faisait plaisir de vous revoir.

Soudain, Malko réalisa que Gordon Backfield n'était pas le seul chef de station qu'il connaissait. Pourquoi, justement, faire appel à lui ?

– Il se passe encore quelque chose à Bangkok ? demanda-t-il.

L'Américain avala son chou et, après une gorgée de vin de Moselle – Malko n'avait pas servi de Bordeaux, destiné à de meilleures occasions –, précisa avec son petit rire :

– Non ! Non ! Dieu merci ! Il s'agit d'un problème dans un pays voisin.

– La Birmanie ?

Le monde venait d'assister, impuissant, à l'écrasement de la révolte des bonzes birmans, relayée par aucune opposition organisée, et donc vouée à l'échec. On ne renverse pas un régime totalitaire en défilant dans les rues.

– Non, le Laos, répondit Gordon Backfield.

– Le Laos ! répéta Malko.

Rêveusement.

À son dernier séjour en Thaïlande, il s'en était approché, à Nang Khai, sur la rive thaïlandaise face au Laos, mais il n'y avait pas mis les pieds depuis très, très longtemps. Quand les Américains s'y trouvaient encore.

– Oui, le Laos, confirma Gordon Backfield. Vous connaissez, je crois ?

– Le Laos que je connaissais a disparu, corrigea Malko.

– Oh, d'après nos gens qui s'y trouvent, fit l'Américain, Vientiane n'a pas tellement changé. Sauf, évidemment, le pouvoir politique…

Il laissa sa phrase en suspens.

Intrigué, Malko insista :

– Il se passe quelque chose au Laos ?

Petit rire sec.

– Non, mais il pourrait s'y passer quelque chose ! Avez-vous entendu parler du général Teng Thao ?

– Non. Qui est-ce ?

– Un homme de grande valeur. Un ancien de l'armée royale. Il nous a rendu d'immenses services, entre 1960 et 1973. C'était le chef des Méos et il collaborait intensivement avec l'Agence.

– Je vois, fit Malko.

L'Américain sortit de sa serviette posée à ses pieds une grosse enveloppe et la posa à côté du plat de perdrix.

– Je vous ai apporté un dossier sur lui. Vous verrez que c'est un homme en qui on peut avoir confiance.

– Il est toujours au Laos ?

– Non, bien sûr, sa tête est mise à prix, là-bas. Il vit en Califormie. Seulement, il a un projet très intéressant…

– Lequel ?

– La reconquête de son pays.

Malko en oublia la perdrix, qui refroidissait. Stupéfait.

– Par la force ?

– En quelque sorte, oui, avoua l'Américain. Mais, bien sûr, le gouvernement Bush n'est, en aucune façon, impliqué. Nous entretenons de bonnes relations avec le Laos.

Malko eut envie de lui demander pourquoi, dans ce cas, il se trouvait là.

– Si vous m'en disiez un peu plus, demanda-t-il. Nous avons un soufflé pour le dessert et je ne voudrais pas qu'il retombe.

Il sentait qu'il y avait anguille sous roche. Une très grosse anguille. Gordon Backfeld abandonna à regret sa perdrix et se pencha en travers de la large table.

– Disons que le général Teng Thao est en train d'organiser un coup d'État avec des éléments locaux, à partir de la Thaïlande, et que nous suivons cette tentative avec sympathie…

– Une sympathie active, releva Malko. Et comment cette sympathie va-t-elle se manifester ?

Dix minutes plus tard, il savait tout sur les projets du général Teng Thao. Et même sur le timing prévu... Gordon Backfield avait parlé sans notes.

– Vous croyez au succès de cette opération ? ne put s'empêcher de demander Malko.

Gordon Backfield hocha la tête.

– Je sais que cela peut paraître fou de reconquérir un pays avec quelques centaines d'hommes et des armes légères. Mais, en Afghanistan, les talibans ont pris le pouvoir avec moins que cela. D'une part, le Laos, c'est pratiquement Vientiane. Si on s'empare de la capitale, le reste du pays suivra. L'armée laotienne n'est ni motivée ni bien équipée, et la population rêve de rejoindre le monde libre. Seuls les Vietnamiens pourraient réagir mais, s'ils sont mis devant le fait accompli, ils ne se lanceront pas dans une reconquête militaire, ils se contenteront de gesticuler. Les quelques centaines de Hmongs qui résistent depuis trente ans sont de bons combattants et rêvent de revanche. Seuls, ils ne peuvent s'emparer de Vientiane, mais avec une aide extérieure, c'est jouable... Disons que sur une échelle de 1 à 10, il y a six chances que cela marche...

– Qu'attendez-vous de moi ?

Gordon Backfield eut un sourire gêné.

– Comme je vous l'ai dit, nous suivons avec sympathie les projets du général Teng Thao. Bien entendu, il n'est pas question que nous intervenions ouvertement en sa faveur. Cependant, nous aimerions suivre sa tentative de l'intérieur, avec des contacts étroits. Afin de pouvoir, éventuellement, l'aider... Discrètement, bien entendu. Vous avez le profil idéal, avec votre passeport autrichien et votre connaissance de la région. Je pense que vous vous entendrez parfaitement avec le général.

– Parce que je vais le rencontrer ?

Gordon Backfield baissa pudiquement les yeux.

– C'est ce qui est prévu, si vous acceptez cette mission. Quelque chose de moins « rock'n roll » que l'Afghanistan[1]. Il s'agirait simplement d'observer ce qui se passe, afin que nous soyons au courant. Vous me rendriez compte à moi, à Bangkok.

– Où sera le général Teng Thao ?

– Il doit arriver à Bangkok dans quelques jours. Bien sûr, je ne le rencontrerai pas, mais...

– Moi, je peux le faire, compléta Malko. Il est au courant ?

– Il ne connaît pas votre nom mais il sait qu'il doit rencontrer quelqu'un. Il s'est procuré des armes grâce à nous et il faut quelqu'un pour les lui livrer.

– Des armes ? Mais où sont-elles ?

– Elles seront livrées là où le général Teng Thao le dira. Nous aimerions que vous soyez l'opérateur de cette transaction.

Ce n'était plus seulement un rôle d'observateur. Malko avait compris : la CIA se relançait dans une opération clandestine à l'ancienne et voulait un « traitant » sûr.

– Qui suis-je censé être ? demanda-t-il.

– Un marchand d'armes indépendant, lié à l'Agence.

– Et les armes, d'où viennent-elles ?

– Ce sont des stocks que nous contrôlons, mais il ne le sait pas. Disons qu'elles ne sont pas éloignées du théâtre d'opérations.

Autrement dit, il s'agissait de stocks gérés par l'armée thaïlandaise, qui n'avait rien à refuser aux Américains.

– C'est une mission extrêmement bien rétribuée, compléta Gordon Backfield. Nous avons dégagé un

1. Voir SAS n° 170, *Otage des Taliban.*

budget conséquent qui n'est pas encore attribué. En plus, l'argent que vous remettra le général Teng Thao n'a pas d'existence budgétaire.

Autrement dit, l'Américain l'offrait à Malko en prime. Ce dernier ouvrit la bouche pour repousser cette offre puis la referma, pensant à ses tuiles.

Après tout, l'idée de participer à un putsch anticommuniste ne lui déplaisait pas. Lui dont les terres avaient été confisquées à la fin de la guerre par les communistes hongrois et jamais restituées...

En plus, il pourrait mettre le château de Liezen en ordre de marche pour l'hiver, ce n'était pas plus mal.

– À propos, demanda-t-il, je croyais que les Méos étaient sur la liste des organisations terroristes.

Le chef de station de la CIA haussa les épaules.

– C'est une connerie du Congrès ! Ce sont toujours nos amis... Ils nous ont rendu assez de services.

– Vous ne craignez pas une réaction chinoise ? C'est dans leur zone.

– C'est pour cela que nous devons garder les cuisses propres ! répliqua Gordon Backfield. Officiellement, je ne suis au courant de rien. Vis-à-vis des Thaïlandais, le général Teng Thao vient rendre visite à un camp de réfugiés méos, dans le centre de la Thaïlande.

Elko Krisantem déboula avec le soufflé aux framboises dans une main et un seau contenant une bouteille de Taittinger Comtes de Champagne Blanc de Blancs 1998 dans l'autre. Et ils quittèrent pour quelques instants la géopolitique. Malko avait à peine terminé sa part de soufflé que son portable sonna. C'était Alexandra.

– J'ai terminé, annonça-t-elle. Je vais venir grignoter quelque chose avec toi.

Malko sentit son sang se glacer, mais ne se troubla pas.

– J'ai justement un ami qui est venu déjeuner. Il sera heureux de te voir.

– Je le connais ?

– Oui. Tu l'as vu à Bangkok avec moi ! Tu te souviens, je…

– Je me souviens ! confirma Alexandra d'une voix glaciale. Je passe prendre mon fusil et j'arrive. Surtout, qu'il m'attende…

Elle n'avait pas gardé un bon souvenir de leurs vacances interrompues… Malko jeta ostensiblement un coup d'œil à sa Breitling.

– Je vais devoir vous quitter, dit-il, même si c'est très mal élevé : la voiture de mon amie est en panne et je dois aller la chercher.

Gordon Backfield était déjà debout, dégoulinant d'obséquiosité.

– Je crois que nous nous sommes tout dit, conclut-il. Je vous tiendrai au courant par l'intermédiaire de la station de Vienne. Dès que le général Teng Thao sera à Bangkok, vous en serez averti.

– Laissez-moi le temps de me retourner..

– Pas de problème.

Ils étaient déjà dans la cour. Avant de monter dans sa Mercedes, l'Américain précisa :

– Je vais faire prévenir le général. Pour lui, vous serez Max. C'est tout. Je ferai en sorte que *vous* le contactiez. Votre amie sera probablement heureuse de retourner à Bangkok.

– J'en suis certain ! affirma Malko, finalement pas mécontent de cette mission.

Aider au renversement d'une dictature communiste au XXIe siècle était plutôt excitant. La CIA reprenait du poil de la bête.

CHAPITRE V

Bob Twiss, après avoir garé sa Chevrolet dans le parking du Government Building n° 4 de Sacramento, gagna l'ascenseur et appuya sur le bouton du 16e étage. Le planton en uniforme le salua et débloqua la porte blindée donnant accès au couloir, ornée d'une plaque de cuivre portant l'inscription : ALCOOL, TOBACCO, FIREARMES AND EXPLOSIVES BUREAU.

Il frappa à une porte dont la plaque annonçait JAMES C. CROSS. BUREAU CHIEF, et, un voyant vert s'étant allumé au-dessus du battant, il entra.

Son chef, James C. Cross, était en train d'écrire. Il leva la tête.

– *Good news, Bob ?*

Le visage de Bob Twiss s'éclaira.

– *Excellent, sir !*

Depuis qu'une des « sources » de l'ATF [1] à Phoenix, Arizona, avait branché cette agence sur l'affaire Teng Thao, James C. Cross l'avait prise en main. Au départ, l'ATF pensait que l'histoire se dégonflerait, comme dans 90 % des cas. Les candidats au trafic d'armes n'étaient d'habitude que des velléitaires ou des illuminés.

Cette fois, c'était du sérieux.

1. Alcohol, Tobacco, Firearmes and Explosives.

Le bureau de Sacramento de l'ATF avait affecté le *special agent* Bob Twiss au cas Teng Thao.

Bob Twiss faisait partie de la crème de l'ATF, les agents infiltrés. Ceux qui se faisaient passer pour des gangsters ou des trafiquants, afin de s'introduire dans un réseau, pour ensuite frapper. Dès qu'il entrait en piste, tous ses faits et gestes étaient filmés, enregistrés, répertoriés. Ses « clients » mis sur écoutes. Lui-même était souvent sonorisé, c'est-à-dire qu'on fixait sur lui un enregistreur qui lui permettait de garder une trace des conversations compromettantes.

C'était un métier où il fallait des nerfs d'acier, mais cela facilitait considérablement l'avancement.

Évidemment, il y avait toujours un moment difficile lorsqu'il était obligé de se découvrir aux yeux de ceux qui lui avaient fait confiance. Il ne le faisait que dans un environnement sécurisé. C'est-à-dire, grouillant de policiers en civil sous différents déguisements. Un de ses collègues, l'agent spécial Danny Brown, avait quand même pris deux balles dans la tête tirées par un trafiquant de drogue qui cherchait à se procurer des armes pour les FARC colombiens. Ses collègues étaient intervenus trop tard... Bien sûr, le meurtrier passerait probablement à la chambre à gaz, et Danny Brown avait eu des funérailles extrêmement solennelles, mais il reposait désormais au cimetière de Los Angeles.

En lisant le mémo remis par Martin Soloway, Bob Twiss y avait trouvé tous les éléments constitutifs des délits réprimés par l'ATF. Le général Teng Thao se proposait d'acheter des armes afin de monter une opération militaire pour renverser le régime en place au Laos.

Bob Twiss en avait salivé d'avance : il s'agissait de violations caractérisées du *Neutrality Act* et du code pénal américain. L'article 18, paragraphe 371, interdisait la conspiration en vue d'acquérir et de posséder des armes ou des explosifs, autres que des armes de poing.

L'article 26 punissait toute conspiration en vue de tuer ou de blesser des citoyens d'un pays étranger avec lequel les États-Unis étaient en paix.

Donc, les projets du général Teng Thao et de ses complices tombaient entièrement sous le coup de cette loi. L'ATF avait donc recommandé à Bob Twiss de faciliter l'acquisition de matériel, avec un début de réalisation. Afin de le crédibiliser. Il ignorait par quel moyen l'ATF, qui n'opérait que sur le territoire américain, avait pu faire livrer des armes à son client en Thaïlande et s'en moquait. Son chef, James C. Cross, avait mentionné une collaboration avec une autre agence fédérale.

Bob Twiss n'avait pas à être au courant de toutes les implications de cette affaire. Il ignorait évidemment celle de la CIA. En effet, l'Agence de Langley, surveillant le général Teng Thao, avait immédiatement contacté l'ATF pour lui proposer une coopération. Le but avoué étant de laisser s'enferrer le général Teng Thao dans son action illégale.

Ravie de pouvoir fournir des armes en Thaïlande, et de crédibiliser son *special agent*, l'ATF avait signé des deux mains. Elle ne possédait que quelques échantillons d'armes qui resservaient chaque fois et aurait été bien incapable de faire livrer des armes en Thaïlande.

En échange de cette collaboration, la CIA avait exigé d'être tenue au courant de tous les développements de l'affaire. Ce que James C. Cross faisait scrupuleusement en appelant régulièrement un numéro de téléphone à Washington et en demandant « Mr Smith ».

Jusque-là, tout baignait. La candeur de l'apporteur de l'affaire, Harrison Foster, ancien agent de la CIA assez cupide, y avait beaucoup aidé. Celui-ci semblait surtout préoccupé par la commission de 5 % sur le montant de la transaction promise par Bob Twiss…

Les contacts entre Bob Twiss et le général Teng Thao s'étaient bien passés. Presque trop bien. Ce n'était pas un violent, comme certains trafiquants sud-américains, et lui aussi faisait preuve d'une naïveté confondante. Bob Twiss sentait qu'il avait gagné sa confiance.

– O.K., conclut James C. Cross, *what is so excellent in the news*[1] ?

– *Sir*, annonça triomphalement Bob Twiss, le sujet doit me remettre 1 200 000 dollars, aujourd'hui, à quatre heures au bar du *Hilton* !

– *Well done ! Well done*[2] *!* approuva chaleureusement James C. Cross.

La remise de cette somme représentant 50 % de la seconde livraison, à effectuer en Thaïlande comme la première, constituait l'occasion idéale pour un flagrant délit. L'argent, en liquide, constituerait une preuve matérielle bien utile devant un tribunal.

Tandis que Bob Twiss s'asseyait en face de son chef, James C. Cross lui tendit une boîte de cigares dominicains et en alluma un, visiblement très satisfait.

– *You did a beautiful job*[3] *!* conclut-il. Maintenant ça va être moins drôle.

Il faisait allusion aux centaines de procès-verbaux, d'écoutes, de films vidéo, qu'il allait être obligé de mettre en forme, avant de les présenter à la Justice.

Le côté fastidieux de la mission. Ensuite, il partirait avec sa femme huit jours à Puerto Vallarta, au soleil.

– Il faut prévoir le dispositif pour ce soir. Au bar du *Hilton*. Le mieux serait de remplacer les deux barmen et de mettre un peu de monde dans la salle. Je pense

1. Qu'est-ce qu'il y a d'excellent dans vos nouvelles ?
2. Bien joué !
3. Vous avez fait du bon boulot !

que ce sera cool. Dès qu'il m'a remis l'argent, je sors ma carte et je lui lis ses droits.

– *Good!* approuva James C. Cross. On va déjeuner ici. Cela nous donnera le temps de tout mettre au point. *Fried chicken*, c'est O.K. pour vous ?

– Avec des *french fries* ! compléta Bob Twiss.

Il avait hâte d'être plus vieux de quelques heures. Le métier d'infiltré était épuisant psychologiquement. Chaque geste inhabituel, chaque regard un peu pressant déclenchait des torrents d'adrénaline. Cette fois, tout s'était bien passé. La remise d'une somme importante en liquide pour un achat d'armes destinées à renverser un gouvernement ami était un crime fédéral.

Le général Teng Thao risquait de terminer ses jours dans un pénitencier.

Edgard Mac Bride revint sur ses pas au moment où il s'apprêtait à sortir de son bureau. Il était cinq heures pile et il avait décidé de ne pas s'attarder à la CIA, ayant un dîner très tôt au *Ebbit Steak-House*, à côté de la Maison Blanche.

– Allô ! lança-t-il.

– Mister Smith ?

– Lui-même, dit-il en se rasseyant, tandis que le numéro appelant s'affichait.

Il écouta son correspondant expliquer le motif de son appel, réfléchit quelques secondes et prit sa voix la plus suave pour donner ses instructions.

Le bar du *Hilton* de Sacramento était peu fréquenté dans l'après-midi. Néanmoins, le général Teng Thao s'était installé à la table la plus éloignée du bar. Il était accompagné de Harrison Foster et de Ly Lu. Ce dernier veillait sur la grosse serviette contenant les 1 200 000 dollars destinés à Bob Twiss.

Serein, le général commanda un thé au barman. Il flottait sur un petit nuage. D'abord, en raison des précautions que Bob Twiss prenait pour chacune de leurs rencontres : c'était un professionnel sérieux.

Ensuite, l'enquête effectuée par Ly Lu, dès sa première rencontre avec le marchand d'armes, n'avait rien révélé d'inquiétant. Ly Lu avait localisé l'endroit où il vivait, dans un quartier résidentiel *middle class* à l'ouest de Sacramento. Il était marié à une brune d'origine mexicaine, avait une petite fille qui allait à l'école méthodiste voisine. La femme de Bob Twiss travaillait à mi-temps dans un cabinet médical et allait elle-même chercher sa fille à l'école.

Dans ce quartier de petites maisons, c'était difficile d'enquêter avec discrétion, car tout le monde se connaissait. Surtout si on était asiatique...

Aussi, Ly Lu avait utlisé les services de sa belle-sœur, une Méo nommée Li Han. Celle-ci s'était mise à fréquenter systématiquement le K-Mart où la femme de Bob Twiss faisait ses courses, et avait fini par lier conversation avec elle. Li Han lui avait expliqué que, nouvelle dans le quartier, elle cherchait à se faire des relations. Elle prétendait travailler dans un magasin de décoration du centre-ville. La femme de Bob Twiss paraissait très ouverte et les deux femmes avaient fini par prendre un verre à la cafétéria du K-Mart. La Méo avait ainsi appris que le mari de sa nouvelle copine était représentant en matériel de sécurité.

Une couverture pour ses véritables activités, avait conclu le général Teng Thao, mis au courant. Il avait conseillé à Ly Lu de stopper son enquête, mais l'ancien pilote était têtu et n'en avait fait qu'à sa tête.

Aussi, ce jour-là, Li Han venait d'entrer dans le K-Mart. C'était l'heure où Claudia Twiss y venait, après avoir cherché sa fille à l'école.

– Le voilà, souffla Ly Lu.

Le pouls du général Teng Thao monta en flèche. Bob Twiss venait de pénétrer dans le bar, accompagné par Harrison Foster. Le marchand d'armes semblait tendu et contrarié. Il s'assit en face du général, mais refusa de commander quelque chose.

– Je n'ai pas beaucoup de temps, expliqua-t-il. Vous avez l'argent ?

– Oui, bien sûr, fit aussitôt le général Teng Thao, soudain inquiet. Il y a un problème ?

– Absolument pas, assura Bob Twiss, mais ma petite fille est malade et je dois la conduire chez le médecin.

– Je suis désolé, dit le Laotien. Nous aurions pu reporter le rendez-vous.

– Non, non, seulement, je ne vais pas m'attarder, expliqua Bob Twiss. Je vous appellerai demain, vous ou Harrison, pour vous donner la marche à suivre en Thaïlande.

– Parfait, approuva le général Teng Thao. Allez-y, puisque vous êtes pressé.

Joignant le geste à la parole, il lui tendit la serviette contenant 1 200 000 dollars.

Bob Twiss la prit et se leva aussitôt. Il n'était pas resté plus de trois minutes au bar du *Hilton*.

– Je vous appelle, lança-t-il.

– C'est vraiment un bon type, lança à la cantonade Harrison Foster.

Le général Teng Thao n'était pas loin de penser la même chose. Bizarrement, il n'était même pas inquiet d'avoir vu disparaître Bob Twiss avec une petite fortune. Il se tourna vers Ly Lu.

– Au travail.

Il avait programmé une réunion chez lui avec plusieurs collaborateurs, pour examiner les informations en provenance du Laos, faire le point sur les combattants à qui ils pourraient faire appel. Or, il avait près d'une heure de route pour regagner Orange County.

***

Bob Twiss ne décolérait pas, coincé dans les embouteillages de Richards Boulevard. Le ciel lui était tombé sur la tête lorsque son chef, James C. Cross, lui avait annoncé que l'opération de flagrant délit était décommandée ! Qu'il devait simplement recevoir l'argent des mains du général Teng Thao et le mettre dans son coffre à la banque jusqu'au lendemain.

Aux questions de son subordonné, il n'avait pu que répondre que cette affaire était traitée en conjonction avec une autre agence fédérale et qu'il avait reçu instruction de sa hiérarchie de procéder ainsi.

Lui aussi en semblait marri, mais faisait contre mauvaise fortune bon cœur.

Cinq minutes plus tard, Bob Twiss étouffa un juron : son agence de la California Chartered Bank venait de fermer ! Il n'y avait plus qu'une solution : ramener l'argent chez lui jusqu'au lendemain matin.

Un quart d'heure plus tard, il arrêtait sa voiture dans le *drive-way* de son bungalow. Une petite japonaise crème était garée derrière la Beetle bleue de sa femme. Sûrement une copine de Claudia.

Effectivement, lorsqu'il entra dans le living-room, il trouva sa femme en train de papoter avec une jeune femme de type asiatique, devant des biscuits et du thé. Claudia lui présenta aussitôt l'inconnue.

– Voici Li, elle est nouvelle dans le quartier. Nous avons fait connaissance au K-Mart.

Bob Twiss dit bonjour et fila à la cuisine où il dissimula la grosse serviette contenant les dollars du général Teng Thao dans le placard, au dessus de la poubelle. Il revint ensuite dans le living-room.

La présence inattendue de cette Asiatique le mettait mal à l'aise. Il ouvrit son Coca Light, et s'assit en face des deux femmes.

– Il y a longtemps que vous êtes en Californie ? demanda-t-il à la visiteuse.

Celle-ci sourit.

– Oh oui, mes parents sont arrivés ici en 1976 et je suis née à Sacramento.

– D'où veniez-vous ?

– Du Laos. Mon père était officier dans l'armée royale. Bien sûr, il a fui le régime communiste, et depuis, nous ne sommes jamais retournés là-bas.

Bob Twiss conserva son sourire mécanique, serrant sa boîte de Coca glacée, essayant de rester zen.

Ce ne pouvait pas être une coïncidence qu'une Laotienne se retrouve chez lui, en ce moment. Il se força à participer à la conversation, et, quelques minutes plus tard, la visiteuse regarda sa montre et se leva.

– *I have to go !*

Claudia l'accompagna jusqu'à sa voiture. Lorsqu'elle regagna le living-room, elle sentit immédiatement que son mari était contrarié.

– Tu ne m'avais jamais parlé de cette fille, remarqua-t-il. Tu la connais depuis longtemps ?

– Non, c'est même la première fois qu'elle vient ici, précisa Claudia. Nous nous sommes retrouvées au K-Mart et elle a fait ses courses avec moi. Elle voulait voir ma maison. Pourquoi ? Tu ne l'aimes pas ? Elle a l'air très gentille.

Elle n'était jamais au courant des affaires traitées par son mari.

Bob Twiss s'assit et alluma une cigarette.

– Oui, sûrement, fit-il d'un ton distrait. Tu lui as parlé de moi ?

– Vaguement. Je lui ai dit que tu travaillais comme représentant.

– C'est tout ?

– Bien sûr.

C'était une règle absolue : Claudia avait appris à ne jamais parler des activités réelles de son mari. Ce qui ne rassura pas totalement Bob Twiss.

– O.K., dit-il, habille-toi, je t'emmène au bowling. On mangera un truc là-bas.

Claudia sauta de son canapé : elle adorait le bowling.

***

Il était près de deux heures du matin, mais aucun des participants à la réunion ne sentait la fatigue. Celle-ci se tenait dans la salle à manger du général Teng Thao, transformée en salle d'op.

En sus du général et de Ly Lu, il y avait cinq autres dirigeants méos qui travaillaient sur le projet d'invasion depuis plusieurs semaines.

Le général Teng Thao posa le doigt sur la carte de Vientiane récupérée sur place par un faux touriste.

– Nous devons être à même de neutraliser les centres nerveux du régime simultanément, annonça-t-il, le ministère de l'Intérieur, le ministère de la Défense, le Palais présidentiel, la demeure du secrétaire général du parti, le studio d'émission de la télévision. Il faudra s'emparer de la station télé, afin de pouvoir émettre immédiatement. Pour les autres, nous devons les détruire avec de puissantes charges d'explosifs, afin d'impressionner la population. Moi-même, je me chargerai du Palais présidentiel, je m'y exprimerai immédiatement. Qu'en penses-tu, Phu Tat ?

Phu Tat, un Méo installé en Thaïlande depuis 1980, avait déjà effectué plusieurs allers-retours entre la Thaïlande et Los Angeles, afin d'apporter des informations fraîches au général Teng Thao. Installé à Na Pha, juste en face de Vientiane, il convoyait des touristes au Laos, tout en se livrant à des petits trafics. En Thaïlande, on pouvait acheter des kips laotiens à 60 % de leur valeur et, de l'autre côté du Mékong, les apparatchiks communistes étaient friands d'écrans plats, de caméras numériques ou d'ordinateurs.

Deux ou trois fois par semaine, Phu Tat traversait le pont de l'Amitié reliant la Thaïlande au Laos, avec ses marchandises. Les douaniers et les policiers le connaissaient et n'exerçaient aucun contrôle à son égard.

C'est lui qui avait parcouru Vientiane dans tous les sens afin de repérer les cibles potentielles.

– Il sera difficile de pénétrer à l'intérieur des bâtiments, expliqua-t-il, surtout le ministère de la Défense. Il est gardé en permanence et le bâtiment se trouve très loin du mur d'enceinte. Ce sera beaucoup plus facile pour la maison du secrétaire général. De combien d'hommes disposerez-vous ?

– Six commandos de soixante hommes, dit le général. Ils seront équipés d'armes légères et de lance-roquettes. Sais-tu ce qu'il y a à Watthay ?

– Seulement deux hélicoptères MI-8. Ils volent rarement.

– Pas de chasseurs ?

– Non.

– Y a-t-il beaucoup de contrôles la nuit, en ville ?

– Aucun, assura Phu Tat. Pas de check-point non plus.

Donc, calcula le général Teng Thao, il pourrait

facilement infiltrer ses hommes la nuit précédant l'action. Ceux-ci arriveraient des différentes zones où se trouvaient encore des maquis. C'est leur déplacement qui serait le plus hasardeux. Cette partie-là était déjà en préparation, grâce aux téléphones satellite distribués depuis des mois.

Un des premiers qu'il rencontrerait en Thaïlande serait le jeune Xai Vang qui avait pu franchir le Mékong et l'attendait dans un camp de réfugiés, avant de repartir transmettre de vive voix ses instructions.

– Comment allez-vous acheminer les armes jusqu'à Vientiane ? demanda timidement Phu Tat.

– J'ai une solution, affirma le général Teng Thao, sans préciser.

C'était un de ses secrets les mieux gardés. La clef du succès. C'était bien beau d'avoir du matériel en Thaïlande, mais il fallait lui faire franchir le Mékong...

Phu Tat n'insista pas et ils se replongèrent dans leur *Kriegspiel.*

– Que vont faire les Américains de l'ambassade à Vientiane ? demanda Ly Lu.

Le général sourit.

– Rien. Ils rédigeront des dépêches pour Washington, expliquant ce qui se passe. Ils doivent être convaincus que les communistes sont en déroute. J'irai les voir, dès que les choses seront un peu sécurisées, afin d'obtenir un soutien politique à notre action.

Le général Teng Thao savait bien qu'un tel soutien ne dépend pas d'un ambassadeur, mais il comptait l'obtenir par une autre voie.

– Et le reste du pays ? demanda encore Ly Lu : Luang Prabang, Ban Napé, Phonsavan ?

– Tu connais nos concitoyens, sourit le général Teng Thao. Ils ne s'intéressent pas à la politique. Ils ne bougeront pas. Une fois que nous contrôlerons Vientiane, les gens se rallieront à nous. Même les miliciens des villages. Et puis, nous allons armer plusieurs milliers des nôtres. Dès que nous aurons sécurisé la ville, je m'emparerai du point de passage, au pont de l'Amitié, afin de pouvoir acheminer des renforts.

– Et les Vietnamiens ? interrogea Ly Lu.

Le général Teng Thao ne répondit pas immédiatement. C'était le seul point noir. Les Vietnamiens haïssaient les Méos et étaient très proches des Pathet Lao au pouvoir. Seulement, le temps qu'ils se mettent en branle... Surtout si les États-Unis reconnaissaient rapidement le nouveau pouvoir, ils n'oseraient pas bouger.

Ly Lu bâilla et le général replia le plan de Vientiane. Il commençait à ressentir la fatigue, en dépit de son excitation. Il était temps de se séparer. Ly Lu se proposa à raccompagner Phu Tat qui demeurait dans un motel à Tustin. Officiellement, il était venu voir sa famille en Californie.

Il régnait une ambiance tendue dans le bureau de James C. Cross, le patron de l'ATF de Sacramento. Assis face à son chef, Bob Twiss faisait carrément la gueule, la serviette de cuir contenant l'argent du général Teng Thao à ses pieds. Il n'avait pas encore digéré le contrordre qui l'avait privé d'un flag bien mérité.

– *Sir*, qu'est-ce que je fais de cet argent ? demanda-t-il.

– Vous me le remettez. Je crois que vous aviez promis une commission de 5 % à Harrison Foster ?

– C'est exact.

– Prélevez-la. Cela fait soixante mille dollars. Remettez-la-lui dès aujourd'hui, il ne doit rien soupçonner. Cette affaire continue.

Bob Twiss ouvrit la serviette et compta les liasses de billets de cent dollars, puis tendit la serviette à son chef. Ce dernier alla la mettre dans son coffre. Cet argent serait remis à la CIA. Lorsqu'il revint s'asseoir, son *special agent* ne s'était pas déridé. Après une légère hésitation, il annonça :

– *Sir*, si cette affaire continue, je dois vous mettre au courant d'une « pénétration » dont j'ai été victime.

Il relata l'étrange intrusion de la Laotienne à son domicile et les conclusions qu'il en tirait : le général Teng Thao et ses amis le soupçonnaient de ne pas être ce qu'il prétendait être.

Si l'affaire avait été bouclée la veille, comme prévu, par l'arrestation du général Teng Thao et de ses complices, cela n'aurait eu aucune importance.

Puisque l'affaire continuait, comme venait de le dire son chef, cela pouvait s'avérer fâcheux. Si le général Teng Thao arrivait à connaître la véritable identité de Bob Twiss, il mettrait fin à ses projets. Et, apparemment, ce n'était pas les plans de l'autre agence fédérale. James C. Cross semblait ennuyé, lui aussi.

– Vous êtes certain que votre épouse n'a pas été imprudente avec cette Laotienne ? demanda-t-il.

– Impossible, répliqua sèchement le *special agent*.

Non seulement on le privait de son succès, mais on soupçonnait sa femme de légèreté !

Il avait toute confiance en elle : c'était une tombe.

– Le général Teng Thao vous a pourtant remis hier une somme très importante, remarqua James C. Cross. Cela prouve qu'il a confiance en vous.

– C'est exact, *sir*, dut reconnaître Bob Twiss.

– Durant sa visite, votre visiteuse n'a pas été en mesure d'apprendre quelque chose sur vous ?

– Non, *sir*.

– O.K., je vais quand même transmettre cette information à qui de droit. De toute façon, nous avons un dossier solide contre le général Teng Thao, grâce au remarquable travail de votre équipe.

Un petit coup de brosse à reluire n'a jamais fait mal à personne. Cependant, Bob Twiss ne se détendit pas.

– *Sir*, dois-je revoir le général Teng Thao ? demanda-t-il.

– C'est prévu, non ?

– En effet. Je dois prendre avec lui les dispositions pour le règlement de la seconde partie des armes qu'il m'a commandées, ainsi que pour leur livraison. J'ai promis de lui communiquer un contact là-bas, mais...

Il allait lui dire qu'il ne connaissait personne en Thaïlande lorsque James C. Cross l'interrompit :

– Je vous communiquerai très vite ce que vous devez lui dire. Entre autres, le nom de votre correspondant là-bas.

Bob Twiss réalisa que c'était l'agence fédérale « associée » à l'ATF qui allait continuer l'affaire outre-mer. Ce ne pouvait être que la CIA et il ne comprenait pas pourquoi elle avait décidé de laisser la bride sur le cou aux comploteurs, après avoir organisé leur surveillance et préparé leur arrestation.

Cela le dépassait.

Visiblement, James C. Cross attendait qu'il ait quitté son bureau pour téléphoner. Il sortit, frustré et amer, et descendit prendre une bière à la cafétéria. L'idée de revoir le général Teng Thao l'exaspérait. Pourtant, il serait obligé d'obéir à son chef.

Mais qu'est-ce que la CIA pouvait bien fricoter avec ce général laotien ?

CHAPITRE VI

Ly Lu était bien ennuyé. Il venait de recevoir le rapport de Li Han, son « espionne » chargée de surveiller Bob Twiss et, après l'avoir lu attentivement, y avait découvert une bizarrerie.

Il se trouvait avec le général Teng Thao au bar du *Hilton*, lorsque Bob Twiss était venu chercher les 1 200 000 dollars représentant le premier versement de la seconde livraison d'armes. Bob Twiss avait filé ensuite très rapidement, arguant du fait qu'il devait conduire sa fille malade chez le médecin. Or, une demi-heure plus tard, Li Han l'avait vu arriver chez lui où sa fille se trouvait, en excellente santé...

Pourquoi ce mensonge ?

Il y avait certes des dizaines d'explications possibles, mais Ly Lu était perplexe. Si Bob Twiss était un escroc, il y avait peu de chances de revoir les 1 200 000 dollars. Dans ce cas, le général Teng Thao allait au-devant d'une cruelle déception. S'il ne recevait pas les armes en partie déjà payées en Thaïlande tout son plan tombait à l'eau.

Après avoir hésité un long moment, Ly Lu appela le portable du général laotien.

– Il faut que je vous voie, annonça-t-il. J'ai découvert quelque chose qui peut devenir un problème...

– Grave ? demanda aussitôt Teng Thao.

– Peut-être.
– Bien, venez à neuf heures, chez moi.

***

Après le coup de fil de James C. Cross, le responsable ATF de Sacramento, lui faisant part de la pénétration éventuelle par des alliés du général Teng Thao du dispositif ATF, Edgar Mac Bride n'avait pas hésité. Le sujet étant trop sensible pour être discuté par vidéo-conférence, il avait sauté dans le premier vol pour San Francisco, qui n'était qu'à une heure de Sacramento.

De là, on était venu le chercher en voiture pour l'emmener à Sacramento, à un *crash meeting* avec James C. Cross et Bob Twiss. Grâce au décalage horaire de trois heures entre la côte Est et la Californie, il avait pu prendre un vol United Airlines en fin de journée pour arriver en fin de soirée.

Le *meeting* venait de commencer, à sept heures pile. Edgar Mac Bride devait repartir de Sacramento à dix heures, de façon à attraper un vol à midi qui le mettrait à Washington à neuf heures du soir.

Bob Twiss dévisageait celui que son chef lui avait présenté comme John Smith, de Washington... Le *special agent* venait de faire part de son inquiétude, refaisant l'historique de ses relations avec le général Teng Thao.

– Avez-vous ressenti de la méfiance de la part du général Teng Thao ? demanda Edgar Mac Bride.

– Au début, oui. Puis Harrison Foster l'a rassuré en lui affirmant que la CIA couvrait l'opération, et que, d'ailleurs, elle avait donné son feu vert à Bob Twiss.

Edgar Mac Bride ne broncha pas, se contentant de demander :

– M. Martin Soloway connaît-il l'appartenance de Bob Twiss à l'ATF ?

– Bien sûr ! répondit James C. Cross.

– Martin Soloway a-t-il eu un contact avec le général Teng Thao ou quelqu'un de son entourage ?

– Négatif, *sir*, affirma James C. Cross. Depuis le début de cette opération, toutes les lignes de Martin Soloway sont sur écoutes.

– Aucune possibilité de rencontre physique ?

– Négatif, répéta le responsable de l'ATF. Les Laotiens mêlés à cette affaire n'ont pas bougé de Californie.

Edgar Mac Bride parut soulagé.

– Bien, soupira-t-il, voilà une porte fermée.

Du côté de ceux qui avaient livré les premières armes en Thaïlande, il n'y avait aucun risque. Ils ignoraient tout de Bob Twiss, sauf son nom, et l'agent de la CIA qui était en contact avec eux se faisait passer pour lui.

– *Well,* conclut-il, je crois qu'il n'y a pas lieu de s'alarmer. Le général Teng Thao a dû vouloir faire une enquête d'environnement sur Mr Twiss, ce qui est normal.

– Mais pourquoi a-t-il menti ? demanda Bob Twiss.

Edgar Mac Bride esquissa un sourire.

– Il peut y avoir des tas de raisons... Peut-être avait-il rendez-vous avec une femme, avant de rentrer chez lui. Ou Dieu sait quoi. Il y a un test très simple : vous devez le revoir, je crois ?

– Oui, *sir.*

– Je pense que s'il y a quelque chose d'anormal, vous le sentirez...

– Je suis censé lui donner le nom de mon correspondant en Thaïlande, précisa le *special agent.* Celui qui doit lui livrer les armes et encaisser le second versement de 1 200 000 dollars. Je ne...

Edgar Mac Bride l'arrêta d'un geste.

– Puisque je suis ici, je vais vous communiquer ces informations.

Il tira un bristol vierge de sa poche et y inscrivit quelque chose, le poussant ensuite vers Bob Twiss. Ce dernier lut : Max (087)6262142.

– Il s'agit d'un portable thaïlandais, précisa Edgar Mac Bride.

– Et s'il me pose des questions sur « Max » ? interrogea Bob Twiss.

Edgar Mac Bride ne se troubla pas.

– Dites-lui qu'il n'a pas à en savoir plus. Que les choses se dérouleront selon les plans.

Estomaqué, Bob Twiss osa demander :

– *Sir*, vous voulez dire qu'on va vraiment lui livrer ces armes ?

Edgar Mac bride ne répondit pas, regardant sa montre. Il était en avance.

– Vous avez fait un excellent travail, dit-il avec un peu plus de chaleur. Votre agence peut être fière de vous… De toute façon, je crois que le général Teng Thao et ses amis quittent le pays dans deux jours.

– C'est ce qu'ils m'ont dit, confirma Bob Twiss.

– Harrison Foster part avec eux ?

– Non, je dois lui remettre sa commission aujourd'hui.

– Faites-le, conseilla Edgar Mac Bride. Rien ne doit éveiller ses soupçons. Aucune chance qu'il se doute de votre véritable position ?

– Je ne le pense pas, fit prudemment Bob Twiss.

Edgar Mac Bride était déjà debout.

– Je vous remercie, dit-il. Avec un peu de chance, je vais pouvoir attraper un vol plus tôt.

– La voiture vous attend, confirma James C. Cross.

Une minute plus tard, Edgar Mac Bride était dans l'ascenseur. Bob Twiss lança un regard noir à son chef.

– Vous savez qui est ce type ?

Le directeur de l'ATF demeura impassible.

– J'en ai une petite idée, mais je n'ai pas le droit de vous le dire...

Bob Twiss, furieux, alluma une Camel et lâcha :

– Au fond, tout ce qu'on a fait, c'est de faciliter les achats d'armes de ce Teng Thao. Avant qu'on le revoie... Ce n'est pas vraiment le boulot pour lequel nous sommes payés.

James C. Cross devint écarlate et lança sèchement :

– Bob, nous ne sommes pas à l'origine de cette affaire. Apparemment, les impératifs de la sécurité nationale exigent que nous agissions ainsi. Je ferai un rapport extrêmement élogieux en ce qui vous concerne.

– Merci, *sir,* répliqua Bob Twiss, avant de descendre à la cafétéria.

Amer et perplexe. On lui avait toujours dit que la CIA était l'agence des coups tordus : il venait de le vérifier personnellement.

Edgar Mac Bride était ravi. D'abord, il allait attraper le vol American Airlines de 11 h 10, ce qui le mettrait à Washington à temps pour dîner. Ensuite, la première phase de l'opération « Pop-corn » se terminait bien.

L'intrusion de l'ATF dans les plans de Langley avait été gérée intelligemment et n'aurait aucune conséquence sur la suite des opérations.

Sans le zèle de Martin Soloway, désireux de manifester ses sentiments civiques en dénonçant un trafiquant d'armes, les choses auraient été plus simples.

Désormais, l'ATF était déconnecté et, dans très peu de temps, le général Teng Thao volerait vers son destin, avec la bénédiction de la CIA. Pour la partie asiatique, Edgar Mac Bride faisait confiance au prince Malko Linge, excellent chef de mission.

***

Penché sur ses cartes et plongé dans ses calculs, le général Teng Thao écoutait Ly Lu d'une oreille distraite, ne comprenant pas bien où il voulait en venir. Devant son insistance, il ôta ses lunettes et affronta son regard.

– Ly, qu'est-ce que tu veux dire ?

– Général, cet homme a menti, donc il est suspect.

– À propos de sa fille ?

– Oui.

Ly Lu répéta une fois de plus l'histoire de la fille faussement malade.

Ce qui sembla laisser indifférent le général.

– Quelle est ta conclusion ? demanda-t-il.

– Pourquoi cet homme a-t-il menti ?

Le général eut un geste évasif.

– Il y a tant de raisons possibles ! Il allait peut-être retrouver une femme ! Ou remettre l'argent à quelqu'un.

– Il l'avait quand il est arrivé chez lui, objecta Ly Lu. Han l'a vu.

– Pourquoi es-tu si inquiet ?

– Et si ce Bob Twiss était un agent provocateur du FBI ?

Le général Teng Thao soupira.

– Dans ce cas, nous serions déjà arrêtés ! Et il n'aurait pas accepté l'argent. Tu as eu raison de le faire surveiller, mais je crois qu'il est *clean*. D'ailleurs, Harrison Foster me le garantit.

– Il ne le connaissait pas, rétorqua Ly Lu. C'est son ami de Phoenix qui le lui a recommandé. Or, nous ne savons rien de celui-ci.

Excédé et agacé, car il avait envie de se remettre à ses plans de bataille, le général Teng Thao finit par demander, presque brutalement :

– Que veux-tu faire ? Tout arrêter, alors que nous avons déjà donné l'argent ?

Ly Lu secoua la tête.

– Non, général.

– Alors, quoi ?

– Je voudrais seulement continuer mon enquête sur Bob Twiss et son ami de Phoenix.

– Nous partons demain soir pour la Thaïlande.

– Je peux rester quelques jours de plus.

Le général se résigna, un peu pour avoir la paix.

– Très bien ! Je te donne une semaine avant de me rejoindre. Mais ne dépense pas trop d'argent sur cette enquête…

Satisfait, Ly Lu s'esquiva, après une courbette. Après tant d'années de vie clandestine, il humait le danger comme un animal. Le général aussi était prudent, mais son désir de reconquête l'aveuglait.

Dès qu'il fut dans sa voiture, Ly Lu appela Harrison Foster.

– On peut se voir ? dit-il. Dans une heure, au *Hangar 17*.

Un bar restaurant dans le centre de Sacramento.

Bob Twiss, tout en rédigeant son rapport d'enquête sur son ordinateur, éprouvait une sorte de malaise. D'abord, il était sûr que ses « clients » le soupçonnaient. Certain aussi de n'avoir commis aucune imprudence. Il décida de ne plus y penser. Après tout, dans trois jours, avec le départ du général Teng Thao, il serait déchargé de cette affaire. Entre-temps, il devait lui communiquer le nom de son correspondant et supposé ami, à Bangkok. Le mystérieux Max, très probablement un agent de la CIA qui menait les opérations depuis le début. Ce qui expliquait la fin bizarre de son enquête. Il réalisa que l'ATF et lui avaient été complètement manipulés de bout en bout.

Impression désagréable.

À peine fut-il installé au *Hangar 17* que Harrison Foster sentit qu'il y avait anguille sous roche. Ly Lu semblait mal à l'aise, abordait des sujets sans intérêt alors qu'il avait exigé ce rendez-vous d'urgence. Le bar se remplissait et le brouhaha autour d'eux devenait de plus en plus fort.

Finalement, Harrison Foster interpella le Laotien.

– Pourquoi vouliez-vous me voir d'urgence ?

Ly Lu eut un rire bref, signe de gêne chez les Asiatiques.

– Vous connaissez Bob Twiss depuis longtemps ?

Harrison Foster tomba des nues.

– Non. Vous le savez bien. Pourquoi ?

– Vous êtes absolument sûr de votre ami Martin Soloway, de Phoenix ?

– Que voulez-vous dire par « sûr » ?

Le Laotien se jeta à l'eau.

– Il ne pourrait pas être lié à une agence fédérale ?

Harrison Foster se raidit.

– Que voulez-vous dire ?

– Une agence fédérale comme le FBI.

Harrison Foster tomba des nues.

– Vous voulez dire qu'il aurait pu nous dénoncer ? Cela ne tient pas debout. Le premier chargement d'armes a bien été livré en Thaïlande. Nous n'avons pas été inquiétés.

– C'est vrai, reconnut Ly Lu, mais ce Bob Twiss me semble bizarre.

– Pourquoi ?

Ly Lu abattit sa carte :

– Il a menti.

Harrison Foster écouta le récit de la surveillance de Bob Twiss et du mensonge de ce dernier à propos de sa fille. Il secoua la tête.

– Il y a des tas d'explications à ce petit mensonge. Je crois que vous faites erreur. Vous en avez parlé au général ?

– Oui.

– Qu'est-ce qu'il a dit ?

– Il n'est pas inquiet, mais ce n'est pas son métier. Et puis il a tellement envie de libérer son pays qu'il n'a plus de sens critique. Ce serait très grave si notre opération était pénétrée.

– Mais elle est pénétrée, souligna Harrison Foster. Je suis presque sûr que Bob Twiss travaille avec la CIA qui a voulu nous donner un coup de main. C'étaient nos alliés et nos amis.

– Beaucoup d'eau a coulé sous les ponts depuis, remarqua avec tristesse Ly Lu. Le Congrès nous a inscrits sur la liste des organisations terroristes. La CIA n'a pas protesté. En plus, je connais les bureaucrates de la CIA Ils n'oseraient jamais aider, même clandestinement, une organisation labellisée « terroriste ». Ce serait trop grave pour eux. Or, le nouveau DCI, le général Hayden, est une créature de George W. Bush. Pas le genre d'homme à faire des écarts…

Harrison Foster but un peu de son Chivas Regal. Troublé. Il se décida d'un coup.

– Écoutez, fit-il, je vais vous donner le téléphone de mon client et ami de Phoenix, Martin Soloway. Vous pourrez l'interroger…

Ly Lu ne manifesta pas un enthousiasme débordant :

s'il n'était pas clair, il ne dirait rien et alerterait Bob Twiss.

Il nota quand même le numéro et quitta Harrison Foster sans même avoir bu sa Budweiser.

***

C'était le dernier rendez-vous. Comme la première fois, Bob Twiss avait donné rendez-vous au général Teng Thao sur le parking du Wall-Mart, à l'ouest de Stockton. Le général était seul avec son chauffeur. Le marchand d'armes sortit de sa voiture et vint à leur rencontre.

– Allons boire un verre, proposa-t-il. En face.

De l'autre côté du Wall-Mart, il y avait un petit restaurant-bar. Très sombre, comme toujours en Californie, et presque vide à cette heure.

– Tout est prêt pour le départ ? demanda chaleureusement Bob Twiss.

– Vous venez aussi, n'est-ce pas ? Pour la seconde livraison.

– Non, je reste ici. J'ai des choses à faire, répliqua Bob Twiss, mais j'ai pris toutes les dispositions nécessaires en Thaïlande.

– C'est-à-dire ?

Bob Twiss prit dans sa poche une de ses cartes de visite et la tendit au général laotien. Celui-ci lut : Max (087) 626 21 42.

– Dès que vous arriverez à Bangkok, continua Bob Twiss, vous appellerez ce numéro. Max est mon correspondant là-bas. C'est lui qui gère le problème des armes. Vous pouvez avoir confiance en lui comme en moi.

– Qui est-ce ?

– Un businessman. Il est fournisseur d'armes

légères pour des tas de gens. Il vient spécialement en Thaïlande pour cette affaire.

– Max, ce n'est pas son nom ?

Bob Twiss sourit.

– C'est le pseudo qu'il m'a communiqué pour vous. S'il souhaite vous dire son vrai nom, il le fera. Mais ce n'est pas indispensable. Vous avez autre chose à me demander ?

– Non, avoua le général Teng Thao. J'aurais préféré que vous veniez. C'est à « Max » que je réglerai la seconde partie de l'argent ?

– Oui, bien sûr. À la livraison.

Comme Bob Twiss avait appelé la serveuse pour payer l'addition, le général posa la question qui lui brûlait les lèvres :

– Harrison pense que vous travaillez avec la CIA. C'est exact ?

Il y eut un blanc de quelques secondes, puis Bob Twiss éclata d'un rire un peu trop sonore.

– Non, bien sûr ! Je suis juste un businessman. C'est vrai que j'ai de la sympathie pour votre opération, mais il m'arrive aussi de vendre des armes à des gens qui ne me sont pas sympathiques. On ne choisit pas toujours ses clients. Si j'avais appartenu à la CIA, je n'aurais pas pris de précautions pour traiter avec vous.

– Donc, l'Agence n'est pas au courant de notre transaction ?

Bob Twiss soutint son regard.

– Bien sûr que non !

Teng Thao n'insista pas et se leva.

– J'espère que vous viendrez nous voir au Laos, plus tard, conclut-il.

Il n'avait pas osé dire « quand nous aurons gagné », par superstition. Ils se serrèrent longuement la main sur le parking du petit restaurant, avant de remonter dans leurs voitures respectives.

***

Bob Twiss sentit la boule qui pesait sur son estomac se dissoudre seulement à son troisième scotch. Sa femme le regardait avec curiosité.

– Tu as des problèmes ? demanda-t-elle.

Le *special agent* éclata de rire.

– Non, justement, je n'ai plus de problèmes ! Mets ta robe noire, celle avec la ceinture et l'écharpe, je t'emmène dîner au *DoubleTree.*

– Mais la petite ?

– J'ai commandé une baby-sitter.

Tandis qu'elle allait se préparer, il alluma la télé sans réussir à s'intéresser aux informations. Le départ du général Teng Thao le soulageait. Après avoir rédigé un rapport complet, il partirait une semaine à Honolulu.

Pourtant, il ne cessait de se demander quel était le véritable but de la CIA dans l'affaire.

***

Ly Lu avait le cœur serré en se hâtant dans les interminables couloirs de l'aéroport de Los Angeles. C'était la première fois depuis bien longtemps qu'il se séparait de son chef, qui volait désormais vers Bangkok, sur un vol non-stop de la Thaï International Airways, avec ses autres compagnons. Il avait une semaine pour découvrir si, oui ou non, ils avaient été manipulés.

Une mortelle course contre la montre. Si la CIA, ou une autre agence fédérale, avait infiltré l'opération, ce n'était peut-être pas pour leur bien…

CHAPITRE VII

Le général Teng Thao leva la tête vers le ciel gris tirant sur le noir, annonciateur de pluie, inhabituelle en ce mois de novembre. La saison des pluies aurait dû être terminée depuis au moins deux semaines. L'immense aéroport de Bangkok, avec ses interminables tapis roulants, ses pubs agressives, le déstabilisait. Yi Li et ceux que l'accompagnaient semblaient sonnés eux aussi par cet énorme caravansérail, symbole de l'Asie nouvelle en train d'avaler le monde.

On était très loin du minuscule Laos, entravé dans les liens du passé.

L'aéroport de Savarnabhumi, par son gigantisme, incarnait parfaitement la rage de vivre de l'Asie nouvelle. Le général Teng Thao, noyé dans le flot des touristes, se sentit soudain tout petit. Arrivé au guichet de l'immigration, il fit sagement la queue comme tout le monde. Bien entendu, il n'avait pas de passeport laotien, mais un titre de voyage émis par les Nations unies, comme réfugié politique. Le gouvernement thaï avait été averti de sa venue, ce qu'il souhaitait d'ailleurs. En effet, l'ONG méo *Facts Finding Commission*, l'avait officiellement mandaté pour tenter de convaincre les huit mille réfugiés méos du camp de Huai Nam Khao de regagner paisiblement le Laos, ce qu'ils refusaient obstinément, à juste titre.

Cela donnait au général Teng Thao une excellente occasion de se rendre dans ce camp situé à cinq heures de route de Bangkok, dans la province de Petchabun, où il pourrait rencontrer l'homme qui lui apportait les informations sur ses « maquis », Xai Vang.

Une fois hors de Bangkok, personne ne s'occuperait plus de lui. La Thaïlande n'était pas un État policier. Il gagnerait donc le nord du pays, pour prendre contact avec son expert en explosifs Gomer Brentwood, tandis que Phu Tat, retournant dans son village de Na Pha, reprendrait ses voyages au Laos.

En réalisant l'ampleur de la tâche, il eut un éblouissement et dut s'agripper à la main courante du trottoir roulant pour ne pas tomber.

– Ça ne va pas ? demanda aussitôt Yi Li.

– Si, si, affirma le général. Je suis un peu fatigué.

Ce n'est que dans le taxi roulant vers Bangkok qu'il se sentit mieux. Un second véhicule suivait, avec le reste de ses hommes. Son agence lui avait réservé des chambres au *Holiday Inn* de Silom Road. Fonctionnel, bon marché et pratique. De toute façon, le général Teng Thao n'avait jamais mis les pieds à Bangkok et la ville lui semblait gigantesque. Roulant sur un des innombrables freeways urbains surélevés, il avait l'impression d'être sur un tapis volant. On se serait cru à Los Angeles. Encore groggy, il laissa Yi Li s'occuper des formalités au *Holiday Inn* et fila dans sa chambre. Il n'eut même pas le courage de prendre une douche et s'allongea, tout habillé, sur un des lits jumeaux.

Il lutta contre le sommeil, se disant qu'il devait appeler « Max », le correspondant de Bob Twiss, puis s'endormit sans même s'en rendre compte.

***

Ling Sima jeta un coup d'œil intrigué à Malko quand ce dernier fit arrêter le taxi devant le dernier immeuble du *soi* Wat Suan Pin, juste avant la Chao Praya, face à l'hôtel *Shangri-La*. Un building blanc avec des magasins au rez-de-chaussée et des balcons-terrasses élégants, ornés de verdure.

– Où m'emmènes-tu ? Tu n'es pas au *Shangri-La* ?

– Non, dit Malko, un ami m'a prêté un appartement. C'est plus discret.

Le portier, chamarré comme un amiral soviétique, leur ouvrit la porte et Malko fit passer la Chinoise devant lui. La colonelle du Goanbu[1] était plus sexy que jamais, dans une longue robe chinoise bleu électrique qui moulait sa croupe de façon si précise que Malko se sentit agité de très mauvaises pensées. Depuis cinq ans qu'il la connaissait, son goût pour elle ne s'était pas affaibli. Et cette sensuelle Chinoise, dure comme du diamant, fondait devant le regard doré de Malko. Sans qu'il sache vraiment pourquoi. En plus de son corps, elle lui avait aussi apporté une aide précieuse lors de deux affaires traitées en Thaïlande pour la CIA. Chargée par le Goambu des relations avec les triades chinoises installées en Thaïlande, Ling Sima avait le bras très, très long.

Dans l'ascenseur, leurs regards se croisèrent.

– Tu es magnifique ! fit Malko.

Avec ses courts cheveux noirs, ses hautes pommettes, ses yeux étirés et son air hautain, elle évoquait une princesse mandchoue.

Malko avait un petit peu hésité avant de l'appeler. Arrivé à Bangkok deux jours plus tôt, sa première visite avait été pour Gordon Backfield, le chef de station de la CIA qui l'avait emmené déjeuner dans un

1. Services de renseignements chinois.

restaurant italien du *soi* Tonson, derrière l'ambassade américaine de Wittaya Road, pour faire le point.

– Le général Teng Thao arrive après-demain, avait-il annoncé à Malko. Il va sûrement vous contacter très vite. Vous êtes « Max », un marchand d'armes.

– Et qu'est-ce que je fais ? demanda Malko.

– Tout ce qu'il vous demande. D'abord, vous assurez la livraison du matériel qu'il a déjà à moitié payé. Et, surtout, vous vous arrangez pour « accompagner » son action.

Malko avait tiqué.

– Vous voulez que je l'aide à reconquérir le Laos ?

Gordon Backfield avait souri.

– Non, mais si vous pouvez lui rendre de petits services, faites-le.

– Et les armes ?

– Dès que vous avez l'argent, vous me le dites et elles seront livrées là où il le désire.

– Au Laos ?

– Non, en Thaïlande. J'ignore comment le général compte les acheminer de l'autre côté du fleuve. Mais nous ignorons beaucoup de choses de cette opération.

– Vous croyez qu'il a une chance de réussir ? demanda Malko.

Gordon Backfield hésita quelques secondes.

– Une sur deux, dit-il.

– C'est ce qu'il pense ?

Le chef de station esquissa un sourire.

– Je ne sais pas exactement ce qu'il pense mais il dit qu'il est certain de réussir, que le régime vermoulu de Vientiane tombera comme une pomme mûre, que les Laotiens n'en peuvent plus du communisme.

– Tout est possible, reconnut Malko. Il a assez d'hommes et d'équipement militaire ?

L'Américain eut un geste évasif.

– Vous savez, Fidel Castro a pris Cuba avec une

centaine d'hommes et les talibans ont submergé l'Afghanistan avec des Toyota et de l'armement léger. L'armée laotienne, ce n'est pas la Wehrmacht. Et, de plus, la population est extrêmement passive. À part ceux qui sont directement concernés, comme les miliciens ou les apparatchiks, personne ne lèvera le petit doigt...

Ils s'étaient quittés sur cette note optimiste, Malko emportant la clef de l'appartement du *soi* Wat Suan Pin, une « *safe house* » de la CIA, au nom d'une société *off-shore* de travaux publics. Plus discret qu'un hôtel.

Malko appuya sur le bouton du huitième et fit face à Ling Sima.

– Que viens-tu faire à Bangkok ? demanda la Chinoise.

Ils avaient dîné dans un restaurant chinois anonyme de Yeowarat[1], délicieux et discret.

– Te retrouver, sourit Malko.

Sa main droite s'était posée sur la cuisse de la jeune femme, en partie découverte par la longue robe fendue. Les yeux dans ceux de Ling Sima, il remonta jusqu'au haut de la cuisse, effleurant le renflement du sexe enfermé dans sa cage de dentelle noire.

Ling Sima eut un très léger sursaut et dit d'une voix égale :

– Tu mens.

Elle se raidit. Malko venait d'écarter l'élastique de sa culotte et de plonger en elle.

– Non, dit-il, je ne mens pas.

La Chinoise ferma les yeux sous la caresse précise. Elle était déjà inondée. Appuyée à la paroi, elle dit à voix basse :

1. Quartiers chinois.

– Je ne comprends pas. Dès que je suis avec toi, j'ai envie de faire l'amour.

La cabine s'était arrêtée et les portes s'ouvraient. Malko retira sa main et poussa Ling Sima dehors. Trente secondes plus tard, ils étaient dans l'appartement où régnait un froid glacial.

La clim.

Il alluma et la Chinoise regarda autour d'elle. Tout était strictement impersonnel, style californien. Élégant et sans fantaisie.

– Viens, dit-il.

L'appartement faisait l'angle du *soi* et une partie de ses baies donnait sur le Chao Praya. Malko ouvrit la porte-fenêtre donnant sur la terrasse dominant le fleuve et appuya Ling Sima à la rambarde. L'air était délicieusement tiède. Il reprit sa caresse là où il l'avait laissée, sentant Ling Sima de plus en plus réceptive. Elle ne protesta pas lorsqu'il fit glisser sa culotte le long de ses longues jambes.

– C'est beau ! fit-elle d'une voix haletante, les doigts de Malko enfoncés dans son sexe, en contemplant le trafic sur la rivière.

Les *long tails* [1] se croisaient, évitant les trains de péniches et les innombrables navettes des hôtels reliant Bangkok à la rive opposée de Dhomburi, où se dressaient désormais quelques hôtels.

Ils s'embrassèrent.

Malko maltraitait furieusement les seins de Ling Sima emprisonnés dans la soie bleue et la Chinoise respirait de plus en plus vite.

– Viens, souffla-t-elle.

– Non, dit Malko.

Elle se raidit.

1. Jonques équipées d'hélices montées sur des arbres très longs.

– Tu ne veux tout de même pas… Tout le monde nous voit.

– Personne ne nous voit, rétorqua Malko. Tu ne connais personne à Dhomburi.

Effectivement, la terrasse donnait sur l'autre rive de la rivière. Malko prit Ling Sima par les hanches et la retourna, face au Chao Praya. Quand elle sentit qu'il remontait la longue robe sur ses hanches pour dégager ses reins, elle protesta mollement.

– Non ! Pas ici !

Il était déjà fiché en elle et Ling Sima cessa de lutter, emmanchée jusqu'à la garde, les mains crispées sur la balustrade de la terrasse. Inconsciemment, elle cambra les reins, permettant à Malko de s'enfoncer encore plus loin en elle. Il allait et venait si facilement que tous ses mauvais instincts se réveillèrent.

Le compas de ses interminables jambes largement ouvert, Ling Sima donnait de furieux coups de reins, venant au-devant du sexe qui la labourait, poussant des cris inarticulés, de plus en plus violents. D'un coup, toutes ses barrières étaient tombées. Quand Malko se retira entièrement d'elle, elle protesta d'une exclamation déçue.

Elle n'eut guère le temps de continuer. Avec la brutalité d'un charretier, Malko venait de violer ses reins. Ling Sima émit un cri rauque. Mais dès qu'elle sentit le sexe fiché dans ses reins, elle recommença à onduler, à lancer tout son bassin vers l'arrière. Comme la première fois où Malko l'avait rencontrée, elle se faisait sodomiser avec une sorte de rage. Il la martela de plus en plus fort, l'écrasant contre la rambarde, passant de son ventre à ses reins, jusqu'à ce qu'il se répande, la projetant contre la balustrade de marbre, haletante, frémissante, comme cassée. Ils restèrent ainsi, collés l'un à l'autre, contemplant le Chao Praya.

C'étaient de belles retrouvailles. D'elle-même, Ling Sima s'arracha au pieu fiché dans ses reins et rentra en titubant dans l'appartement. Malko la retrouva, allongée en biais sur le grand lit, impudique et magnifique, la longue robe bleue tirebouchonnée autour de sa taille, le ventre offert.

Lorsqu'il s'approcha d'elle, Ling Sima se redressa et se mit à quatre pattes sur le lit. Prenant son membre nettement moins triomphant à pleine main, elle l'engoula avec une fureur toute neuve. Il voyait sa croupe onduler de nouveau. Elle bavait, le suçait avec fureur. Une vraie goule…

Malko réagit rapidement à cet assaut. Glissant les mains sous la robe, il commença à malmener ses seins. Ling Sima le suça avec encore plus d'ardeur. Puis, d'un coup, elle se rejeta en arrière et lui fit face, les jambes écartées, les talons de ses escarpins plantés dans le couvre-lit, le sexe offert.

– Baise-moi un peu comme ça ! demanda-t-elle d'une voix rauque.

Quand il s'abattit sur elle, la Chinoise referma ses bras avec une telle violence qu'il crut étouffer. Pris d'une frénésie subite, il lui releva les jambes, la repliant comme une grenouille, et Ling Sima se mit vraiment à hurler. Ses ongles déchiraient le dos de Malko, dont le ventre cognait contre son pubis. Lorsqu'il jouit, elle hurla.

Ensuite, ses jambes retombèrent, la faisant ressembler à une étoile de mer échouée sur une plage.

Ce n'est que beaucoup plus tard que Ling Sima demanda à nouveau :

– Pourquoi es-tu à Bangkok, cette fois-ci ?

Malko hésita : mentir à la Chinoise n'était pas indiqué, mais il ne pouvait en aucun cas lui parler de sa mission. Les Services chinois étaient proches des

Laotiens. Cependant, elle savait qu'il n'était pas là en touriste.

– Je te le dirai, promit-il, mais pas tout de suite.

Ling Sima s'étira, sans commentaire, et bâilla.

– Tu veux dormir là ? proposa Malko.

– Non, emmène-moi boire une coupe de champagne à la State Tower.

– Il est tard, remarqua Malko. J'ai ce qu'il faut ici.

Il se leva et revint avec une bouteille de Taittinger brut et deux flûtes. Ce soir, c'était récréation. Pourtant, en laissant les bulles lui picoter la langue, il se demanda comment se passerait sa rencontre avec le général Teng Thao.

***

Le général Teng Thao se réveilla en sursaut, ne sachant plus où il se trouvait. À la lumière de la lampe de chevet, il aperçut Yi Li endormie, à demi enroulée dans une serviette qui découvrait sa cuisse jusqu'à l'aine. Il regarda ensuite les aiguilles lumineuses de sa montre : deux heures cinq. Elle était restée à l'heure californienne et il n'arrivait pas à savoir quelle heure il était.

Il se leva et alla écarter le rideau donnant sur Silom Road. Il faisait nuit et l'avenue était déserte. Comme il n'avait plus sommeil, il se déshabilla et prit une douche. Ensuite, il s'allongea à nouveau, le cerveau en ébullition. Cette fois, les dés étaient jetés. Il commencerait ses contacts dès le lendemain.

Le premier étant « Max ».

Sans les armes, il ne pouvait rien faire. Ly Lu lui manquait. Il espérait que son fidèle second le rejoindrait vite. Ses soupçons envers Bob Twiss n'auraient plus aucune importance dès lors qu'il serait en possession des armes.

Il se releva, prit son portable, constata qu'il était passé automatiquement sur le réseau thaïlandais et commença à composer le numéro de « Max ». Il se ravisa aussitôt : il était vraiment trop tôt. Il s'imposa d'attendre le lever du jour.

Ling Sima, finalement, n'était pas partie. Après avoir terminé la bouteille de Taittinger brut, ils avaient encore fait l'amour, d'une façon beaucoup plus posée. Malko n'était pas un surhomme mais Ling Sima avait déployé toute sa science amoureuse pour qu'il puisse à nouveau s'enfouir dans son ventre, se frottant contre lui comme une chatte en chaleur, à lui faire mal. Cognant son pubis contre lui jusqu'à se faire jouir toute seule.

À croire qu'elle s'était bourrée de *ya-baa* [1] avant de venir. Allongée sur le ventre, un oreiller sur la tête, elle dormait à poings fermés, les jambes légèrement entrouvertes, encore disponible. Il allait glisser une main entre ses cuisses lorsque la sonnerie de son portable se déclencha, forte comme l'alarme d'un sous-marin.

Il le rafla sur la table de nuit et fonça dans la salle de bains, dont il referma la porte.

– Mister Max ?

C'était une voix d'homme avec un fort accent asiatique.

– C'est moi.

– Je suis le client de Bob Twiss.

– Parfait, dit Malko. Bienvenue à Bangkok.

– Quand puis-je vous voir ?

Malko baissa les yeux sur les aiguilles lumineuses

1. Amphétamines.

de sa Breitling et vit l'heure : huit heures cinq. Le général Teng Thao se levait tôt.

– Ce matin, proposa-t-il.

– Parfait, ce matin.

– Où ?

Malko sentit une hésitation, puis le général Teng Thao dit presque timidement :

– Je ne connais pas bien Bangkok.

– À quel hôtel êtes-vous ?

– Le *Holiday Inn*, sur Silom Road.

– Ce n'est pas loin, dit Malko, je peux vous retrouver là.

Nouvelle hésitation.

– Je préfère ne pas vous voir à l'hôtel…

– O.K., conclut Malko, venez chez moi. Je vous donne l'adresse pour le taxi. Vous avez de quoi écrire ?

Le général laotien écrivit sous sa dictée et conclut :

– Alors, à onze heures, en bas de votre immeuble.

Lorsque Malko retourna dans la chambre, Ling Sima était réveillée. Elle lui jeta un regard amusé.

– Tu téléphonais à une femme…

– Absolument, dit Malko. Si on allait prendre le breakfast en face, au *Shangri-La* ? proposa-t-il.

Il valait mieux qu'elle soit partie lorsque le général laotien débarquerait.

CHAPITRE VIII

Edgar Mac Bride reposa la liste qui venait de lui être transmise par e-mail, soucieux. Le bras droit du général Teng Thao, un certain Ly Lu, n'avait pas embarqué pour la Thaïlande.

Pourquoi ?

C'était anormal, car sa place avait été retenue et sa réservation reportée de six jours. Le haut fonctionnaire de la CIA ne mit pas longtemps à prendre sa décision : il fallait savoir pourquoi Ly Lu n'était pas parti. Edgar Mac Bride était responsable du secret absolu qui devait entourer l'opération « Pop-corn » et ne devait rien laisser passer. Seul impératif, la CIA ne devait apparaître nulle part. Heureusement, il savait comment réagir à ce genre de situation : la Global Security Inc., une officine dirigée par un ancien de la Maison, spécialisée dans les coups tordus et les enquêtes « grises ». La plupart de ses membres possédaient des licences de détective privé et des accointances dans la police ou le FBI. En plus, ils étaient d'une discrétion parfaite et n'hésitaient pas à travailler à la limite de la légalité. Quitte à facturer des journées à cinq mille dollars. Dieu merci, le budget « noir » de la CIA était pratiquement sans limite…

Précaution supplémentaire, Edgar Mac Bride envoya un de ses *deputies* téléphoner d'une cabine publique de Langley. En lui communiquant tout ce qu'il possèdait comme information sur Ly Lu, grâce à l'enquête de l'ATF.

Désormais, il connaîtrait, en temps réel, les agissements du collaborateur du général Teng Thao et pourrait anticiper toute initiative fâcheuse.

Malko reconnut immédiatement le général Teng Thao qui venait d'émerger d'un taxi couleur framboise écrasée. Les taxis de Bangkok arboraient des couleurs violentes et gaies, sauf le jaune, la couleur du roi. Derrière le général laotien, apparut une Asiatique très petite, au visage ciselé comme un jade, portant un chemisier rouge vif bien rempli et une courte jupe noire, juchée sur des talons de douze centimètres.

Escorte inattendue.

Le général laotien regarda autour de lui, visiblement inquiet, et Malko se hâta d'aller à sa rencontre.

– Général Teng Thao ?

Celui-ci leva les yeux : il était beaucoup plus petit que Malko, avec une bonne bouille ronde, et paraissait plus jeune que ses soixante-quinze ans.

– Mister Max ?

– Oui.

Le général se retourna et précisa à voix basse :

– Je suis venue avec ma femme, Yi Li. Elle m'aide beaucoup dans mes projets…

Yi Li esquissa un sourire plein de modestie : les boutons de son chemisier rouge semblaient prêts à éclater sous la pression de ses seins. Son regard se posa fugitivement sur Malko, puis se détourna. Il se dit qu'elle était ravissante.

– Voulez-vous monter chez moi ? proposa Malko, nous serons tranquilles pour discuter.

Ils le suivirent et, dans l'ascenseur, il put constater que la femme du général laotien se parfumait au Chanel N° 5. C'était surprenant de découvrir une petite Tanagra-Lolita aux côtés de ce vieux guerrier plutôt rugueux. Une fois installés dans le living-room, face à la rivière, Malko proposa à boire.

– Si vous avez un scotch ? demanda le général, visiblement éprouvé par son voyage.

– J'ai, fit Malko.

Yi Li se contenta d'un jus de pamplemousse. Très vite, le général entra dans le vif du sujet.

– Mr Twiss vous a transmis ses instructions ?

– Absolument, confirma Malko. J'attendais votre coup de fil...

– Donc, le matériel est disponible ? demanda anxieusement le général Teng Thao.

– Oui.

– Je dois vous apporter la seconde partie de l'argent, précisa aussitôt le général, venant au-devant de la question de Malko. Cette somme versée, combien de temps faut-il pour la livraison ?

– C'est en Thaïlande ?

– Oui, dans le nord. Udon Thani.

– Disons, moins de trois jours, après le règlement.

Le général sembla soulagé et demanda :

– Vous êtes certain de la confidentialité de cette opération ?

Malko sourit.

– Totalement. Les propriétaires de ces armes ignorent où elles partent. Ils pensent qu'il s'agit d'armer les Karen[1].

– Parfait ! approuva le général Teng Thao. J'ai

1. Minorité birmane, établie à la frontière entre la Thaïlande et la Birmanie.

beaucoup de contacts à prendre et je vous dirai où et quand livrer ce matériel. Vous en avez la liste ?

– Bob Twiss me l'a transmise, assura Malko. Tout y sera.

Yi Li écoutait attentivement. Elle échangea quelques mots en lao avec son mari, qui demanda :

– Vous êtes certain de ne pas être surveillé par les Thaïs ?

– On ne peut jamais être certain, protesta Malko, mais je n'ai jamais eu d'ennuis dans ce pays.

– Vous habitez Bangkok ?

– Non, je vis en Europe, mais je viens souvent ici. J'y ai gardé cet appartement. C'est plus discret que l'hôtel.

Le général termina son Chivas Regal d'une seule lampée et ses joues rosirent. Il semblait fatigué.

– À quelle heure pourrai-je vous apporter l'argent ? Je ne veux pas le garder trop longtemps à l'hôtel.

– Quand vous voulez.

Nouvel échange en lao, puis le général proposa :

– Six heures, ce soir.

– C'est parfait. Maintenant que vous connaissez les lieux, montez directement.

Ils se serrèrent la main, un peu cérémonieusement, et le couple s'engouffra dans l'ascenseur. Malko n'avait plus qu'à appeler Gordon Backfield.

Quand Ly Lu débarqua à l'aéroport de Phoenix, il faisait quand même 35 °C en plein mois de novembre. L'Arizona était, en grande partie, un désert où d'innombrables retraités venaient chauffer leurs vieux os au soleil.

Le Laotien alla louer une voiture, acheta une carte et s'orienta. Phoenix, ville du troisième, et même du quatrième âge, était extraordinairement étendue ! La plus fréquente distraction de ses habitants étant les enterrements. Étant donné l'âge des résidents, il n'y avait pas de jour sans. Le Laotien avait hésité avant d'entreprendre ce voyage, mais conclu que c'était le premier pas pour être fixé sur Bob Twiss. Lui aussi avait hâte de rejoindre le général Teng Thao, mais il voulait le faire l'esprit libre.

Une demi-heure plus tard, il était dans le centre. Il n'eut aucun mal à trouver le building moderne de quatre étages abritant la Southwestern Consolided Contractor. Celle-ci occupait tout l'immeuble. Une employée brune l'accueillit à la réception avec un sourire éblouissant et demanda d'une voix volontairement sexy :

– Qui désirez-vous voir, *sir* ?

Les murs étaient décorés de matériel militaire high-tech, la fille avait de gros seins moulés par un pull rose, une douce musique baignait le hall d'entrée. Tout était net, propre, parfait.

– Martin Soloway, annonça Ly Lu.

– Vous avez rendez-vous ?

– Non, avoua le Laotien, mais je n'avais pas son numéro. J'arrive de Los Angeles et je ne reste pas longtemps à Phoenix.

Il mentait : il n'avait pas voulu utiliser le numéro communiqué par Harrison Foster pour bénéficier de l'effet de surprise.

– Pouvez-vous me dire l'objet de votre visite et votre nom ? demanda la réceptionniste, sans se départir de son sourire.

– Dites à Mr Soloway que je viens de la part de Mr Harrison Foster.

La réceptionniste nota soigneusement le nom et leva la tête.

– Je vais voir si Mr Martin Soloway peut vous recevoir. Prenez place.

Elle s'engouffra dans l'ascenseur et Ly Lu se plongea dans la revue *Aerospace.* Trois minutes plus tard, l'ascenseur s'ouvrit sur un homme mince, aux cheveux gris rejetés en arrière, portant un costume clair sans cravate et arborant à son poignet un magnifique chronographe Breitling en or. Il tendit chaleureusement la main à Ly Lu.

– Vous êtes un ami de Harrison ! Bienvenue à Phoenix. Vous auriez dû me prévenir, on vous aurait envoyé une voiture à l'aéroport. Venez.

Un peu confus, le Laotien monta avec son hôte dans l'ascenseur. Au quatrième étage, les baies vitrées donnaient sur le désert à perte de vue, mais il régnait dans le bureau de Martin Soloway une température sibérienne.

– Alors, que devient Harrison ? demanda ce dernier. Vous travaillez avec lui ?

– Non, avec le général Teng Thao.

Martin Soloway marqua une imperceptible hésitation, sans faire de commentaires. Ly Lu sauta sur l'occasion.

– Je suppose que vous savez qui est le général Teng Thao.

– Oui, Harrison m'en a parlé. Il était dans l'armée royale laotienne.

– C'est exact, confirma Ly Lu. Il est très lié à Harrison Foster, comme vous, je crois.

– Tout à fait ! Harrison est un vieil ami, et travaille comme consultant pour ma société.

– Bob Twiss est aussi un de vos proches ? demanda le Laotien d'une voix égale.

Martin Soloway se figea pendant un temps très court, puis son sourire prit le dessus et il demanda :

– Oui, bien sûr, nous sommes un peu dans le même business. Pourquoi me posez-vous cette question ?

Ly Lu baissa d'abord les yeux puis dit avec un sourire embarrassé :

– Voilà, Bob Twiss nous a vendu des armes pour une opération que nous projetons au Laos. Il s'agit d'arrêter le génocide des Hmongs par le Pathet Lao. Il a été correct et nous n'avons qu'à nous féliciter de lui. Mais, à cause de certaines bizarreries, nous avons des doutes sur sa véritable personnalité.

– C'est-à-dire ?

Ly Lu nota que la voix de son interlocuteur était légèrement tendue.

– Vous le connaissez depuis longtemps ?

– Oui, une dizaine d'années.

– Il n'a jamais appartenu au FBI ou à la CIA ?

Martin Soloway sembla soulagé et éclata de rire.

– *My God*, non ! Pourquoi ?

Ly Lu se jeta à l'eau :

– Nous avons peur d'être l'objet d'une provocation de la part des autorités américaines. Si c'était le cas, nous mettrions fin immédiatement à notre entreprise.

Martin Soloway jouait avec un stylo. Il releva la tête avec un sourire. Mais Ly Lu se dit qu'il était un peu forcé.

– Effectivement, Harrison m'a demandé de lui présenter un négociant en armes, sans me dire de quoi il s'agissait. J'ai pensé à Bob Twiss, car il est dans ce business. C'est tout. Vous n'avez rien à craindre. C'est un indépendant. Avez-vous d'autres questions ?

Ly Lu se leva.

– Non, merci. C'est très gentil de m'avoir reçu Mr Soloway. Maintenant, je suis plus tranquille. Je vais reprendre l'avion pour Los Angeles.

Martin Soloway tint à le raccompagner jusqu'à la réception et ils se quittèrent sur une chaleureuse poignée de main.

Martin Soloway était remonté directement dans son bureau. À peine assis, il appela sa secrétaire.

– Appelez-moi Bob Twiss. C'est urgent.

Bob Twiss rappela une heure plus tard, alors que Martin Soloway était en réunion. Il abandonna ses interlocuteurs pour prendre l'appel dans une pièce voisine.

– Bob, annonça-t-il, je viens de recevoir une visite inquiétante.

Le bureau de Gordon Backfield, au huitième étage de l'ambassade américaine de Wittaya Road, était furieusement climatisé bien que la saison sèche soit en retard.

– Alors, demanda aussitôt le chef de station de la CIA, vous l'avez vu ?

– Je les ai vus, corrigea Malko. Il était accompagné de sa femme, une ravissante Asiatique. Très sexy.

– Il vous a parlé des armes ? s'inquiéta Gordon Backfield, qui ne semblait pas s'intéresser à l'épouse du général Teng Thao.

– Oui, il les veut très vite. Il doit m'apporter l'argent ce soir.

Le chef de station de la CIA sembla soulagé.

– Parfait.

– Vous allez vraiment lui livrer ce matériel ? s'inquiéta Malko.

– Évidemment. Il en a besoin.

– Les Thaïs ne vont rien dire ?

– Les Thaïs ne sont pas au courant. Il s'agit de nos propres stocks, à Sakoni Nakhon. Où faut-il les livrer ?

– Il ne me l'a pas encore dit. À propos, que vais-je faire de l'argent qu'il va me remettre ?

– Dans l'appartement que vous occupez, il y a un coffre, précisa l'Américain. Laissez-le là jusqu'à nouvel ordre. Vous pouvez prélever ce qu'il vous faut pour vos frais. Cet argent n'a pas d'existence budgétaire...

– Merci, dit Malko, pensant à ses tuiles. Un fois que j'ai reçu cet argent, mon job est terminé...

Gordon Backfield lui jeta un regard sombre.

– Pas du tout ! Il faut rester près du général Teng Thao, tout connaître de ses plans.

– Pourquoi faire ?

– L'aider éventuellement, fit évasivement l'Américain.

– Bien, conclut Malko, je vais donc prolonger mon séjour.

– Vous avez vu votre amie Ling Sima, remarqua le chef de station. Elle est toujours très proche de vous...

Malko lui jeta un regard étonné. Il n'avait pas parlé de Ling Sima à l'Américain.

– Comment le savez-vous ?

Gordon Backfield eut un sourire en coin.

– Cet appartement est « sonorisé ». Il a été utilisé comme local de contact... Je ne vous l'avais pas précisé ?

– Charmant, grinça Malko.

Se demandant si la terrasse était aussi sonorisée. Ceux qui avaient écouté les bandes avaient dû s'amuser des vocalises de la Chinoise. Il se promit de la retrouver chez elle, même s'il n'y avait pas la vue sur le Chao Praya... Pour le moment, Ling Sima était partie pour Pailin, au Cambodge, acheter des rubis. Il fallait bien qu'elle fasse marcher la bijouterie qui lui servait de couverture.

Kurt Defer surveillait les arrivées, à la sortie des vols domestiques de l'aéroport de Los Angeles. Chargé de la surveillance de Ly Lu par la Global Security Inc., il ne l'avait pas trouvé dans sa maison d'Orange County et n'avait pu retrouver sa trace que grâce à une information transmise depuis Washington. Le Laotien arrivait à Los Angeles par le vol Western en provenance de Phoenix. Kurt Defer avait plusieurs photos de lui et n'eut aucun mal à l'identifier lorsqu'il apparut. Il lui emboîta le pas et Ly Lu le mena jusqu'au parking longue durée.

La voiture de Kurt Defer était dans un autre parking, mais il avait prévu cette éventualité, presque certain que le Laotien aurait laissé sa voiture à l'aéroport. Il appela aussitôt sur son portable Bill Mac Coy, son acolyte chargé justement de surveiller la sortie du parking longue durée sur Atlantic Boulevard. Ensuite, il suivit Ly Lu à pied, jusqu'à sa voiture, une Honda dont il transmis aussitôt le numéro à Bill Mac Coy.

Ly Lu n'était pas content de lui. Son voyage à Phoenix n'avait finalement rien donné. Ni dans un sens ni dans l'autre. Il ne possédait toujours aucune certitude sur Bob Twiss. Il se dit soudain que le meilleur moyen d'en savoir plus sur lui était de le surveiller. Le marchand d'armes le croyait à Bangkok, avec les autres amis du général Teng Thao.

Il avait encore trois jours devant lui, son billet sur le vol Los Angeles-Bangkok étant bloqué.

Il allait arriver au freeway 405. Au sud, il filait jusqu'à Santa Ana, au nord, il remontait vers l'I-5 et

Sacramento. Il passa sous le pont et tourna ensuite à gauche, remontant vers le nord.

***

Kurt Defer était intrigué. Où diable allait Ly Lu, qui aurait dû prendre la direction du sud pour rentrer chez lui ? Il n'avait pas encore répondu à sa question lorsque le Laotien s'engagea dans la bretelle menant à l'I-5, en direction du nord.

Immédiatement, Kurt Defer comprit que Ly Lu allait s'intéresser à Bob Twiss.

Hypothèse non encore envisagée. Tout en conduisant, il appela son Control Center situé à Atlanta, en Géorgie, et demanda qu'on transmette l'information au client de Washington. Il ne voyait plus la Honda prise en charge par Bill Mac Coy, un mile devant lui.

***

Ly Lu remonta lentement Broderick Drive, dans un des quartiers résidentiels de Sacramento. Son pouls s'accéléra en voyant dans le *drive-way* du 1821 la voiture de Bob Twiss. Il était un peu plus de midi et c'était étonnant que le marchand d'armes se trouve encore chez lui… Le Laotien alla jusqu'au bout de la paisible avenue et fit demi-tour. En revenant sur ses pas, il aperçut la Chevrolet grise qui sortait du *drive-way* et s'éloignait.

Évidemment, sans l'avoir vu !

Ly Lu exultait. Tous les *phi* étaient de son côté ! Bob Twiss se dirigeait vers le centre de Sacramento et il n'avait aucun mal à le suivre, la circulation étant assez fluide. Une demi-heure plus tard, ils atteignaient la place du State Capitol, le centre administratif et historique de la ville. Là où se trouvaient les bâtiments administratifs regroupant toutes les agences de l'État de Californie. Bob Twiss stoppa devant un parking réservé aux employés du gouvernement californien. Pendant quelques instants, Ly Lu pensa qu'il se trompait. Puis un bras sortit de la voiture et glissa une carte dans le lecteur déclenchant l'ouverture de la barrière.

Le Laotien n'en croyait pas ses yeux : Bob Twiss venait de se garer dans un parking réservé à ceux qui travaillaient dans ce building !

Donc, il était fonctionnaire de l'administration de l'État ! Il suivit des yeux le marchand d'armes qui, sans se presser, traversait le parking pour gagner le building n° 4, un vieil immeuble refait de douze étages... Sans réfléchir, Ly Lu s'arrêta le long du trottoir. Impossible de prendre le temps de se garer normalement. Il abandonna sa voiture sur le seul espace disponible, en face d'une borne d'incendie !

Un crime quasiment passible de la peine de mort, aux États-Unis ! Mais Ly Lu n'en avait cure. Le cœur cognant dans sa poitrine, il traversa le parking en courant presque, arrivant au building juste comme Bob Twiss venait d'y entrer. Plusieurs plaques de cuivre indiquaient les différentes administrations ayant leur siège dans le bâtiment. Le Laotien n'en vit qu'une seule, en haut à gauche : ARMS, TOBACCO AND FIREARMES BUREAU, 8e ÉTAGE.

Mesmérisé, il n'arrivait pas à détourner son regard de la plaque de cuivre brillant au soleil. Il avait l'impression que son cœur allait jaillir hors de sa poitrine ; ainsi, son instinct ne l'avait pas trompé.

Cloué devant la porte, il hésitait sur la conduite à tenir lorsqu'une voix lança derrière lui :

– *Sir*, votre véhicule est garé sur un emplacement interdit.

Il se retourna, découvrant deux hommes massifs, au

regard froid, plus grands que lui de vingt centimètres. L'un lui fit soudain une clef au cou, l'étranglant aux trois quarts. Tandis qu'il se débattait, il sentit l'autre individu lui ramener les bras derrière le dos et immobiliser ses poignets avec des menottes.

CHAPITRE IX

La sonnerie musicale de la porte d'entrée arracha Malko à CNN. Il était six heures moins cinq. La nuit venait de tomber et Bangkok brillait comme un feu d'artifice. Il alla ouvrir.

L'épouse du général Teng Thao se tenait dans l'embrasure, une grosse serviette de cuir noir à la main. Elle avait toujours son chemisier rouge ajusté, mais avait troqué sa jupe contre un pantalon de latex très moulant, d'un noir brillant. Son regard à la fois timide et pénétrant se posa sur Malko et elle demanda d'une voix cristalline, presque enfantine :

– Puis-je entrer ?

Elle se laissa ensuite tomber dans un des grands canapés de cuir blanc et soupira :

– Je suis venue à pied, cette serviette est lourde. Vous avez de l'eau ou un *namanao*[1] ?

Elle dut se contenter d'eau. Malko n'avait pas de quoi préparer un *namanao*. Il était troublé par l'irruption de la jeune Méo. Elle dégageait une telle sensualité qu'on ne l'imaginait pas impliquée dans une transaction de cette nature. Le regard de Malko descendit de ses longs ongles rouges assortis à son chemisier à ses escarpins aiguilles.

1. Jus de citron sucré.

– Le général n'a pas pu venir ? s'enquit-il.

– Non, il avait un rendez-vous important. (Elle soupira.) Il a beaucoup de choses à mettre au point. C'est l'affaire de sa vie.

Malko ne réagit pas : il était un marchand d'armes, pas un ami ou un complice. Devant son silence, Yi Li poussa du pied la serviette noire dans sa direction.

– Vous voulez bien compter l'argent ? demanda-t-elle d'une voix égale.

– C'est inutile, assura Malko, je vous fais confiance. Bob Twiss m'a dit que je pouvais vous croire.

Yi Li tapa presque du pied.

– Si, si, je veux que vous comptiez. C'est très important.

Visiblement, elle en faisait une affaire personnelle. Résigné, Malko rabattit le pan de la serviette et commença à étaler les liasses de billets de cent dollars sur la table basse. Il s'astreignit à compter les billets d'une liasse : 25 000 dollars. Puis commença à empiler les liasses, sous le regard attentif de l'épouse du général Teng Thao qui avait allumé une cigarette.

Quand il eut terminé, il remit les billets dans la serviette et se tourna vers sa visiteuse.

– Le compte y est. Quand et où voulez-vous les armes ?

Yi Li eut un sourire embarrassé.

– C'est le général qui vous le dira. Il vous invite à dîner ce soir.

Comme Malko hésitait, elle insista, d'une voix presque suppliante :

– Nous avons besoin de gens comme vous, avec de l'expérience ! Le général n'est pas venu en Asie depuis plus d'un quart de siècle. Beaucoup de choses ont changé.

– Je suis fournisseur de matériel, pas conseiller, objecta Malko.

– On vous paiera ! jeta immédiatement la jeune femme.

Intrigué, il insista. Quelque chose lui échappait.

– On m'a demandé de vous fournir une certaine quantité de matériel militaire, dit-il, c'est tout.

Yi Li s'était levée et s'approcha de lui presque à le toucher, sa magnifique poitrine moulée de rouge à quelques centimètres de la chemise de voile de Malko.

– *Please !* supplia-t-elle. Faites-le profiter de vos conseils. Je veux qu'il aille jusqu'au bout de son projet. Il y a beaucoup d'obstacles.

– Je ne connais rien à la situation au Laos, argumenta Malko. Ce qui ne m'empêche pas d'avoir beaucoup de sympathie pour l'entreprise de votre époux. Bien sûr, si je peux lui prodiguer des conseils utiles...

– *Oh, thank you !* fit Yi Li de sa voix enfantine. Il faudra lui en parler ce soir.

Ses yeux en amande étaient plongés dans les siens. Il n'avait qu'un geste à faire pour l'enlacer. Fugitivement, il se demanda si elle n'était pas venue pour cela.

– Vous allez nous aider, n'est-ce pas ? répéta-t-elle.

Yi Li s'éloigna imperceptiblement et la tension retomba.

– Si je peux, conclut-il.

Aussitôt, elle prit son sac, lui tendit la main presque cérémonieusement et lança :

– À huit heures au *Holiday Inn.*

Quand elle fut partie, Malko mit la serviette dans le grand coffre dissimulé dans la penderie. Yi Li était peut-être une femme dévouée à son mari, mais sûrement une authentique salope.

***

Ly Lu étouffait.

Après l'avoir menotté, ses deux agresseurs l'avaient

traîné à travers le parking jusqu'à une Buick bleue, arrêtée en double file. Sans souci des passants, ils l'avaient ensuite jeté dans le coffre avant de démarrer. Maintenant, ils roulaient sur un freeway. Il se demandait vers où et ne comprenait pas ce qui lui arrivait. Les fonctionnaires de l'ATF étaient des policiers assermentés qui ne se livraient pas à ce genre de plaisanterie. Les deux hommes n'avaient pas dit un mot et toute la scène n'avait pas duré deux minutes. Cette agression était incompréhensible, mais désormais, Ly Lu savait que Bob Twiss leur avait menti, que c'était un agent infiltré. Dans ce cas, pourquoi le général Teng Thao et ses amis n'avaient-ils pas été arrêtés ? Et pourquoi, maintenant, le kidnappait-on ? Quand il s'était débattu, il avait vu qu'un de ses agresseurs était armé, un gros pistolet noir dans un holster…

Une pensée l'obsédait : il fallait prévenir le général Teng Thao. Il pensa à son portable. Ils ne l'avaient pas fouillé et l'appareil se trouvait dans la poche de son blouson. Il commença à se démener dans tous les sens, pour tenter de faire tomber le téléphone de sa poche, se cognant douloureusement aux parois du coffre. Heureusement, il n'y avait pas de cahots.

Enfin, à force d'acrobaties répétées, il parvint à faire glisser le portable sur le plancher du coffre. La voiture continuait à la même allure régulière et ils roulaient toujours sur de l'asphalte.

En se retournant, Ly Lu réussit à saisir le portable entre ses deux mains menottées et l'ouvrit. Le cadran s'éclaira. Ly Lu avait envie de hurler de joie, comme trente ans plus tôt, lorsqu'il repérait une position ennemie et fonçait aux commandes de son T-28 pour l'écraser sous ses bombes et ses roquettes. Il pivota sur lui-même de façon à placer le portable ouvert devant lui. Le numéro de Teng Thao était dans la mémoire, en numéro un. Ly Lu devait effectuer deux manipulations. D'abord sortir le numéro de la mémoire et, ensuite, lancer l'appel en appuyant sur la touche verte. En priant pour que le portable du général fonctionne en Thaïlande. La voiture changea de direction et le portable glissa sur le plancher. Ly Lu parvint à le placer en face de lui. Avec son nez, il appuya sur la touche « mémoire ». Miracle, le numéro du général s'afficha. Il ne restait plus qu'à envoyer l'appel.

Soudain, le véhicule ralentit et s'arrêta. Ly Lu se retourna aussitôt, prit le portable entre ses mains menottées et, à l'aveuglette, appuya sur la touche d'appel. Il y eut quelques secondes de silence, puis une voix de femme dit quelque chose dans une langue inconnue. Ensuite, la communication fut coupée. Ly Lu appuya aussitôt de nouveau sur la touche « appel ». Quatre fois, puis une cinquième : cela ne passait pas... En nage, jurant silencieusement, il s'appliqua à appuyer doucement et cette fois entendit un déclic, suivi d'un silence. Il croyait sa nouvelle tentative infructueuse quand le son lointain d'une sonnerie différente des sonneries américaines retentit dans le silence.

Retenant son souffle, Ly Lu, agenouillé de guingois dans le coffre, priait de toutes ses forces les *phi* qui avaient toujours veillé sur lui. Enfin, il entendit une voix faible répondre, celle du général Teng Thao.

Il cria dans l'appareil.

– Général ! Général ! C'est Ly Lu.

Au même moment, le couvercle du coffre se souleva.

***

Edgar Mac Bride était dans une fureur noire. Il avait tout escompté, sauf la monumentale connerie des deux employés de la Global Security Inc. Comme des imbéciles, ils avaient kidnappé le bras droit du général Teng Thao en plein Sacramento et avaient fui la ville avec le Laotien dans leur coffre. Évidemment, ils avaient une excuse : il fallait empêcher Ly Lu de communiquer au général Teng Thao ce qu'il venait de découvrir. Bob Twiss, le marchand d'armes, était un *special agent* de l'ATF. Désormais, il n'y avait plus que de mauvaises ou de très mauvaises solutions.

Le haut fonctionnaire de la CIA avait paré au plus pressé en faisant passer le message à Bob Twiss de rester en *stand-by* en attendant des instructions.

Cela ne résolvait pas le problème principal : que faire de Ly Lu ?

Certes, il n'était pas citoyen américain mais c'était quand même un kidnapping, même si ses ravisseurs n'avaient pas franchi les frontières de l'État de Californie. Edgar Mac Bride préférait ne pas penser à ce qui arriverait si une patrouille de police interceptait le véhicule où il se trouvait. De toute façon, il avait très peu de temps pour trouver une solution.

Un de ses téléphones sonna et il se précipita littéralement dessus. Pendant quelques secondes, il fut envahi d'un grand soulagement. C'était l'appel qu'il attendait. La voix éclata dans l'écouteur, sèche et, manifestement, réprobatrice.

– Qu'est-ce qui se passe, Ed ? Vous semblez paniqué.

– Monsieur le Vice-Président, articula Edgar Mac Bride, une sérieuse erreur a été commise dans l'opération « Pop-corn ». Nous devons prendre une décision urgente.

– De quoi s'agit-il ? demanda son interlocuteur.

Edgar Mac Bride hésita quelques secondes et répondit :

– *Sir,* je préférerais vous en parler de vive voix. Très rapidement.

Silence au bout du fil, puis son interlocuteur laissa tomber :

– Trouvez-vous à l'hôtel *Willard* dans une demi-heure. Dans le salon Lafayette. Je suis obligé d'y aller pour y recevoir des sénateurs. Mais nous trouverons le temps de parler.

Edgar Mac Bride était déjà dans l'escalier. Maudissant les imbéciles qui l'avaient mis dans ce merdier. Tandis qu'il roulait sur le Potomac Freeway, il reçut un appel d'Atlanta et eut du mal à garder son calme. On lui demandait des instructions !

– Dites à vos zozos de ne rien faire ! lança-t-il, je vous recontacte très vite.

– Général ! C'est moi !

Ly Lu n'eut pas le temps de dire un mot de plus. Un de ses ravisseurs avait aperçu le portable dans l'ombre du coffre et saisi le Laotien par le col de sa chemise, le faisant basculer à l'extérieur.

Son complice saisit le portable, le posa sur le macadam de la route et l'écrasa d'un coup de talon. Ly Lu se redressa en hurlant et en les insultant.

– Salauds ! Détachez-moi ! Vous êtes des criminels !

Il s'attendait à ce qu'ils le frappent, mais ils ne bronchèrent pas. Il regarda autour de lui : ils se trouvaient en plein désert et on apercevait au loin des montagnes. C'était une route secondaire où il ne devait pas passer beaucoup de monde. Impossible de s'enfuir. Ils le rattraperaient en quelques enjambées. Un des deux hommes lui lança :

– *Cool down, buddy*[1], viens dans la voiture.

On le fit monter à l'arrière et ils refermèrent la

1. Calme-toi, mon pote.

portière sur lui. Une radio mexicaine crachait des chansons sirupeuses et les deux hommes restèrent à l'extérieur, discutant et fumant, visiblement indécis. C'était de plus en plus étrange. Ly Lu se demanda si le général Teng Thao avait reconnu sa voix.

* * *

Depuis dix minutes, le général Teng Thao refaisait fébrilement le numéro de Ly Lu. Avec toujours le même résultat : le numéro n'était plus en service... En Thaïlande, ce n'était pas inhabituel d'obtenir ce genre de réponse, même si c'était faux. Excédé, il tendit l'appareil à Yi Li.

– Continue ! Il faut absolument joindre Ly Lu. Il a essayé de me dire quelque chose, puis la communication a été coupée. Pourvu qu'il ne lui soit rien arrivé !

Yi Li se mit à essayer, à son tour, sans plus de résultat, tandis que le général se versait un verre de son élixir habituel, du Chivas Regal. Il avait découvert cela en Amérique, lui qui, avant, se contentait de White Horse. Depuis, sa bouteille de Chivas Regal ne le quittait jamais, même en voyage. Sa recette pour dormir était simple : deux comprimés de Rohypnol et une bonne rasade de Chivas Regal. Après cela, il dormait comme un bébé. Yi Li reposa son portable.

– Il ne répond pas. On essayera plus tard, ou il va rappeler. Ne t'en fais pas. Ly Lu est un survivant. Rien ne peut lui arriver.

Le visage de l'interlocuteur d'Edgar Mac Bride ressemblait à une des statues du mont Rushmore, dans les montagnes Rocheuses, là où les traits de plusieurs présidents américains sont sculptés dans la pierre. Les deux hommes s'étaient réfugiés dans le couloir en face du salon Lafayette, où se pressaient une centaine de sénateurs républicains rougeoyants, bruyants et sérieusement imbibés, car l'alcool coulait à flots, offert par la Maison Blanche. Il s'agissait de compter les voix avant le prochain grand débat sur l'Irak.

On se trouvait dans le premier cercle du pouvoir. L'homme avec qui se trouvait Edgar Mac Bride parlait tous les jours au président des États-Unis, même s'il ne le tenait pas au courant de toutes ses activités. Mais il se savait intouchable. Personne, par exemple, n'aurait osé le mettre sur écoutes ou surveiller ses e-mails. Il agissait cependant comme si cela avait été possible, avec une prudence de serpent. Un maître d'hôtel zélé arriva jusqu'à eux, portant une bouteille de champagne Taittinger Comtes de Champagne Rosé 2000 sur un plateau, et remplit d'autorité sa coupe vide... Dès qu'il se fut éclipsé, il toisa froidement Edgar Mac Bride.

– Ed, fit-il, le Président veut que l'opération « Popcorn » soit un succès. Il est hors de question qu'elle soit polluée par un incident comme celui que vous me rapportez. Sinon, il est évident que vous en supporteriez la responsabilité.

Edgar Mac Bride sentit sa chemise coller à son dos. C'était lui le fusible.

– *Sir,* commença-t-il, je dois donner des instructions dans l'heure qui suit.

– Donnez des instructions ! confirma son interlocuteur. Et faites en sorte qu'elles soient suivies. Maintenant, je dois vous quitter. *Have a good evening.*

Avec un léger signe de tête, il replongea au milieu la meute des sénateurs, laissant Edgar Mac Bride les jambes flageolantes et le cerveau vide. C'était à lui de résoudre le problème et il en avait le vertige. Pris d'une rage froide, il s'éloigna un peu et appela un numéro à Atlanta.

– Alors, qu'est-ce qu'on fait ? demanda aussitôt son nouvel interlocuteur.

– Cette affaire doit avoir une issue « naturelle », expliqua Edgar Mac Bride.

– On le relâche ? Il était déjà en train de téléphoner.

De nouveau, Edgar Mac Bride sentit le vent du boulet. Si Ly Lu apprenait au général Teng Thao que leur soi-disant fournisseur d'armes était un *special agent* de l'ATF, le général laotien risquait d'arrêter son opération, quitte à perdre 1 200 000 dollars.

La catastrophe.

Il eut soudain une idée. Cela n'était pas formidable, mais il ne voyait pas mieux. Et, visiblement, ce n'était pas les deux hommes de main de la Global Security Inc. qui allaient trouver une solution appropriée.

– O.K., dit-il, dites à vos deux zigotos de relâcher cet homme avec des excuses, en lui expliquant qu'il s'agissait d'une erreur. Qu'ils le ramènent là où ils l'ont kidnappé et qu'ils disparaissent sur une autre planète.

– Vous êtes sûr qu'il faut faire cela ? s'étonna son interlocuteur.

– Oui, trancha Edgar Mac Bride. *Now*[1]. Je m'occupe du reste. Rendez-moi compte lorsque ce sera fait.

Il coupa la communication et appela son bureau, en demandant que le chef de l'ATF de Sacramento le rappelle immédiatement sur son portable.

Pour tromper sa nervosité, il gagna le bar rond du *Willard* et commanda un scotch. À côté, deux « socialites »[2] en Prada papotaient en vidant tranquillement une bouteille de Taittinger. Il envia leur insouciance. Son portable sonna au moment où le barman lui apportait son drink. C'était James C. Cross, le chef de Bob Twiss.

1. Maintenant.
2. Mondaines.

Étonné.

– Que puis-je faire pour vous, mister Smith? demanda-t-il.

– Merci de m'avoir rappelé rapidement, fit Edgar Mac Bride. J'ai un service à vous demander. Vous vous souvenez d'un Laotien nommé Ly Lu, le bras droit du général Teng Thao?

– Certainement, *sir,* il est parti en Thaïlande.

– Non, il est resté. Et il s'intéresse à votre *special agent* Bob Twiss.

Il lui raconta la filature dont avait fait l'objet le Laotien, sans préciser ce qui s'était passé ensuite, expliquant :

– Je voudrais que Bob Twiss aille le voir à Santa Ana. Peut-être, d'ailleurs, se pointera-t-il chez vous avant. Dans tous les cas, voici ce qu'il faut dire.

Il lui expliqua son plan. C'était simple et machiavélique à la fois.

– Je vais transmettre à Bob, promit James C. Cross, avant de raccrocher.

Se disant que les gens de la CIA étaient vraiment tordus. Il devait confirmer que l'ATF s'apprêtait à arrêter le général Teng Thao et ses amis, lorsque la CIA était intervenue pour l'en empêcher. À peu de chose près, c'était la vérité et il ne comprenait pas bien la manip.

***

Kurt Defer sursauta quand la sonnerie de son portable se déclencha. Il commençait à trouver le temps long. Presque une heure s'était écoulée depuis qu'il avait sorti le Laotien de son coffre et appelé au secours. Ly Lu, étalé sur la banquette arrière de la Buick, n'avait pas desserré les lèvres, veillé par les deux gorilles qui enchaînaient les cigarettes pour tromper leur nervosité.

Ils ne pouvaient pas rester indéfiniment arrêtés sur cette route secondaire, en plein désert. Afin de ne pas attirer l'attention, Bill Mac Coy avait levé le capot de la voiture comme s'ils étaient en panne.

Kurt Defer écouta fièvreusement le message de son boss et en fut soulagé. Puis furieux, lorsque ce dernier lui reprocha de se trouver en plein désert, à plus d'une heure de Sacramento.

– Je pensais qu'il avait droit au traitement VIP, grommela-t-il. On va revenir le plus vite possible.

Le traitement VIP, c'était deux balles dans la tête et un enterrement dans le désert, après avoir brûlé le corps. Tous les deux anciens d'Irak, anciens Marines, les deux agents de la Global Security Inc. tuaient comme ils respiraient, se sachant protégés au plus haut niveau. Kurt Defer coupa la communication avec un petit regret. La nouvelle solution serait facturée beaucoup moins cher.

Il rempocha son portable et alla se pencher dans la voiture. Interpellant Ly Lu.

– *Sir,* il y a erreur ! On vous ramène à Sacramento. Il y a là-bas une personne qui désire vous voir.

– Qui ?

– Un certain Bob Twiss.

Ly Lu ne broncha pas. Il n'en croyait pas un mot. Ils allaient simplement le liquider. Pourtant, il se força à sourire.

– O.K. Enlevez-moi les menottes.

Kurt Defer n'hésita pas. Le Laotien se frotta les poignets et lança :

– Je veux récupérer la puce de mon portable

– Ah oui, on est désolés, on avait des ordres, s'excusa Kurt Defer. On va vous en offrir un autre.

Ly Lu descendit et alla s'accroupir derrière la Buick, cherchant la carte SIM dans les débris de son portable écrabouillé. Il venait juste de trouver la puce lorsqu'il releva la tête et aperçut une voiture qui s'approchait.

Son cœur fit un bond dans sa poitrine. C'était un véhicule bleu et blanc de la *Highway Patrol* !

Il n'hésita pas un quart de seconde. Se dressant comme un diable, il bondit au milieu de la route, agitant les deux bras pour forcer le véhicule de police à stopper. Celui-ci était occupé par un seul homme. Qui écrasa le frein, pour se garer sur le bas-côté. Ly Lu courait déjà vers la voiture en hurlant :

– *Officer ! Help me !* On m'a kidnappé !

Le policier, un shérif adjoint, sortit de sa voiture avec lenteur, intrigué, la main sur la crosse de son Smith & Wesson

– *Cool down, sir !* Qu'est-ce qui se passe ?

– Ces deux hommes avec la Buick, expliqua Ly Lu, ils m'ont kidnappé à Sacramento et ils s'apprêtent à me tuer.

Il désignait Kurt Defer et Bill Mac Coy, transformés en statue de sel.

CHAPITRE X

Le shérif adjoint regarda les deux hommes puis Ly Lu. Sur ses gardes, mais incrédule.

– O.K., dit-il, on va voir ce qui se passe. *Stay where you are*[1].

Terrifié, Ly Lu sauta aussitôt à l'arrière de la voiture de police tandis que le *patrolman* s'avançait vers les deux « privés ». Ceux-ci l'attendaient, le visage fermé. Kurt Defer arriva à s'extraire un sourire et fit un pas vers le policier, sans se rendre compte que sa veste ouverte révélait la crosse du pistolet automatique glissé dans sa ceinture. Le policier s'arrêta net et jeta :

– *Sir, you have a concealed weapon ! Don't move*[2].

Il sortit son Smith & Wesson 357 Magnum et le braqua sur Kurt Defer. Celui-ci hésita, puis laissa tomber ses bras le long de son corps. C'était la méga-tuile ! Ils risquaient tous les deux de se retrouver inculpés de kidnapping. Or, la règle était simple dans leur métier : tout faire mais ne jamais se faire prendre. Il échangea un regard avec Bill Mac Coy, debout de l'autre côté de la voiture, prêt à refermer le capot. Celui-ci comprit instantanément le message. Il se baissa comme s'il ramassait quelque chose et se releva,

1. Restez où vous êtes.
2. Vous dissimulez une arme ! Ne bougez pas !

serrant un petit deux-pouces nickelé, qu'il portait toujours dans un holster de cheville. Le policier hésita une demi-seconde de trop. Tenant l'arme à deux mains, Bill Mac Coy lui logea deux balles en pleine tête.

Le *patrolman* bascula dans le fossé, sa casquette arrachée par le choc, sans lâcher son arme, et les deux hommes se regardèrent. Leur vie venait de basculer à cause de ce petit con de *gook*[1]. Plus question d'aller trouver Bob Twiss.

– *Motherfucker*[2] *!* lâcha Kurt Defer, ivre de fureur.

Ly Lu venait de sauter à l'avant de la voiture de police et de se glisser au volant ! S'il partait, ils étaient cuits.

Tuer un flic en Californie, cela menait directement à la chambre à gaz. Même avec de très hautes protections...

Dégainant son pistolet, Kurt Defer courut jusqu'à la voiture de patrouille, ouvrit la portière avant à la volée et, sans réfléchir, vida la moitié du chargeur sur Ly Lu qui s'effondra sur le volant, la mâchoire pendante, arrachée par une balle, la tête éclatée.

Tué sur le coup.

Bill Mac Coy le rejoignit, le deux-pouces toujours au poing. Affolé. Il échangea un regard avec Kurt Defer et lâcha d'une voix blanche :

– Il faut se tirer. Fissa.

Kurt Defer, qui avait peu plus de cervelle, désigna le Laotien effondré dans la voiture de police.

– En le laissant là ? Tu es dingue ! Des gens nous ont vus, là-bas, quand on l'a embarqué.

– Qu'est-ce qu'on fait, alors ?

– On l'emmène, aide-moi.

Ils sortirent le cadavre de la voiture de patrouille et

1. Bougnoule.
2. Enculé !

le traînèrent jusqu'à la leur. Rouvrant le coffre, ils le basculèrent à l'intérieur et refermèrent. Kurt Defer était déjà au volant. Il effectua un demi-tour sur les chapeaux de roues et appuya sur l'accélérateur.

– Si on s'en sort, soupira-t-il, je jure d'aller au temple tous les dimanches.

Bill Mac Coy ne répondit même pas. C'est son arme qui avait tué le policier. Le silence retomba entre eux. Kurt Defer avait le regard glué au retroviseur, s'attendant à chaque seconde à voir surgir des gyrophares. Si c'était le cas, ils étaient fichus. Soudain, Bill Mac Coy prit son mouchoir, sortit son deux-pouces, en essuya soigneusement la crosse, ôta les cinq cartouches restant dans le barillet et, après avoir descendu la glace, le jeta aussi loin qu'il put dans le désert. Même si on retrouvait l'arme, elle ne mènerait nulle part. Du coup, il se sentit un peu mieux et se tourna vers son copain.

– Qu'est-ce qu'on va faire du *gook* ?

Le général Teng Thao piochait le riz avec ses doigts dans le bol posé à côté de son assiette, avalant à une vitesse incroyable les oreilles de cochon grillées dont il raffolait visiblement.

Une sorte d'extase éclairait son visage lunaire, pourtant rongé par l'inquiétude lorsque Malko l'avait retrouvé dans le hall du *Holiday Inn*. De toute évidence, il adorait manger. Yi Li, Phu Tat, le Laotien qui les accompagnait, et Malko avaient commandé, eux, un canard laqué.

Le général avait présenté à Malko Phu Tat comme un de ses fidèles, établi en Thaïlande. Les cheveux gris courts, un visage très mongol, Phu Tat avait salué Malko du *wai*, le salut méo, les paumes jointes, en s'inclinant profondément. Un salon privé était réservé pour eux au *Chandraphan*, un excellent restaurant chinois sur Rama-IV, juste en face du parc Lumphini. En dépit de son orgie d'oreilles de cochon, le général Teng Thao semblait tendu. Il avait posé son portable à côté de lui et y jetait de fréquents coups d'œil, comme s'il attendait un appel.

De multiples plats s'entassaient sur le plateau tournant de la table et chacun y picorait à sa guise.

Momentanément repu, le général Teng Thao se tourna vers Malko et dit :

– Yi Li vous a remis l'argent, n'est-ce pas ?

– Absolument, tout est en ordre. J'attends vos instructions pour la livraison du matériel.

Le général échangea quelques mots en laotien avec Phu Tat. Et se retourna ensuite vers Malko.

– Est-ce possible dans quatre jours ?

– Tout à fait, assura Malko, espérant que la CIA n'allait pas le laisser tomber. À quel endroit ?

Nouveau conciliabule, puis le général écrivit quelques mots sur une carte qu'il tendit à Malko.

– Serez-vous là ?

– Si c'est nécessaire.

– Je préfère. Dans ce cas, vous rencontrerez mon ami Phu Tat ici présent à l'entrée de Kut Chap. C'est un village à l'ouest de Udon Thani. Il vous attendra sur le bas-côté de la route, en face d'un petit marché couvert, et vous vous conformerez à ses instructions. Combien de véhicules aurez-vous ?

Pris de court, Malko hésita.

– Je n'ai pas encore envisagé le problème, mais étant donné l'importance de votre commande, il faudra deux ou trois camions.

– Des gros ?

– Je peux vous le dire demain.

– Bien, conclut le général Teng Thao. Dans ce cas, tout est réglé.

Il regarda une nouvelle fois son portable au moment où une meute de garçons apportaient un énorme canard laqué, dont ils commencèrent à découper la chair. Soudain, le général Teng Thao s'immobilisa, comme frappé par la foudre. Il échangea quelques mots avec Yi Li, visiblement bouleversée.

– Qu'est-ce qui se passe ? demanda Mako, intrigué par le manège.

Nouveau conciliabule, puis Yi Li se tourna vers lui.

– Le général est très superstitieux, expliqua-t-elle. Il croit aux présages. Il dit qu'il ne faut pas manger ce canard.

– Pourquoi ? s'étonna Malko. Il est empoisonné ?

Le général pointa un index menaçant vers la carcasse du canard d'où émergeaient les pattes dressées vers le plafond, très écartées.

– Non, expliqua Yi Li, mais la façon dont les pattes de ce canard sont disposées est un très mauvais présage.

Malko faillit éclater de rire, mais c'eût été déplacé. D'ailleurs, les serveurs étaient déjà en train de remporter le canard au mauvais œil. Avec force courbettes. Pas vraiment étonnés : les Thaïs, même s'ils n'étaient pas animistes, étaient eux aussi superstitieux. Un maître d'hôtel apporta quelques batonnets d'encens, Yi Li les alluma et le général se plongea dans une profonde méditation, la main droite refermée autour du bouddha de jade suspendu à son cou.

Lorsqu'un nouveau canard arriva, il l'inspecta soigneusement avant de donner son feu vert au découpage… Cette fois, ils purent déguster tranquillement la bête et même le général y goûta.

Lorsqu'on apporta, à la fin du repas, la chair du canard, assaisonnée, Malko n'avait plus faim, mais le général y fit honneur. Comme tous les Asiatiques, il mangeait très vite. Il fit ensuite servir du Chivas Regal, regardant une fois de plus son portable. Malko se pencha vers Yi Li.

– Le général a des problèmes avec son téléphone ?

– Non, dit-elle, il attend un appel très important et il craint de le rater...

– Il sonne, pourtant ?

Elle ne répondit pas. Le repas était terminé et Malko s'aperçut qu'il ne savait toujours rien de précis des projets du général laotien. Sa mission commençait mal.

Yi Li avait demandé l'addition. Elle abandonna une grosse pile de baths et le général adressa un sourire un peu crispé à Malko.

– Excusez-moi, mister Max, j'ai des soucis. J'ai beaucoup de choses à organiser.

– Certainement, dit Malko. Est-ce que je peux vous aider ?

Le Laotien eut l'air surpris.

– M'aider ? répéta-t-il, mais vous m'aidez...

Malko sourit.

– Oui, bien sûr. Je voulais parler de quelque chose de plus personnel. Je connais assez bien ce pays et j'ai de la sympathie pour ce que vous entreprenez...

– Bob Twiss vous en a parlé ?

– Oui, bien sûr, confirma Malko. J'espère que vous réussirez.

Il était sincère et le général Teng Thao le sentit, le regardant soudain d'une façon différente.

– Vous n'êtes pas américain, n'est-ce pas ?

– Non, autrichien. Et ma famille a beaucoup souffert du communisme. Nous avons dû fuir et avons été ruinés.

Le général laotien eut un rictus amer.

– Moi, j'ai perdu mon pays... Et un grand nombre de mes amis et de mes hommes. Vous passez beaucoup de temps ici ?

– Quelques mois par an, mentit Malko. Cela me permet de faire des affaires.

Ils avaient descendu l'escalier monumental et se trouvaient sur le perron, en face de la cour où s'arrêtaient les taxis. Le général Teng Thao baissa soudain la voix.

– Les gens qui vous vendent ce matériel sont sûrs ? Ils ne vont pas me dénoncer aux autorités thaïlandaises ?

– Vous ne risquez rien, assura Malko. S'ils se conduisaient mal, je ne ferais plus d'affaires avec eux, or, je leur fais gagner beaucoup d'argent.

Cette explication sembla rassurer le général. Un taxi venait d'arriver.

– Vous nous déposerez, dit-il, et vous continuerez. Je crois que ce n'est pas loin…

– En effet, dit Malko.

Ils redescendirent Silom Road en silence. Le général testa encore deux fois son portable. Au moment de descendre de voiture en haut de la rampe de l'*Holiday Inn*, il se tourna vers Malko.

– Je ne pense pas vous revoir. Merci. Si tout se passe bien, vous êtes le bienvenu à Vientiane.

Malko continua jusqu'au *Shangri-La*, mortifié. Gordon Backfield allait être furieux et déçu. Le général Teng Thao ne souhaitait pas le mettre dans le secret de son opération. Normal : à ses yeux, Malko n'était qu'un marchand d'armes intéressé par le profit qu'il retirait de cette affaire. Alors qu'il entrait dans son immeuble, son portable sonna : c'était Ling Sima qui venait de rentrer de Pailin.

– Tu veux prendre un verre ? proposa Malko.

La Chinoise n'hésita que quelques secondes.

– Oui. À la State Tower. J'ai mon chauffeur, j'y serai dans dix minutes.

Malko n'avait plus qu'à retourner à pied à Silom

Road. Il arriva en bas de la State Tower en même temps que la Mercedes de Ling Sima. Celle-ci était en pantalon avec un pull de soie. Toujours ravissante. Ils gagnèrent le 64e étage, s'arrêtant au bar surplombant la ville où ils avaient failli être assassinés quelques mois plus tôt [1].

La Chinoise attendit que Malko ait commandé une bouteille de Taittinger Comtes de Champagne Blanc de Blancs 1998, pour se tourner vers lui, avec un sourire un peu figé.

– Pourquoi m'as-tu menti ?

– Menti ? fit Malko, sincèrement étonné. Mais, *Himmel*, sur quoi ?

– L'appartement où tu habites appartient à tes amis de la CIA. Ils s'en servent pour les missions secrètes par rapport aux Services thaïs. Pourquoi es-tu à Bangkok ?

C'était la seconde mauvaise nouvelle de la journée. Malko se dit qu'il ne pouvait pas ajouter un second mensonge. Il tenait à l'estime de Ling Sima.

– Je ne peux pas te le dire, avoua-t-il. Mais cela n'a rien à voir avec toi ou ton Service. Je te le jure.

Kurt Defer ne sentit les battements de son cœur se calmer qu'en quittant le freeway pour pénétrer dans Sacramento. En ville, ils étaient moins repérables. Ils avaient laissé la radio branchée, mais rien n'avait encore été annoncé. Kurt Defer ralentit et s'arrêta sur le parking d'une station-service, puis se tourna vers Bill Mac Coy.

– Qu'est-ce qu'on fait ?

Le cadavre du Laotien était toujours dans le coffre…

1. Voir SAS n° 168 : *Le Défecteur de Pyongyang*, t. 1.

Et, très vite, on allait rechercher le meurtrier du *patrolman* de la route 125. En plus, ils avaient abominablement merdé leur mission ! Et ça, dans l'immédiat, c'était encore plus grave. S'ils arrivaient à se débarrasser du corps de Ly Lu, rien ne les reliait au *patrolman* assassiné.

– Va prévenir le boss, conseilla Bill Mac Coy. Si on ne lui dit rien, on est virés, et il est capable de nous balancer aux flics.

À regret, Kurt Defer s'arracha à la voiture et gagna une des cabines publiques de la station-service. Il composa la ligne directe du QG d'Atlanta. Le pouls à 150.

– Ça y est ? demanda aussitôt son « contrôleur ». Vous l'avez mis en contact avec l'autre mec ?

Kurt Defer eut envie de raccrocher et de se sauver à toutes jambes, mais il prit sur lui et annonça :

– Non. On a un gros souci. Il y a eu un impondérable.

Sans respirer, il se lança dans le récit de leur mésaventure. Lorsqu'il eut terminé, il y eut un long silence à l'autre bout du fil.

– *Motherfucker !* murmura son « contrôleur ». Tu ne peux pas savoir à quel point on est dans la merde ! Si on n'arrange pas les bidons, la boîte saute. Quant à vous…

– O.K.,O.K., fit Kurt Defer, excédé. *Cut the bullshit*[1] *!* Qu'est-ce qu'on fait ?

– Rappelle-moi dans un quart d'heure ! Et ne faites plus de conneries.

Kurt Defer retourna dans la Buick et alluma une cigarette. Abattu. Chaque fois qu'une voiture entrait dans la station-service, il sursautait, s'attendant à voir un véhicule de police. Ils n'avaient pas grand-chose à se dire… Enfin, les quinze minutes furent écoulées et

1. Arrête de faire chier !

il retourna à la cabine. Cette fois, le « contrôleur » décrocha avant même la fin de la première sonnerie. Il semblait aussi abattu que Kurt Defer.

– J'ai eu le « sponsor », dit-il, il y a une seule façon de s'en sortir.

– Laquelle ? jappa Kurt Defer.

– Il faut que ça ait l'air d'un accident.

Kurt Defer s'étrangla.

– Un accident ! Mais, putain, il en a quatre dans la tronche et le buffet !

Le « contrôleur » eut un grognement exaspéré.

– C'est toi qui as fait la connerie, c'est toi qui répares. Et si tu n'y arrives pas, tu as intérêt à prendre le premier avion pour le Mexique. Parce que toute la maison saute. Alors, ne me rappelle que pour me dire que le problème est résolu.

Comme un automate, Kurt Defer regagna la voiture et mit son partenaire au courant. Pendant plusieurs minutes, ils restèrent silencieux, puis Bill Mac Coy proposa timidement :

– Il y a peut-être un truc, mais ça ne va pas être facile. Il faut d'abord vérifier si sa bagnole est toujours là où il l'a garée.

– Elle a dû partir en fourrière, soupira Kurt Defer.

– Allons voir.

– O.K.

Ils repartirent et gagnèrent le Capitole. Miracle : la Honda était toujours garée en face de la bouche d'incendie, avec deux contraventions sur le pare-brise.

– O.K., dit Bill Mac Coy, il faut qu'on trouve un parking souterrain.

– Il y en a un en face. Pourquoi faire ?

– Prendre ses clefs de voiture. Il les a forcément sur lui. Tu veux ouvrir le coffre ici ?

Subjugué par ce bon sens évident, Kurt Defer traversa et s'engagea dans le parking, se garant tout au fond. Après avoir vérifié qu'ils étaient seuls, il ouvrit le coffre, découvrant le corps recroquevillé de Ly Lu. Il lui fouilla les poches et trouva les clefs. Il referma puis se remit au volant.

– O.K., fit-il, les voilà. Et maintenant ?

– Je vais conduire l'autre tire et tu vas me suivre.

– Où ?

– On va prendre l'I-5 en direction du nord et ensuite tourner sur la State Road 16. Avant, je m'arrête à une station-service.

– Pourquoi faire ?

– Je te dirai.

Ils firent comme prévu. À la sortie de Sacramento, Bill Mac Coy s'arrêta dans une station-service et acheta un jerrican d'essence, puis ils repartirent, l'un suivant l'autre. La State Road 16 serpentait entre des à-pics rocheux dominant le lac Benyesen. Elle reliait l'I-5 à l'US 101. La vue était magnifique. À un moment, Bill Mac Coy mit son clignotant et ils se garèrent sur un terre-plein permettant d'admirer la vue sur le canyon en contrebas.

– J'ai compris, fit Kurt Defer. Mais c'est pas évident.

– C'est 50-50, admit son partenaire. Mais si tu as une autre solution…

– *Let's roll!* conclut Kurt Defer.

Si le ciel ou l'enfer était avec eux, ils pourraient bientôt annoncer à Atlanta que tout était rentré dans l'ordre. Il faudrait ensuite laver soigneusement le coffre de la Buick.

CHAPITRE XI

Le général Teng Thao poussa un cri étranglé et se laissa tomber sur le lit, le visage ravagé par la douleur. Des larmes jaillissaient de ses yeux et il serrait fébrilement son portable dans sa main crispée, après l'avoir écarté de son oreille.

– Qu'est-ce qui se passe ? jeta Yi Li, affolée.

Ils étaient en train de finir leurs bagages pour quitter Bangkok et gagner leur base opérationnelle dans le nord du pays, à côté d'Udon Thani. Ly Lu devait arriver en fin de journée de Los Angeles et partir avec eux. Ils n'avaient toujours pas pu le joindre sur son portable, mais il devait être dans l'avion.

– Ly Lu est mort ! gémit le Laotien. C'est ce canard maléfique qui nous a porté la malchance ! Que ce restaurant soit maudit ! Ly Lu qui avait échappé à tout. Lui qui était si vaillant !

Il rapprocha son portable de son oreille, dit quelques mots et tendit l'appareil à Yi Li.

– Parle-lui. C'est sa femme. Moi je ne peux pas.

Il s'allongea sur le lit, fixant le plafond, repensant à tous les combats menés avec le courageux pilote de T-28. Le premier pilote de guerre méo ! Yi Li essayait de décrypter ce qui s'était passé, au milieu des sanglots de la veuve de Ly Lu. Selon celle-ci, le Méo avait eu un accident de la route. Sa voiture avait plongé dans un ravin où elle avait pris feu. La *Highway Patrol* n'avait découvert qu'une carcasse carbonisée et un corps totalement brûlé. Ly Lu avait été identifié grâce à l'immatriculation de sa voiture. C'est la police de Santa Ana qui avait prévenu sa femme.

Il n'y avait rien de plus à dire.

Un tragique accident. Yi Li reposa l'appareil, promettant de rappeler, et lança au général :

– Tu n'aurais jamais dû le laisser derrière toi !

Le général Teng Thao soupira.

– Il voulait rester à tout prix ! Pour enquêter sur ce Bob Twiss qu'il soupçonnait de je ne sais quoi… C'est le destin.

À mi-voix, il se mit à chanter le chant de mort des Méos et dit à Yi Li :

– Préviens les autres. Je dois réfléchir à ce que nous faisons. Préviens aussi « Max ». Qu'il ne livre pas les armes.

Il ferma les yeux et se remit à chanter et à prier. Yi Li était déjà au téléphone, appelant les compagnons du général Teng Thao. Émue par sa douleur. Pour le moment, le général était hors circuit, perdu dans son deuil. Homme d'un courage extrême, déterminé, il était facilement terrassé par les signes du destin. À ses yeux, la mort de Ly Lu en était un, signifiant que les innombrables *phi* étaient contre son projet. Donc il ne fallait pas le continuer. Quitte à perdre l'argent donné aux marchands d'armes.

Les autres Méos pénétrèrent, un à un, dans la petite suite et se regroupèrent dans le salon. Silencieux, ils allumèrent des bâtonnets d'encens et commencèrent à prier. Leur croyance était un mélange d'animisme et de bouddhisme, où surnageaient une multitude de *phi* plus ou moins puissants. Le général Teng Thao les rejoignit d'une démarche titubante et, aussitôt, avançant sur les genoux, ils vinrent se regrouper autour de lui.

L'opération de libération du Laos semblait mal partie : en ce moment, aucun n'y pensait plus, pleurant le courageux Ly Lu.

***

Gordon Backfield avait écouté le récit du dîner de Malko.

– Il se méfie de vous ? demanda-t-il, visiblement très contrarié.

– Je ne crois pas, répondit Malko. Simplement, il me considère comme un fournisseur qui n'a pas à connaître ses affaires. Il n'y a aucune hostilité dans son attitude. Il veut rester seul maître à bord, c'est tout. Et je ne vois pas comment je peux lui forcer la main…

– Personne ne peut vous aider ?

Malko hésita.

– Son épouse, Yi Li, semble bien disposée à mon égard. Elle m'a proposé de travailler avec eux, mais le général l'a rembarrée.

– C'est une très jolie femme, remarqua avec une certaine perfidie Gordon Backfield. Cela devrait faciliter les choses. Je sais que votre charme a beaucoup opéré sur cette Chinoise, Ling Sima. Et l'Agence en a été largement bénéficiaire.

Malko ne répondit pas. Ling Sima était persuadée qu'il « l'enfumait ». Il avait eu beau jurer ses grands Dieux que le Goambu n'était en rien concerné par ses activités à Bangkok, ils s'étaient quittés en froid, après leur verre à la State Tower. Elle avait refusé de rentrer avec lui dans l'appartement du *soi* Wat Suan Pin. Leurs relations étaient complexes.

Quant à la piquante Yi Li, Malko se méfiait de son numéro de charme : les Asiatiques excellent à ce jeu.

– De toute façon, je ne suis pas supposé revoir le général, reprit-il. Je dois remettre le chargement d'armes à un de ses adjoints, un certain Phu Tat, avec qui j'ai dîné. Un des hommes de confiance du général Teng Thao. Si j'appelle Yi Li, je risque d'éveiller les soupçons du général. Il me soupçonnera de draguer sa femme, ou de vouloir m'immiscer dans son projet. Dans les deux cas, c'est un impact négatif.

– C'est très ennuyeux, soupira Gordon Backfield. On compte beaucoup sur vous à Langley.

Ils se remirent à manger leurs spaghettis qui semblaient avoir été relevés avec de la colle. La seule qualité de ce restaurant italien était sa proximité de l'ambassade US: trois minutes à pied, le long d'un *soi* tranquille, bordé par un des derniers *khlongs* de Bangkok.

– J'attends un peu, suggéra Malko, et ensuite, je reprendrai l'avion pour Vienne.

– Vous ne pouvez pas arranger une rencontre « fortuite » ? demanda le chef de station de la CIA.

Malko eut un sourire ironique.

–Le général Teng Thao est peut-être fruste, mais ce n'est pas un imbécile.

– Et avec son épouse ?

– Ils sont, j'ai l'impression, presque toujours ensemble. À propos, j'ai de l'argent à vous... un million deux cent mille dollars...

– Gardez-le pour le moment, fit Gordon Backfield en repoussant son assiette. Ces sphagettis sont vraiment immondes.

– J'allais vous le dire, confirma Malko. Un expresso les fera peut-être passer.

Finalement, il regrettait un peu de ne pas suivre l'aventure insensée du général Teng Thao : il serait bien retourné au Laos, même si le pays qu'il avait connu n'existait plus. Et puis l'idée de venir à bout d'un des derniers régimes communistes de la planète était assez réjouissante.

Au moment où il retrouvait le soleil brûlant du *soi* Tonson, il demanda brusquement :

– Pourquoi ne laissez-vous pas le général Teng Thao mener son affaire tout seul, puisque vous ne voulez pas intervenir directement ?

Gordon Backfield soupira.

– Ce sont les ordres de Langley. Ils veulent suivre cette opération. Peut-être pour donner un coup de main. Nous contrôlons encore quelques centaines de mercenaires thaïlandais. Peut-être aussi pour être à même de communiquer des informations précises en temps réel au State Department.

Cela tenait la route.

Malko héla un taxi bleu ciel et se fit conduire au *Shangri-La*. Enfin, il allait profiter de la piscine. Tout en regrettant un peu de ne pas revoir la ravissante Yi Li, puisque Ling Sima boudait.

Pour la première fois depuis plusieurs jours, la boule de plomb qui obstruait l'estomac de Edgar Mac Bride avait disparu. Avant de l'enfermer dans son coffre, il regarda à nouveau le dossier de la mort accidentelle de Ly Lu. Tout y était : coupures de presse, rapports de police, déclarations de la veuve. Cela n'avait pas remué les foules. Ly Lu n'était même pas américain et la *Highway Patrol* avait expédié l'affaire sans se préoccuper des détails, remettant ce qui restait du corps à la famille et rédigeant un rapport d'accident insistant sur la dangerosité de cette route. Plusieurs voitures avaient déjà plongé dans le ravin à cet endroit.

Son correspondant d'Atlanta venait de lui faxer la note de Global Security Inc. pour la surveillance de Ly Lu : 75 245 dollars pour deux jours. C'était cher pour une simple filature, la colonne « frais annexes » représentant 60 000 dollars...

Heureusement, personne n'avait établi de lien entre l'accident du Laotien et le meurtre d'un *patrolman* sur une autre route californienne, la veille.

Ed Mac Bride avait transmis la bonne nouvelle à la Maison Blanche. Tout était désormais en place pour que l'opération « Pop-corn » se déroule selon les plans prévus. Les chances d'une réouverture de l'enquête sur la mort de Ly Lu étaient nulles. Ce qui restait de sa dépouille tenait dans une boîte à chaussures.

Une grande photographie de Ly Lu entourée de guirlandes de papier de toutes les couleurs et de bouquets de fleurs reposait sur un austère cercueil de teck.

Tous les Méos qui assistaient à la cérémonie, massés à l'entrée du *Wat Khaek*, s'approchaient à tour de rôle du cercueil, avançant sur les genoux et tenant trois bâtonnets d'encens entre leurs doigts. Ils les déposaient ensuite dans un vase posé sur le cercueil et retournaient à leur place, entourant le général Teng Thao, aux traits ravagés par la douleur, bouffis de chagrin. C'est Phu Tat qui avait organisé la cérémonie. Il s'était entendu avec les bonzes de ce petit temple, situé dans Thanon Pan, une voie partant de Silom Road, et avait rameuté tous les Méos qu'il connaissait en Thaïlande.

Il y avait un absent de marque, mais personne ne l'avait remarqué : Gomer Brentwood, l'ancien « Forward Air Controller », compagnon de combat de Ly Lu. Le général lui avait demandé de ne pas venir, afin que les Services thaïs n'établissent pas de lien entre eux.

La petite foule se dispersa. Le général Teng Thao et

Yi Li descendirent Silom Road à pied pour regagner le Holiday Inn.

Yi Li glissa alors à son époux :

– Qu'allons-nous faire maintenant ?

– Continuer, dit sans hésitation le général.

– Par qui vas-tu remplacer Ly Lu ?

– Je ne sais pas encore, avoua le général Teng Thao. Tu as prévenu « Max » de retarder la livraison du matériel ?

– Oui, bien sûr, confirma Yi Li. Et si tu lui demandais de travailler avec toi ?

De surprise, le général Teng Thao s'arrêta au milieu du trottoir.

– Mais ce n'est pas un homme de chez nous ! Même pas un Méo ! protesta-t-il. C'est un simple marchand d'armes.

– Pendant le dîner, insista Yi Li, il a proposé de nous aider. Il semble intéressé par notre cause.

Le général Teng Thao haussa les épaules.

– Je ne veux pas de mercenaires. On ne peut pas compter sur eux.

– Il te faut quelqu'un pour partir là-bas une fois que tu auras rencontré Xai Vang, insista-t-elle. Porter tes instructions à tes guérilleros. Et puis, Ly Lu devait aussi aller repérer les objectifs à Vientiane.

– Il y a Phu Tat.

– Tu sais bien qu'il ne saura pas faire cela. Et puis, c'est un Méo. La Sécurité laotienne l'a peut-être repéré. C'est dangereux de l'envoyer à Phonsavan. Cet homme semble bien connaître le pays. Tu devrais m'écouter...

Le général Teng Thao s'était remis à marcher, ébranlé par les arguments de Yi Li. En passant devant Silom Village, il lâcha brusquement :

– Très bien. Appelle-le et dis-lui de venir demain

me voir : aujourd'hui, je veux encore prier et me recueillir.

Malko prenait le soleil à la piscine du *Shangri-La* quand son portable sonna. Il reconnut tout de suite la voix flûtée de Yi Li, l'épouse du général Teng Thao.

– « Max » ?

– Oui.

– J'ai un message du général à vous transmettre. Puis-je vous rencontrer aujourd'hui ?

– Bien sûr. Où ?

Elle hésita.

– Vous connaissez un endroit où on ne se fera pas remarquer ?

– L'Emporium, c'est un grand mall commercial dans Sukhumvit. Tous les taxis connaissent. Devant la boutique Versace, au rez-de-chaussée, côté Sukhumvit. À midi, si vous voulez.

– D'accord, je trouverai. À tout à l'heure.

Il avait juste le temps de remonter chez lui et de sauter dans un taxi. Il fallait une bonne demi-heure pour gagner Sukhumvit. Quel était le motif de ce rendez-vous ?

Lorsqu'il arriva à l'Emporium, Yi Li patientait déjà devant la vitrine de Versace, en jean moulant et chemisier rouge sang ajusté. Elle marcha vers Malko avec un sourire radieux.

– Merci d'être venu !

Malko se dit que cela ressemblait plus à un rendez-vous galant qu'à du business.

– C'est très beau ici ! remarqua la jeune femme. Où pouvons-nous parler tranquillement ?

– Au troisième, il y a plusieurs cafés.

Ils prirent l'escalator. Derrière Yi Li, Malko ne

pouvait s'empêcher d'admirer sa croupe ronde moulée par le jean. Son léger déhanchement lui donnait encore plus de relief. Lorsqu'ils eurent commandé des expressos au *Starbuck Café*, Yi Li annonça :

– Nous avons perdu un ami très proche, un ancien pilote, Ly Lu. Il devait jouer un rôle important dans le dispositif militaire de mon mari. Un accident de voiture en Californie.

– Je suis désolé, dit Malko. Que puis-je faire pour vous ?

– Différer, comme je vous l'ai dit, la livraison du matériel jusqu'à la fin de la période de deuil.

– Pas de problème.

– Ensuite, demanda-t-elle timidement, accepteriez-vous de nous aider, comme vous l'avez proposé l'autre soir ?

Le pouls de Malko s'emballa. C'était inespéré ! Il s'efforça de ne pas extérioriser sa satisfaction.

– En quoi cela consisterait-il ?

Yi Li eut un rire embarrassé.

– Différentes choses. Aller au Laos, entre autres. Pour vous qui êtes étranger, ce n'est pas dangereux, pour nous, si. Il y a différents contacts à prendre. Bien entendu, nous vous donnerons de l'argent. La somme que vous souhaiterez.

Malko sourit.

– Je ne veux pas être payé, assura-t-il. Je ne suis pas un mercenaire et je n'ai pas besoin d'argent. Je vous ai fait cette proposition parce que j'ai de la sympathie pour votre entreprise. Quant aux risques, j'en ai déjà pris beaucoup dans ma vie... Donnez-moi plus de détails.

Yi Li posa sa main manucurée sur la sienne avec un sourire presque extatique.

– C'est merveilleux ! Le général vous expliquera tout. Venez demain à dix heures. Le deuil sera terminé.

Malko sentit une violente vague de désir le balayer. Il avait l'impression que Yi Li s'offrait en prime. Elle détourna la tête devant l'insistance de son regard posé sur elle, et se leva.

Ils redescendirent et se séparèrent dans Sukhumvit, devant la station de taxis.

– À demain ! lança Yi Li avec une poignée de main que Malko estima un peu trop prolongée.

Il regarda le taxi de la jeune femme s'éloigner. Il y avait des miracles. Gordon Backfield allait être fou de joie. Mais qu'est-ce que le général Teng Thao avait l'intention de lui faire faire ? Il s'agissait quand même d'un coup d'État armé contre un gouvernement en place.

Ce qui impliquait un certain nombre de risques, dont celui de se faire tuer.

CHAPITRE XII

Le général Teng Thao avait encore des poches sous les yeux et les traits tirés. Néanmoins, il accueillit Malko avec un sourire chaleureux et l'invita à s'asseoir en face de lui, dans la petite *sitting room*. En face, Yi Li, assise sur le coin d'une chaise, très convenable en blouse et pantalon, était muette comme une statue. Malko sortait de l'ambassade américaine où il avait appris la bonne nouvelle à Gordon Backfield, mais ses interlocuteurs l'ignoraient…

– Mister Max, attaqua le général, vous comprenez que si vous coopérez avec nous, je dois en savoir plus sur vous. Quel est votre vrai nom ?

Malko s'était préparé à la question ; il sortit une de ses cartes et la tendit au général laotien, qui la déchiffra attentivement.

– Vous êtes vraiment autrichien ?

Visiblement, il connaissait tout juste l'existence de ce pays… Malko confirma.

– Oui. J'ai une affaire d'import-export et je fournis aussi du matériel militaire à des clients sélectionnés.

– Comme Bob Twiss.

– Exactement.

Le regard du général se posa sur lui, insistant.

– Donc, vous avez des liens avec certains Services de renseignements ?

– Ils me connaissent, répondit Malko de façon elliptique.

– Avec la CIA ? insista le général Teng Thao.

– J'y ai quelques relations, confirma Malko sans préciser.

– Vous leur avez parlé de cette affaire ?

– Non, mais ici, les États-Unis sont très puissants. Si mes amis thaïs acceptent de me livrer des armes, c'est qu'ils n'ont pas d'opposition du côté américain.

Le général semblait soulagé. Il but un peu de son *namanao* avant de continuer.

– Revenons à vous. Si vous me rejoignez, je vous retribuerai généreusement, mais il y a des risques. Il s'agit d'une opération militaire dirigée contre le gouvernement actuel du Laos.

– Je sais. J'accepte ces risques.

– Pourquoi voulez-vous m'aider ?

Malko sourit.

– Je ne suis pas de leur bord politique. C'est une raison suffisante et, en plus, je sais le rôle que vous avez joué il y a quelques années en combattant contre le Pathet Lao et les Nord-Vietnamiens. Vous en avez été bien mal récompensé...

Le général sembla touché par cette remarque. Tourné vers Yi Li, il eut une brève conversation en lao avec elle, puis se retourna vers Malko.

– Je vous propose cent mille dollars pour votre aide, dit-il simplement. La moitié maintenant, le reste... (il hésita) après la fin de l'opération.

– J'accepte, dit Malko, qui avait presque honte. Mais je suis prêt à vous aider pour rien.

– Non, non, c'est une affaire.

Yi Li avait déjà disparu dans la chambre. Elle revint avec une enveloppe, visiblement préparée à l'avance, et la tendit à Malko, avec un sourire complice. Il se dit qu'elle avait sûrement poussé à la roue en sa faveur.

– Bien, conclut Malko. Qu'attendez-vous de moi ?

– Je vais d'abord vous expliquer les grandes lignes de mon opération, expliqua le général Teng Thao. Dès que nous aurons réceptionné les armes, je vais les faire parvenir au Laos.

– Comment ? Par avion ?

– Non, je n'ai pas d'avion. Je dispose d'un moyen terrestre. Ces armes seront stockées dans un premier temps à Vientiane. De là, une partie sera envoyée à l'intérieur du pays, afin d'équiper des centaines de mes partisans qui attendent ce jour depuis trente ans.

– Où ?

– Dans la région de Phonsavan, la plaine des Jarres. L'autre partie des armes restera à Vientiane pour équiper les hommes chargés, sous mon commandement, de s'emparer de la ville.

– Où sont-ils ?

– En ce moment, en train de gagner Vientiane par leurs propres moyens. Ils s'équiperont sur place.

– Quand avez-vous prévu cette action ? demanda Malko.

Le général eut un geste évasif.

– Je n'ai pas encore de date précise. Mais je souhaite que cela se passe avant le 2 décembre, jour de la Fête nationale.

Cela laissait une dizaine de jours.

– De combien d'hommes disposez-vous ?

– À Vientiane, environ trois cents, répartis en cinq groupes. Avec des armes légères et un lance-missiles sol-air Stinger. Mais je ne m'attends pas à une intervention aérienne du Pathet Lao qui dispose seulement de deux hélicoptères MI-8 basés sur l'aéroport civil de Watthay, que je neutraliserai au début de l'opération.

– Et vous ne comptez pas rencontrer de résistance ? Il y a sûrement des unités militaires à Vientiane, s'inquiéta Malko.

Le général secoua la tête.

– Nous agirons avant l'aube. Par surprise. J'ai prévu de neutraliser le ministère de l'Intérieur et celui de la Défense par de puissantes charges explosives. Nous nous emparerons de la station de télévision et du palais présidentiel et nous le ferons tout de suite savoir à la population. À sept heures du matin, nous tiendrons les hauts lieux du gouvernement à Vientiane. Un commando ira neutraliser le poste militaire du pont de l'Amitié, afin que nous puissions faire entrer d'autres armes, par la route, ouvertement.

– Et la population, comment va-t-elle réagir ?

– Elle déteste les communistes ! assura le général d'un ton sans réplique. Jusqu'en 1991, il y avait le couvre-feu dès 22 h 30... Pour ce déplacer dans le pays, il fallait un permis délivré par le ministère de l'Intérieur. Depuis le départ des Russes, la situation s'est un peu améliorée, mais les gens sont pauvres. Un fonctionnaire gagne 60 dollars par mois ! Et, à Vientiane, ils peuvent mesurer la différence avec la Thaïlande, juste de l'autre côté du fleuve, qui regorge de tout. Les Laotiens seront fous de joie que je les libère du communisme !

Inquiet de l'optimisme du général, Malko chercha le regard de Yi Li. La jeune femmme se contenta de lui expédier un sourire complice... Il demanda quand même :

– Général, il s'agit d'un État communiste, établi depuis des dizaines d'années, avec des Services, des policiers, une discipline. Ils ne vont pas se laisser faire...

Le général se rembrunit et fit sèchement :

– Vous ne connaissez pas les Laotiens ! Ils sont très nonchalants et aspirent à la liberté. Dans les villages, ils chasseront les miliciens. À Vientiane, aucune force de police n'est déployée. Ils ne s'attendent à rien.

Lorsqu'ils verront que les symboles du pouvoir ont sauté, ils me suivront.

– De combien d'hommes disposez-vous au total ?

– Environ deux mille, répartis entre différentes zones, pour un pays de 236 000 kilomètres carrés – la moitié de la France – peuplé de six millions d'habitants. Je pense que, très vite, mon coup d'État sera reconnu par un certain nombre de pays, dont les États-Unis, continua le général.

Malko en avait le vertige. Le général Teng Thao semblait plongé dans un état second, encouragé par sa jeune épouse. Celle-ci intervint et dit de sa voix flûtée :

– Le général a raison : les Laotiens n'en peuvent plus du communisme.

Malko n'insista pas. Cette aventure romantico-guerrière lui semblait pleine de risques, mais il était en mission... L'attitude de Yi Li l'intriguait. Elle semblait moins exaltée, mais tout aussi convaincue que son époux du succès de cette aventure. Il se dit que l'équipée du général Teng Thao risquait de lui apporter quelques émotions supplémentaires. Mais, toute sa vie, il avait vécu d'adrénaline.

– Quel va être mon rôle ? demanda-t-il.

– Un rôle très important, précisa aussitôt le général, qui était dévolu à un homme que je considérais comme mon fils. Un de nos plus courageux combattants. J'ai besoin d'un œil expérimenté pour effectuer le repérage de mes objectifs à Vientiane. Pour confirmer mes plans opérationnels. Cela fait, il faudra que vous partiez remettre mes instructions écrites aux différents groupes qui attendent mes ordres pour se soulever. Vous leur apporterez le plan de distribution de vos armes, avec les lieux que j'ai choisis.

Malko allait transporter de la dynamite... Il valait mieux ne pas se faire intercepter.

– Je serai seul ? demanda-t-il.

– Non, bien sûr ! Vous entrerez en contact avec les membres de mon infrastructure clandestine, dès votre arrivée à Vientiane. Ensuite, votre mission accomplie, vous n'aurez plus qu'à venir me retrouver à Vientiane pour fêter la victoire…

Ce *Kriegspiel* express donnait le tournis à Malko. Des dizaines de questions se bousculaient dans sa tête.

– Comment communiquez-vous avec vos guérilleros ? demanda-t-il.

– Ils ont des téléphones satellite, annonça fièrement le général Teng Thao. Nous préparons cette opération depuis longtemps ! Vous rencontrerez leur émissaire, probablement à Phonsavan.

– Bien. Quand dois-je partir pour Vientiane ? demanda Malko.

Le général Teng Thao sourit.

– Avant, il y a plusieurs problèmes à régler. D'abord, vous allez m'accompagner dans un camp de réfugiés méos, à Huai Nam Khao, dans la province de Petchabun, au centre de la Thaïlande. Je dois y rencontrer Xai Vang, un de mes guérilleros, qui a traversé le Laos et le Mékong, afin de m'apporter la liste de tous les groupes qui combattent encore dans la jungle. Ensuite, nous gagnerons Udon Thani pour prendre livraison des armes qui seront stockées chez un ami. Un Américain établi en Thaïlande depuis longtemps. De là, vous gagnerez Vientiane, par la route, comme un touriste, en compagnie de Phu Tat. Vous contacterez une amie qui vous aidera sur place. Ensuite, lorsque vous aurez terminé votre mission à Vientiane, vous gagnerez la plaine des Jarres, avec le premier chargement d'armes.

Malko avait l'impression d'écouter le script d'un film. Pourtant, le général Teng Thao était mortellement sérieux… Ce dernier se leva et lui tendit la main.

– J'ai beaucoup à faire. Si vous êtes d'accord, nous partons ce soir pour le camp de Huai Nam Khao.

– Pourquoi ce soir ? ne put s'empêcher de demander Malko.

– Parce que nous devons être là-bas à sept heures du matin… Je suis le chef de la délégation d'une ONG méo, *Facts Finding Commission*. Vous en ferez officiellement partie. Je suis en train d'organiser votre départ. Yi Li viendra vous donner en fin de journée le lieu du rendez-vous.

Il était déjà debout.

Malko se retrouva sur la rampe du *Holiday Inn* et monta dans un taxi.

– Wittaya Road. *American embassy.*

***

– C'est une aventure folle ! dit Malko. Même si le gouvernement laotien est pris par surprise, c'est impossible qu'il ne réagisse pas ! Cela va se terminer comme la baie des Cochons[1]. Ou pire. Le général Teng Thao est sympathique, mais il a perdu contact avec la réalité.

– Vous ne voulez plus participer ? demanda Gordon Backfield, nettement réprobateur.

– Ce n'est pas le problème, rétorqua Malko. Je pense qu'il va à l'échec. Pas assez de préparation, d'informations. Il ignore tout du dispositif adverse. Sans parler de son armement limité.

Le chef de station de la CIA soupira.

– Ce n'est pas mon problème, ni le vôtre ! Mes instructions sont de surveiller cette opération. Si elle réussit, tant mieux, sinon…

Il laissa sa phrase en suspens et se hâta de compléter :

1. Invasion ratée de Cuba par les Américains, en 1962.

– Au moins, les maquis méos auront été ravitaillés en armes modernes et pourront continuer le combat... Simplement, ne prenez pas de risques inutiles.

Malko faillit s'étouffer.

– Qu'est-ce que c'est, des risques inutiles ? Je pars fomenter un coup d'État dans un pays communiste. C'est ça le risque. Or, vous avez le pouvoir de faire avorter cette aventure.

– Comment ?

– En ne livrant pas les armes. Je rembourserai le général, puisque j'ai toujours l'argent...

Gordon Backfield secoua la tête, de plus en plus fermé.

– Langley veut absolument tenter le coup. Cette fois, contrairement à Cuba en 1962, l'Agence n'est pas impliquée officiellement. Si c'est un fiasco, nous ne serons pas ridiculisés...

– Quelques centaines de morts méos ne vous empêcheront pas de dormir, compléta Malko.

L'Américain ne releva pas. Son pays avait une tendance fâcheuse à passer aux profits et pertes les morts non-américains des guerres perdues. Il comprit qu'il ne ferait pas changer d'avis le chef de station. Ce dernier se leva et alla prendre dans son tiroir un Thuraya qu'il tendit à Malko.

– À partir de maintenant, nous communiquons uniquement de cette façon. Cet appareil est crypté et je possède le même. Mon numéro d'appel est collé dessus.

– Quelle interception craignez-vous ?

– Les Chinois, les Vietnamiens... Ils ne sont plus à l'âge de pierre, eux. Surtout les Vietnamiens. Le Laos est leur pré carré. Ils y pullulent.

Malko eut une pensée fugitive pour Ling Sima. Il n'avait plus eu de ses nouvelles depuis leur dernière rencontre. Elle boudait. C'était peut-être mieux ainsi.

***

Malko était en train de préparer un sac de voyage lorsqu'on sonna. Il jeta un coup d'œil à sa Breitling : cinq heures et demie... Il alla ouvrir. Yi Li se tenait dans l'embrasure. Son regard pétillait. Elle lui laissa à peine le temps de refermer la porte et se jeta dans ses bras.

– Merci ! souffla-t-elle. Merci !

Tout son corps, collé au sien, disait la même chose. Elle leva son visage vers Malko et une fraction de seconde plus tard, une langue aiguë, vive comme un serpent, se faufila entre ses lèvres et commença à s'agiter dans sa bouche. En même temps, le pubis de l'épouse du général Teng Thao dansait une sorte de danse de Saint-Guy extrêmement expressive, contre son bas-ventre... Il nota que Yi Li avait troqué sa sage tenue du matin pour une jupe et son chemisier rouge.

Il ne lui fallut pas longtemps pour s'enflammer. Lorsque Yi Li sentit la tige raidie contre son ventre, elle poussa un petit soupir ravi, se détacha de Malko, descendit son zip et plongea la main à l'intérieur, ramenant l'objet du délit.

Visiblement satisfaite de ce qu'elle venait de découvrir, elle prit Malko par la main et le poussa dans l'un des larges fauteuils de cuir blanc du living room. Plantée devant lui, elle faufila la main sous sa jupe, la retira avec un minuscule chiffon de dentelle noire qu'elle jeta par terre.

Le temps de remonter sa jupe sur ses hanches, elle vint s'agenouiller au-dessus de Malko. En deux temps, trois mouvements, elle saisit le sexe dressé, le guida jusqu'à l'entrée de son ventre et s'empala d'un seul coup.

Nouant ensuite ses bras sur la nuque de Malko, elle

se mit à monter et descendre frénétiquement, sa langue menant un ballet endiablé contre la sienne.

Elle n'arracha sa langue de la sienne que pour murmurer, d'un ton ravi :

– *Oh, you go so far*[1] *!*

Cela ne semblait pas lui déplaire. Entraîné par cette frénésie sexuelle, Malko arracha presque les boutons du chemisier rouge, attrapant à pleine main les seins ronds et fermes, sans chercher à comprendre la raison de cet engouement subit. Lorsqu'il se répandit au fond du ventre de Yi Li, les deux mains crispées sur ses seins, elle poussa un cri de souris et s'affala contre lui, gardant son sexe fiché dans son ventre.

Il avait l'impression d'avoir violé une petite fille, tant Yi Li était menue, à l'exception de sa poitrine.

Elle affronta son regard, avec une expression contrite, presque comique.

– Je ne suis pas une putain ! proclama-t-elle à voix basse.

– Je ne l'ai jamais pensé, assura Malko.

– Je voulais vous remercier de votre courage, continua-t-elle. Sans vous, le général était prêt à renoncer ! Vous lui avez redonné l'espoir.

– Ce n'était pas une raison pour faire l'amour avec moi, remarqua Malko, hypocritement.

– C'est vrai, reconnut la jeune femme, mais depuis que je vous ai vu, j'en avais envie. Pourtant, je n'ai jamais trompé mon mari. Mais avec vous, c'est différent.

– Pourquoi ?

Elle se tortilla un peu, comme pour ranimer sa virilité encore fichée en elle, et murmura :

– Je ne sais pas.

1. Tu vas si loin !

Réponse bien féminine... Elle ajouta aussitôt, comme pour se justifier :

– Chez nous, les Méos, on pratique beaucoup la polygamie. Mon mari avait sept femmes. Je suis la dernière. Il ne serait pas très fâché parce qu'il vous respecte.

C'était une façon de voir les choses. Avec un petit soupir, Yi Li s'arracha à lui, ramassa sa culotte d'un geste preste et disparut dans la salle de bains. Lorsqu'elle en ressortit, elle était fraîche comme une rose. Elle sortit de son sac un bout de papier.

– Voilà l'adresse du rendez-vous, dit-elle. Numéro 25, *soi* 64, dans Sukhumvit. Le chauffeur de la voiture s'appelle Prasit. Il sait où il doit vous conduire.

– Vous êtes certaine que cette aventure doit être tentée ? demanda Malko. Il me semble que le général pêche par optimisme.

– Pas du tout, s'insurgea Yi Li. Nous allons libérer mon pays ! Un peu grâce à vous.

Elle se dirigeait déjà vers la porte, et se retourna avec un sourire radieux.

Perplexe, Malko se demanda si elle ne marchait pas vers l'enfer en croyant monter au paradis.

CHAPITRE XIII

Le taxi rose filait sur une autoroute déserte, ou presque, vers le district de Petchabun. Il y avait peu de circulation, la nuit, en Thaïlande. Malko avait trouvé Prasit, le chauffeur, à l'heure dite, et ils roulaient déjà depuis deux heures. Le camp de réfugiés méos de Huai Nam Khao se trouvait à environ cinq heures de route de Bangkok. Il abritait huit mille Méos arrivés par petits paquets, à différentes époques. Presque en face, se trouvait un village du même nom où vivaient des Méos établis de longue date en Thaïlande.

Malko se posait beaucoup de questions sur les projets du général Teng Thao. Mais, impossible d'être plus royaliste que le roi. Si la CIA, « sponsor » secret de l'opération, et le général, son initiateur, pensaient avoir une chance de succès, autant être fataliste. De toute façon, à Vientiane, il y avait une ambassade américaine et une station de la CIA prévenue de la présence de Malko… Celui-ci s'assoupit et se réveilla en sentant le taxi ralentir. Le chauffeur cherchait son chemin au milieu d'une ville endormie. Il se retourna et lança à Malko.

– Lonsak !

Sûrement le nom de la ville. Il stoppa un peu plus loin, devant un grand bâtiment, affichant à son fronton LONSAK NATTIRAT GRAND HÔTEL.

Il accompagna Malko à la réception, où l'unique employé lui tendit une clef en lui réclamant la somme énorme de 800 baths[1] ! La chambre était spacieuse, avec une salle de bains rustique. Fatigué, Malko se coucha immédiatement. Il était une heure et demie ! Il dormit peu et mal, réveillé vers six heures du matin par des coups frappés à sa porte.

Yi Li se tenait sur le seuil, souriante. Vêtue d'un chemisier opaque et d'un jean.

– On part dans une demi-heure, annonça-t-elle. Rendez-vous en bas.

Dieu merci, la douche avait de l'eau chaude. À l'heure dite, Malko retrouva le général Teng Thao, accompagné de Phu Tat, de Yi Li et de quatre autres Méos inconnus de lui. Tous s'entassèrent dans un minibus. Direction le QG de Médecins sans frontières, l'ONG qui gérait le camp, sous le contrôle de l'armée thaïe.

Yi Li expliqua :

– Ce camp est sous le contrôle de l'armée thaïlandaise. Seuls les gens de Médecins sans frontières ont le droit de s'y rendre. Ils y vont tous les matins. Nous allons avec eux comme visiteurs officiels de l'ONG méo Facts Finding Commission, pour rencontrer le guérillero qui a amené du Laos la liste et l'emplacement des groupes combattants.

– Il est interné dans le camp ?

– Non, il se cache dans le village voisin, mais il s'est glissé dans le camp, depuis trois jours, parce que c'est plus discret de le rencontrer ici qu'au village où il y a des mouchards travaillant pour la police thaïlandaise.

Ils étaient arrivés. Transfert dans deux minibus de Médecins sans frontières et redépart. Les barbelés entourant le camp de Huay Nam Khao apparurent

1. Environ 16 euros.

dix minutes plus tard. Des cabanes construites à flanc de colline, à même une glaise rougeâtre, des toits de chaume, des bâches bleues en plastique comme murs et un sol de terre battue. Pas d'électricité mais quelques points d'eau. Les rangées de « cases » s'alignaient à perte de vue : huit mille réfugiés vivaient là.

Après avoir été contrôlés par les militaires thaïs, ils entrèrent dans le camp. Des centaines d'enfants traînaient dans les allées, faute d'école, des poulets dans les bras, utilisés comme animaux domestiques. Tous les adultes travaillaient, parfois à partir de dix ans, brodant des tissus folkloriques achetés par des marchands thaïs. Ce qui leur procurait un peu d'argent.

Ils se retrouvèrent dans la case du chef du camp, un Méo à la moustache peu fournie de danseur mondain, mince et souriant. Il baisa la main du général Teng Thao et ils prirent place sur des caisses ou des nattes. Jusqu'à ce qu'un Méo d'une trentaine d'années fasse son apparition, visiblement intimidé, une pochette en plastique à la main. Il la tendit, cassé en deux, au général Teng Thao. Celui-ci le serra sur son cœur et, après une longue conversation à voix basse, se tourna vers Malko.

– Le père de Xai Vang était un de mes meilleurs officiers. Il est mort dans un camp de travail. Lui a continué le combat. Il a quitté son maquis il y a quelques mois, pour venir m'apporter la carte de l'implantation des groupes qui luttent.

– Il va repartir au Laos ?

– Non, c'est trop dangereux pour lui. Mais il a prévenu les autres groupes qui se cachent dans la jungle autour de la plaine des Jarres et attendent mes ordres. Vous irez les leur transmettre.

– Dans la jungle ?

– Non, ils se déplaceront jusqu'à la plaine des Jarres. Je vous donnerai un point de chute.

– Pourquoi ne les avertissez-vous pas par téléphone ?

– Pour deux raisons, expliqua le général. D'abord, les communications risquent d'être interceptées. Ensuite, les instructions que je vous remettrai sont compliquées. C'est plus simple de les transmettre par écrit. Et puis, vous accompagnerez le premier chargement d'armes pour eux.

Malko sentit un petit frisson glisser le long de sa colonne vertébrale. Il allait jouer un rôle actif dans la « libération » du Laos.

– Comment vais-je les contacter ? s'inquiéta-t-il.

– Tout est organisé, assura le général Teng Thao. À Vientiane, vous rencontrerez quelqu'un qui vous accompagnera là-bas.

– Et les armes ?

– Elles seront déjà à Vientiane. Mais vous ne serez pas dans le véhicule qui les transporte.

Maigre consolation : si les forces de police laotiennes saisissaient un chargement d'armes modernes, elles risquaient de se poser des questions.

Le général s'était isolé avec Xai Vang et Yi Li proposa :

– Venez voir le camp.

C'était plutôt déprimant : des murs de toile bleue, des gens qui brodaient devant les cases, les enfants qui jouaient avec les poulets, les adultes qui traînaient.

– Que vont devenir ces gens ? demanda Malko.

– Si nous ne libérons pas le Laos, leur sort n'est pas enviable, expliqua l'épouse du général Teng Thao. Les autorités thaïes veulent les renvoyer là-bas. Ils vont être réexpédiés dans des camps de rééducation. Certains préfèrent se suicider, avec leurs enfants.

Des femmes lavaient près d'un des points d'eau. Un officier thaïlandais passa, impeccablement sanglé dans son uniforme, méprisant. Yi Li souffla :

– Ils comptent tout le temps les réfugiés, ils ont peur qu'ils se sauvent. C'est pour cela qu'il y a des barbelés...

Ils n'étaient pourtant pas très hauts : un mètre au plus. Mais, ne parlant pas thaï, reconnaissables à leur façon de s'habiller, les malheureux Méos ne risquaient pas de s'évader. Résignés, ils attendaient. À part une poignée d'entre eux, personne dans le camp ne savait que le héros des Méos, le général Teng Thao, était là... Une heure plus tard, la délégation ressortit du camp. Le général était visiblement satisfait.

– Les nouvelles sont bonnes, annonça-t-il. Des centaines d'hommes attendent des armes pour attaquer les communistes. Ils prendront Phonsavan en quelques heures et bloqueront les routes menant au Vietnam.

– Où allons-nous maintenant ?

– À Udon Thani, chez mon ami Gomer Brentwood. Un ancien de l'US Air Force devenu planteur de tabac. C'est aussi un excellent spécialiste des explosifs. C'est lui qui va préparer les charges qui feront sauter les bâtiments publics de Vientiane en éliminant leurs occupants. Vous allez jouer un rôle crucial dans cette opération.

– Ah bon ? s'inquiéta Malko.

– À Vientiane, vous repérerez les objectifs et vous me ferez parvenir le fruit de vos observations afin de déterminer la marche à suivre.

– Comment ?

– Par Phu Tat. Il vit à Na Pha au bord du fleuve, côté thaï, mais va tout le temps à Vientiane. Il est agent de tourisme.

Finalement, Malko se dit que tout cela n'était pas si mal organisé...

Ils reprirent place dans le minibus, pour retrouver leur véhicule au QG de MSF et reprendre la route.

De nouveau, ce fut le paysage monotone, jungle et

rizières. Cinq heures sans s'arrêter. Avant d'arriver à Udon Thani, ils bifurquèrent vers l'ouest, pour stopper devant le portail d'une grande propriété Des feuilles de tabac séchaient partout sur des claies.

Le minibus s'arrêta devant une spacieuse maison, entourée de massifs de bambou, dont le charme était un peu altéré par le toit de tôle ondulée.

Un homme de haute taille, aux cheveux gris, un peu empâté, le visage énergique, fit son apparition et serra sur son cœur le général Teng Thao qui lui arrivait à l'épaule. Ce dernier se tourna vers Malko.

– Gomer Brentwood était « Forward Air Controller » quand je combattais les communistes. Il a mille fois risqué sa vie pour guider les bombardements. Nous ne nous sommes jamais perdus de vue.

Malko serra la main du géant et annonça à son tour :

– J'ai entendu parler de Long Tieng, dit-il, et de vos combats. Je m'appelle Malko Linge et le général m'a embarqué dans sa croisade.

– *Good choice !* approuva Gomer Brentwood. Pourvu que ça marche. Je n'ai jamais digéré notre débandade de 1973. En plus, mon pays s'est conduit affreusement mal avec les Méos. *Welcome !*

Ils le suivirent à l'intérieur, où ils découvrirent une Thaïe un peu fripée, avec de très longs cheveux noirs, presque jusqu'aux reins, drapée dans un sarong multicolore.

– Sai Ri partage ma solitude, dit en riant l'ancien FAC. Elle m'aide à cultiver le tabac.

Ils s'installèrent autour d'une grande table de bois et Sai Ri apporta une bouteille de Chivas Regal, des verres et de la glace. Le visage du général Teng Thao s'éclaira devant cette délicate attention. Après avoir trinqué, Gomer Brentwood mena Malko jusqu'à une grande chambre donnant sur l'arrière de la maison. Avec une moustiquaire et un ventilateur.

Ensuite, ils rejoignirent le général Teng Thao qui les avait attendus dans la grande pièce.

– Venez, lança Gomer Brentwood, je vais vous montrer votre quincaillerie.

Malko les suivit jusqu'à un vaste hangar qui embaumait le tabac et où des monceaux de feuilles séchées attendaient d'être découpées. Ils gagnèrent le fond et l'Américain ôta des bâches, découvrant plusieurs caisses de bois. Malko reconnut immédiatement le conditionnement des armes de guerre.

Gomer Brentwood ouvrit la première caisse et en sortit un AK 47 encore enveloppé de papier huilé, flambant neuf, dont le général s'empara aussitôt, le regardant comme un enfant une pâtisserie. Il manœuvra la culasse, la fit claquer. Il en tremblait de bonheur... Il se tourna vers Malko.

– Ce sont vos armes ! La première livraison. Venez, enchaîna l'ancien FAC.

Il les mena à l'autre coin du hangar. Dans une cantine métallique verte se trouvaient des pains de C 4, des détonateurs, du cordon Bickford.

– Il n'y a plus qu'à ajouter les minuteries et à les régler, expliqua l'Américain. Ils sont conditionnés en charges de vingt kilos. On peut en mettre plusieurs ensemble...

Le général Teng Thao en avait les larmes aux yeux. Des larmes de bonheur. Ils ressortirent, les yeux irrités par la forte odeur de tabac. Le général se tourna vers Malko.

– C'est demain que vous nous livrez le reste ?

– Exact, confirma Malko.

– Vous irez les chercher avec deux de mes hommes et des ouvriers de Gomer. Celui-ci possède là-bas un hangar pour effectuer le transfert, je ne veux pas qu'on sache que les armes viennent ici…

C'était un peu naïf. Si ceux qui livraient les armes le voulaient, c'était facile de suivre les camions de Gomer Brentwood jusqu'à la propriété. Mais, visiblement, la CIA ne voulait pas de problème.

La nuit tombait.

– Allez vous reposer ! suggéra Gomer Brentwood, ici, on dîne tôt et on se lève tôt.

À peine Malko eut-il regagné sa chambre qu'il appela Gordon Backfield sur son téléphone satellite crypté. Pour lui résumer les événements de la journée. Le chef de station de la CIA semblait ravi.

– *Well done !* dit-il. Vous savez comment les armes vont être transférées au Laos ?

– Pas encore.

– *O.K. Keep me posted*[1].

Il avait à peine terminé que Sai Ri entrouvrit la porte

– *Dinner is served* ! annonça-t-elle.

Le repas fut très vite expédié : une soupe thaïe et du poulet accompagné de riz, puis des monceaux de mangue. Personne ne parlait beaucoup.

– Demain, je vous réveille à sept heures, annonça Brentwood. Six de mes ouvriers iront avec vous. Un seul parle anglais. Ils effectueront le transbordement.

– Ils savent ce que contiennent les caisses ?

– Non, et ils s'en foutent.

***

La route de Kut Chap était bordée de champs de maïs et de rizières, entrecoupés de quelques massifs de bambous. Malko s'arrêta à l'endroit prévu. Un terre-plein devant un très grand hangar dont un des ouvriers

1. Tenez-moi au courant.

avait la clef. Ils entrèrent les trois camions vides à l'intérieur. Le soleil se levait tout juste et la température était très agréable.

En novembre, il faisait encore frais en Thaïlande.

Malko resta à bord de la voiture conduite par un des chauffeurs de Gomer Brentwood. Le seul qui parlât anglais. À l'heure pile, trois camions arrivèrent de Kut Chap et stoppèrent en face du hangar. Tous avec des plaques thaïes et des chauffeurs en civil. Celui de Malko échangea quelques mots avec eux et se tourna vers lui.

– Tout est là.

– Qu'ils entrent leurs camions dans le hangar et qu'ils transfèrent leur chargement dans les nôtres.

Il resta dans la voiture, surveillant la circulation. Le soleil commençait à chauffer et il mourait de soif. Il alla jeter un coup d'œil à l'intérieur : les hommes ahanaient sous les lourdes caisses dépourvues de toute inscription. À midi, tout le chargement avait été transbordé et les camions repartirent à vide. Cela faisait quand même trente tonnes d'armes légères. Avec presque un camion entier de munitions.

Le petit convoi repartit à allure réduite. Ce n'était pas le moment d'avoir un accident.

Dès qu'ils furent arrêtés devant la maison, le général Teng Thao surgit, visiblement anxieux.

– Tout s'est bien passé ?

– Oui, sans problème, assura Malko. Je pense que le matériel est au complet.

C'est alors qu'il remarqua un camion en plaques thaïlandaises arrêté devant la maison. Le général s'en approcha et jeta un ordre au chauffeur. Celui-ci ouvrit la ridelle arrière, découvrant des rouleaux de tissu qu'il se mit à sortir, les alignant à l'extérieur.

Ensuite, avec l'aide de deux ouvriers de Gomer Brentwood, ils chargèrent dans le camion des caisses d'armes et de munitions, jusqu'à ce qu'il reste assez de place pour remettre en place les rouleaux de tissu. Malko observait, intrigué.

– Où va ce camion ? demanda-t-il.

Le général Teng Thao se retourna et dit d'un ton triomphant :

– À Vientiane !

– Il ne risque pas d'être contrôlé ?

– Non, il livre tous les trois jours des tissus fabriqués en Thaïlande à une fabrique de pantalons de Vientiane, tenue par un de nos amis. Les douaniers le connaissent et ne le contrôlent jamais. D'autant qu'il y a des cadeaux pour eux à chaque voyage...

Finalement, le général Teng Thao n'était pas si fou que cela. Déjà, le camion repartait, dans un nuage de poussière. Il avait à peine disparu qu'une Toyota pénétra dans la propriété, avec un seul homme au volant.

– Voilà Phu Tat ! Vous le connaissez, annonça le général Teng Thao. C'est lui qui va vous emmener à Vientiane tout à l'heure.

Malko sentit le picotement de l'émotion glisser le long de sa colonne vertébrale. Cette fois, on n'était plus dans le *Kriegspiel*. Il allait se jeter dans la gueule du loup.

CHAPITRE XIV

Phu Tat, en dépit de ses cheveux gris, semblait plein de vie. Volubile, des petits yeux noirs sans cesse en mouvement, il bougeait sans arrêt, comme s'il était relié à une pile électrique. Assis par terre en face du général Teng Thao, installé, lui, dans un fauteuil, il écoutait religieusement les instructions de son chef. Celui-ci se tourna vers Malko et annonça :

– Phu Tat va vous faire franchir la frontière avec d'autres touristes. Il vous a retenu une chambre au *Settah Palace* et vous louerez une voiture chez ses amis, Vientiane Car Rental, dans Samsenthai Road.

– Et ensuite ?

– Vous procéderez au repérage des objectifs à détruire dont vous avez la liste. Vous serez aidé par une amie sûre, Pakao. Son père appartenait à la CIA et a été assassiné en 1969. Deux balles dans le dos... il a mis six mois à mourir. Depuis, elle ne rêve que de le venger. Lorsque vous aurez terminé – il ne faut pas plus de deux jours –, vous remettrez vos notes à Phu Tat, qui vient en Thaïlande tous les jours pour chercher des touristes. Ensuite, Pakao vous fera entrer en contact avec ceux qui vous emmèneront à Phonsavan, pour la suite de votre mission. Vous avez un passeport autrichien ?

– Oui.

– Aucun problème. Il suffit de payer 35 dollars à la douane pour acheter un visa. Ils veulent encourager le tourisme.

– Comment vais-je me rendre à Phonsavan ? Par avion ?

– Non, par la route. D'abord la numéro 13 jusqu'à Muang Phu Kham, puis la numéro 7, jusqu'à la plaine des Jarres. Ce n'est pas long : six heures de route. Là-bas, vous remettrez les documents que je vais vous confier à un contact et, une fois cette liaison réalisée, vous pourrez revenir à Vientiane par avion pour attendre le jour J.

– Qui est fixé quand ? ne put s'empêcher de demander Malko.

Le général Teng Thao eut un sourire presque angélique.

– Je ne sais pas encore. Cela dépend des *phi*. Nous devons attendre un jour favorable pour attaquer.

– Comment franchirez-vous le Mékong ?

– Phu Tat a prévu un *long-tail* qui me déposera un peu au sud de la ville, là où il n'y a que des bancs de sable. La nuit, il n'y a aucune patrouille dans les rues, aucun check-point. Je gagnerai dans un véhicule loué par Phu Tat l'endroit où sont stockées les armes et où mes hommes, infiltrés en ville, attendront. À l'aube suivante, nous attaquerons...

Yi Li était entrée dans la pièce et observait le général avec une expression bizarre. Son regard accrocha celui de Malko et elle lui adressa une œillade complice. Elle n'avait pas oublié l'intimité de Bangkok. Elle s'approcha ensuite de son mari et lui passa tendrement la main dans les cheveux.

– Tu es magnifique ! lui dit-elle.

Malko était perplexe.

– Tous ces mouvements de vos partisans ne

vont-ils pas éveiller la méfiance des autorités ? demanda-t-il.

Le général secoua la tête.

– Non, parce qu'ils n'empruntent ni les routes ni les transports en commun. Ils se glissent dans la forêt. Ils ont l'habitude. Et puis, ils ne sont pas armés. Souvenez-vous, pour l'offensive du Têt à Saigon, en 1968, les Vietcong étaient parvenus à infiltrer plusieurs milliers d'hommes dans la ville, pourtant quadrillée par les Américains et les Sud-Vietnamiens.

C'était exact, mais l'offensive du Têt, destinée à chasser les Américains de Saigon, avait pratiquement liquidé le Vietcong en Cochinchine... L'exemple n'était pas bien choisi.

Impossible cependant de contrer le général Teng Thao : son regard était comme illuminé de l'intérieur et la séduisante Yi Li semblait avoir enfourché son rêve. Ne le contredisant jamais, l'encourageant sans hésiter.

Phu Tat regarda sa montre, une Rolex chinoise, et lança de sa voix saccadée :

– Il faut y aller !

Le général Teng Thao et Yi Li accompagnèrent Malko jusqu'au minibus de Phu Tat, aux flancs ornés d'une énorme inscription « Mékong Tours ». C'est Yi Li qui eut le mot de la fin.

– Bientôt, nous fêterons la victoire à Vientiane, lança-t-elle. Ce sera un jour merveilleux...

***

L'énorme pont de l'Amitié enjambait le Mékong en biais, reliant Nong Khai, en Thaïlande, à Tha Na Leng, au Laos, à vingt kilomètres au sud-est de Vientiane.

Le minibus de Phu Tat se lança dans la descente

après avoir poireauté une vingtaine de minutes à l'immigration. Malko, à l'arrière, était serré contre un couple de Scandinaves, des « back-pack turists[1] » style hippie, émerveillés de se trouver en Asie ; à l'avant, il y avait une Australienne mafflue, lunetteuse, avec des mamelles de vache à lait et un regard myope et doux. Le Laos n'était pas encore parvenu à développer le tourisme de luxe…

Malko avait senti son pouls s'emballer un peu en voyant flotter sur le bâtiment de l'Immigration le drapeau rouge orné d'une faucille et d'un marteau du Parti communiste laotien, à côté de l'étendard aux bandes bleues et rouges, avec un cercle blanc au milieu, du Laos. À son dernier séjour, les Pathet Lao étaient encore dans la jungle, avec leurs amis nord-vietnamiens.

Des militaires, aux épaulettes jaunes et rouges, tamponnaient les passeports, ne regardant que les billets qu'on leur donnait. Comme dans tout pays communiste, on se faisait voler comme dans un bois. Arbitrairement, le gouvernement de la République populaire du Laos avait décidé que le dollar avait la même valeur que l'euro…

– Nous sommes au Laos, lança Phu Tat.

Après l'Immigration, une longue ligne droite rejoignait la route de Vientiane. Un ruban magnifiquement asphalté. Mais sur la droite, la route qui continuait le long du fleuve, vers Ban Nasai, n'était qu'une large bande de latérite semée de trous énormes : les touristes ne prenaient jamais cette direction-là. Malko se demanda si les armes, parties la veille de chez Gomer Brentwood, étaient déjà arrivées. Il avait l'impression de vivre une aventure irréelle.

La route filait tout droit, entre des rizières et des

1. Touristes sacs à dos.

cocoteraies. Tout semblait paisible : en vingt kilomètres, ils n'aperçurent aucun uniforme. On se serait cru dans un pays « normal », pas dans une dictature communiste.

Malgré tout, Malko était étreint par une angoisse diffuse. C'était trop facile, trop évident. Son sixième sens lui criait que tout cela n'était qu'un théâtre d'ombres, que la vérité était ailleurs. Phu Tat se retourna pour annoncer :

– Nous arrivons dans le centre. Nous allons passer devant le plus vieil hôtel de la ville, le *Lane Xang*...

De nouveau, le pouls de Malko s'emballa. Le *Lane Xang* était jadis le QG des aviateurs d'Air América, la branche aérienne de la CIA. Les soirées y étaient plutôt animées entre les pilotes d'Air América, qui buvaient comme des trous, et des dizaines de gentilles putes venues des quatre coins du pays.

À l'époque, on vivait pourtant sur un volcan. Souvent, il y avait des places vides au bar. Les Américains de l'US Air Force, basés à Long Tieng, la base secrète de la CIA, avaient beaucoup de pertes avec leurs 0-1, de petits monomoteurs très vulnérables, chargés de régler les tirs des avions d'attaque venus d'ailleurs.

Soudain, sur sa gauche, il aperçut un énorme bâtiment d'une vingtaine d'étages érigé en bordure du Mékong, juste en face du *Lane Xang*.

– Qu'est-ce que c'est ? demanda-t-il à Phu Tat.

– Le *Don Chan Palace*, un hôtel chinois. Toujours vide. Il est à moitié fermé. Mais la vue est magnifique sur la Thaïlande, de l'autre côté du fleuve.

La circulation devenait plus dense. Beaucoup de tuk-tuk multicolores, des pick-up double cabine, des voitures japonaises, d'innombrables motos et des myriades de bicyclettes ! Dire qu'en 1991, il n'y avait pas un seul feu rouge à Vientiane ! Et partout, les drapeaux rouges du parti communiste, plus nombreux que les oriflammes nationales avec leur étrange cercle blanc censé représenter la lune. Vientiane, qui n'était jadis qu'une petite ville provinciale française, avait bien grandi !

Ils tournèrent à droite, remontant vers le centre, et Malko aperçut l'avenue Lane Xang, les Champs-Élysées de Vientiane, surdimensionnée pour sa circulation modeste, avec, au fond, le Patuxan, l'étrange arc de triomphe aux quatre tourelles. Bien que les trottoirs soient rarement asphaltés, c'était une ville moderne et grouillante.

Brutalement, il se dit que le général Teng Thao rêvait : il ne pourrait pas s'emparer d'une ville de 500 000 habitants avec une poignée d'hommes. Évidemment, on ne voyait aucune présence policière ni militaire, mais il y avait forcément des services de sécurité. Les passants n'affichaient aucun stress. Un monde endormi, anesthésié par trente ans de communisme tropical.

– Voila le *Settah Palace*, annonça Phu Tat.

Cela ressemblait à une vieille demeure coloniale française, avec, devant, un taxi anglais vert. Phu Tat glissa un papier dans la main de Malko et souffla, avant de repartir :

– Appelez ce numéro.

Malko fut le seul à descendre. Ses compagnons continuaient vers des endroits moins prestigieux... À l'intérieur de l'hôtel, tout était sombre, les murs, l'éclairage, les mines du personnel. Il se retrouva dans une chambre spacieuse donnant sur une charmante piscine en forme de haricot, entourée par des bosquets de bambou.

Il déplia le papier donné par Phu Tat. Il ne comportait qu'un nom – Pakao – et un numéro qu'il composa. Une voix de femme répondit.

– *Yes ?*

– Pakao ? Je vous appelle de la part de Phu Tat.

– Ah oui. Je vais vous faire visiter la ville. Vous êtes au *Settah Palace* ? Je viens vous chercher dans une heure.

Elle semblait tout aussi exaltée que le général... Malko regarda l'énorme tour métallique, supportant des relais radio, qui se dressait à côté de l'hôtel, en se demandant si cela faisait partie des objectifs du général Teng Thao.

À onze heures, son portable, passé automatiquement sur le réseau laotien, sonna. C'était Pakao.

– Pouvez-vous venir jusqu'au That Dam, le stûpa noir ? Vous sortez de votre hôtel, vous prenez à gauche, et ensuite à droite.

Malko se souvenait vaguement de ce stûpa de pierres noires, à l'ouest de l'avenue Lane Xang. Un des *must* de Vientiane. Il y fut en moins de dix minutes. À côté se trouvait une vieille jeep rouge garée en face d'une agence de voyage fermée. Une jeune femme en pantalon en descendit et lui adressa un signe joyeux. Arrivée à sa hauteur, elle l'étreignit, comme s'ils s'étaient connus toute la vie !

– Je suis Pakao, dit-elle.

Elle était petite, brune, avec des traits fins, un nez retroussé. Une métisse pleine de charme. Une lueur exaltée flottait dans ses yeux foncés. C'était visiblement une pasionaria. Dans le véhicule, elle demanda :

– Babou va bien ?

– Babou ?

– C'est comme ça que nous appelons le général, entre nous. Ou alors Moonface.

– Il va bien, assura Malko.

Elle enclencha une vitesse, dans un grincement de pignons martyrisés, et s'excusa avec un sourire.

– Ma voiture est très vieille, mais le garagiste me dit que ce n'est pas la peine de la réparer. Après, je m'en achèterai une neuve. Babou m'a promis un poste officiel... Par où commençons-nous ?

Malko sortit la liste remise par le général Teng Thao. Les objectifs à détruire à l'explosif.

– Le ministère de l'Intérieur ?

– Parfait.

Ils gagnèrent l'avenue Lane Xang et la remontèrent, tournant à gauche, au coin de la Lao-Viet Banque, dans une rue transversale bordée sur la droite par un ensemble de bâtiments modernes aux toits de tuiles vertes, avec, en face, un temple à l'entrée gardée par un dragon géant.

– Voilà le ministère de l'Intérieur, souffla Pakao, en désignant les bâtiments verts.

Quelques policiers en uniforme bleu traînaient au carrefour, mais aucune sentinelle n'était visible. Ils firent le tour du complexe qui comportait une demi-douzaine de bâtiments, éloignés de Dong Palang Road. Ce n'était pas du tout ce que Malko avait imaginé ! Pour détruire ce complexe, il fallait des bombes de B-52, pas une charge explosive de vingt kilos...

– Ensuite ? demanda Pakao.

– Le ministère de la Défense.

– C'est plus haut, au kilomètre 5, après le château d'eau.

Ils revinrent sur la monumentale avenue Lane Xang, passant devant le Patuxan, puis continuèrent dans South Road, qui montait vers le nord... La ville s'était incroyablement étendue. À la dernière visite de Malko, il n'y avait que des rizières à cet endroit-là. Au passage, il aperçut, derrière des grilles dorées, un vieux biplan Antonov 2, quelques camions, un canon anti-aérien, un char T 55 soviétique.

– C'est le musée de la Guerre, annonça Pakao. Voilà le ministère de la Défense, juste après.

Ils longeaient un interminable mur crénelé, coupé par un majestueux portail noir. De petits miradors encastrés dans les murs abritaient des sentinelles. Le bâtiment lui-même se trouvait loin de l'avenue, à près de cent mètres. Quatre étages de style néo-stalinien. Impossible à détruire sans s'en approcher. Il aurait fallu un blindé pour arriver jusqu'au bâtiment. Malko commencait à sentir le découragement l'envahir.

– Vous savez où se trouve la station de télévision ? demanda-t-il.

– Bien sûr. C'est un kilomètre plus loin, au kilomètre 6.

Ils prirent une petite voie transversale. Malko aperçut la réplique miniature d'une tour Eiffel, devant des bâtiments jaunâtres décrépits. Le tout, à quelques mètres de la rue. Au fond de celle-ci, il remarqua un drapeau flottant au-dessus d'un portail fermé.

– Qu'est-ce que c'est ?

– Un camp militaire, dit Pakao, mais on ne voit jamais personne.

Pas encourageant...

– Et la résidence du secrétaire général du Parti ? enchaîna Malko.

– C'est sur Sanke Road.

Le long d'une autoroute montant vers le nord, Malko découvrit une grosse villa, protégée par de hauts murs blancs. Seul repère : un drapeau rouge flottait sur le toit de tuiles bleues. Ici, c'était « traitable » à l'explosif. Or, le secrétaire général était l'homme le plus puissant du Laos.

– Maintenant, je vais vous montrer où j'habite, annonça Pakao.

***

La jeep rouge franchit en trombe une petite entrée, pour stopper dans une cour intérieure, en face d'une vieille maison de bois sur pilotis.

– C'est facile à repérer, dit Pakao. Le bâtiment blanc, en face, c'est l'ancien centre culturel soviétique. Venez prendre un verre avant d'aller dîner !

Malko la suivit, le moral en berne. À part la demeure du secrétaire général du parti et le palais présidentiel, en bas de l'avenue Lane Xang, qui servait uniquement aux réceptions officielles, aucun des objectifs fixés par le général Teng Thao n'était vulnérable par des attaques à l'explosif. Il aurait fallu soit des chars, soit des avions d'attaque au sol. Mais Pakao ne semblait pas s'en soucier. Ils traversèrent une terrasse et entrèrent. C'était une très grande pièce, dans un désordre indescriptible, avec un coin bureau, des coussins partout, des sièges très bas.

Visiblement, Pakao vivait au ras du sol…

L'éclairage était assez glauque. Pakao repoussa un méli-mélo d'ordinateurs, de livres, de cartes, pour s'asseoir sur des coussins. Quelques bouteilles traînaient sur un plateau de teck. La jeune métisse se pencha, révélant un ravissant string rose, et prit une bouteille de gin dont elle remplit un demi-verre à dents, le tendant à Malko.

– Tenez, trinquons à la victoire !

Malko en eut un haut-le-cœur.

– Vous n'avez pas de vodka ?

– Non, mais le gin, avec une rondelle de citron, c'est très bon…

Devant la réticence de Malko, elle vida le tiers du verre d'une seule rasade et s'allongea sur les coussins. Bien habillée, elle aurait été appétissante, avec ses gros seins et sa frimousse sensuelle. Mais la lueur exaltée de ses yeux sombres était inquiétante.

Elle se rapprocha de Malko, presque à quatre pattes, et vint se blottir à ses pieds.

– Je veux venger mon père ! dit-elle à voix basse. Il a beaucoup souffert avant de mourir. Ils l'ont abattu de deux balles dans le dos. Un de ses assassins se trouve au gouvernement maintenant. Il a une Mercedes, une belle villa sur South Road et beaucoup d'argent. Je veux lui planter un pieu dans le cœur !

Comme aux vampires...

Elle se resservit de gin, qu'elle buvait comme de l'eau. Malko voulut poser une question avant qu'il ne soit trop tard.

– La police ne surveille rien, à Vientiane ?

– Si, bien sûr ! Ils écoutent tout ! On ne voit pas les policiers à Vientiane, parce qu'ils pensent ne rien craindre, mais dans chaque village, il y a une milice d'autodéfense communiste. Ce sont les seuls à posséder des armes. Quelquefois, ils dénoncent ceux qui « pensent mal » et on les envoie à la « samana », le goulag laotien, d'où on ne revient pas souvent. J'ai un ami qui est en détention provisoire depuis dix-sept ans.

– Et les écoutes ? demanda Malko, de plus en plus inquiet.

– Ils les pratiquent beaucoup. Mais moi, je suis à l'abri.

– Pourquoi ?

– Ce soir, dit-elle, en se reversant une très grosse larme de gin, nous allons dîner avec l'un de mes amis qui tient le restaurant *Na Dao*. Sa femme est une de mes meilleures amies. Elle fait partie des services d'écoutes. Ce sont les diplomates qu'elle surveille. Elle m'a promis de me prévenir si on m'écoutait...

Brutalement, Malko eut lui aussi envie de gin ! Ou

Pakao était d'une naïveté confondante, ou elle était complètement idiote.

Dans les deux cas, c'était inquiétant. Il se dit que les services laotiens étaient peut-être déjà au courant de sa présence.

CHAPITRE XV

La nuit était tombée et une seule lampe munie d'un abat-jour verdâtre éclairait péniblement le capharnaüm de Pakao. Celle-ci n'avait pas remarqué la réaction de Malko et, après avoir regardé sa montre, elle annonça simplement :

– Nous allons dîner dans une demi-heure. Justement avec mon amie et son mari.

– Elle ne soupçonne pas vos activités en faveur du général Teng Thao ?

– Non ! fit gaiement la métisse. J'ai une excellente couverture, ajouta-t-elle d'un ton mystérieux. Bon, je vais me changer.

Elle s'éloigna vers le lit et commença un strip-tease rapide, sans se soucier de la présence de Malko. Elle revint, vêtue d'un haut non décolleté et d'une très courte jupe évasée en corolle, assortie, et auréolée d'un nuage de parfum.

– Ce n'est pas imprudent que je vienne à ce dîner ? s'inquiéta Malko.

– Non. Je reçois souvent des amis de passage, j'ai beaucoup vécu à l'étranger. Je dirai que vous avez été mon amant…

Dehors, il faisait presque frais. Pakao se mit au volant de la vieille jeep et démarra en trombe. Lorsqu'elle conduisait, sa jupe remontait presque jusqu'à l'aine. Ils prirent l'avenue Lane Xang presque déserte et contournèrent le Patuxan pour se garer de l'autre côté de l'esplanade. L'entrée du *Na Dao* était presque invisible, la salle sombre tapissée de boiseries. Un couple était déjà installé à une table et Pakao fit les présentations.

– Paolo, le propriétaire du restaurant ; Ti Nam, son épouse. Malko, un ami de passage que j'ai connu en Australie…

Paolo avait le style baroudeur empâté et sa femme, une Laotienne longue et sèche, évoquait parfaitement les Services.

– Ici, c'est de la cuisine française ! annonça fièrement Pakao. On mange comme à Paris.

Paolo se rengorgea, modeste.

– Je fais de mon mieux !

On leur apporta du pâté dont l'odeur évoquait plus la fosse sceptique que le foie gras… Le vin aurait fait des trous dans la nappe. Malko expliqua qu'à l'occasion de son séjour, il allait visiter le pays, Louang Prabang, la plaine des Jarres, le Sud.

Ti Nam l'écoutait, muette et figée, le regard dans le vide. La porte s'ouvrit sur un groupe de six hommes, tous des Laotiens, bien habillés et corpulents, sûrs d'eux et bruyants. Apercevant Pakao, l'un d'eux lui adressa un petit signe et elle se leva aussitôt pour un très bref conciliabule. Ensuite, ils se dirigèrent vers le fond de la salle pour s'installer dans le coin le plus sombre.

Paolo, le restaurateur, baissa la voix pour dire :

– C'est Bouasone Bouphavanh, le premier ministre, avec des amis. Ils viennent souvent ici, ils adorent la cuisine française.

Discret, Malko ne demanda pas avec qui Pakao s'était entretenue. C'était quand même inquiétant de voir une complice du général Teng Thao en bons termes avec des apparatchiks du régime communiste.

On apporta la viande, d'énormes steaks provenant d'un animal qui avait dû beaucoup courir avant de se faire attraper : elle était dure comme de la pierre. Pauvres apparatchiks... Ils terminèrent par une crème caramel au goût douteux et, prudent, Malko s'abstint de prendre du café.

Ti Nam n'avait pas prononcé vingt mots de tout le dîner... Pakao semblait pourtant d'excellente humeur.

– Vous venez boire un dernier verre ? proposa-t-elle en remontant dans la jeep.

Malko n'avait guère le loisir de refuser : c'est elle qui conduisait. À peine chez elle, elle refit connaissance avec la bouteille de gin, mit un vieux CD de musique de jazz et se mit à danser devant Malko d'une façon plutôt provocante. S'il y avait eu un peu plus de lumière, il aurait pu lire en lettres de feu sur son front : « Baisez-moi ».

Visiblement, la jeune métisse souffrait de solitude. À chaque seconde, Malko s'attendait à ce qu'elle lui tombe dans les bras. Mais elle s'arrêta net de danser et soupira.

– Je vais vous raccompagner. Je suis fatiguée.

Cela tombait bien. Malko voulait absolument communiquer avec Gordon Backfield pour lui donner ses premières impressions, qui n'étaient pas fameuses.

Au moment où il se levait, elle vint soudain se coller à lui, debout sur la pointe des pieds, écrasant ses seins contre son torse, les mains nouées sur sa nuque.

– Vous ne m'en voulez pas ? On se verra un autre jour, avant votre départ.

– J'espère bien ! dit Malko, étonné de cette alternance de chaud et de froid.

Les rues de Vientiane étaient désertes et toutes les échoppes, en face du *Settah Palace*, fermées.

– À demain ! promit Pakao. Je vous rappelle sur votre portable. Je vais me libérer pour la soirée.

Après avoir fermé la porte de sa chambre à clef, Malko composa le numéro du chef de station de Bangkok sur son Thuraya crypté. Ainsi, il pouvait parler librement. La voix endormie de Gordon Backfield répondit à la troisième sonnerie. Malko attendit que l'Américain soit bien réveillé pour lancer :

– Ma première impression est désastreuse !

Gordon Backfield fut instantanément réveillé.

– Que voulez-vous dire ?

– Les objectifs de notre ami ne sont pas réalisables... Il n'a pas mis les pieds à Vientiane depuis trente ans et les choses ont changé.

– Il a bien reçu les armes...

– Bien sûr ! Mais ce n'est pas le problème ! Il est entouré de gens imprudents. Si cette affaire n'est pas éventée par les Services laotiens, je suis le pape...

– Que conseillez-vous ?

– *Abort*[1].

L'Américain semblait très ennuyé.

– La décision ne dépend pas de moi, argumenta-t-il.

– Je sais, dit Malko. Je me propose de repasser le fleuve dès demain et d'aller dire au général ce que j'en pense. J'espère pouvoir lui faire changer d'avis. Inutile de s'associer à une catastrophe...

– Attendez ! protesta l'Américain, qui semblait complètement affolé. Je dois contacter Langley. Je vous rappelle d'ici une heure.

À Washington, il était onze heures du matin. Malko dormait déjà lorsque Gordon Backfield rappela.

1. Annulez.

– L'Agence désire que vous ne découragiez pas le général, annonça le chef de station, mais que vous fassiez un rapport complet à notre COS [1] de Vientiane.

– Je ne vais quand même pas aller à l'ambassade ! s'exclama Malko, horrifié.

– Non, bien sûr. Vous avez de quoi écrire ?

– Oui.

– O.K. Demain, c'est samedi. Vous allez déjeuner au *Ban Sufa Garden*, près de Vientiane. C'est un *resort* tenu par un couple de Français. Vous prenez la route n° 13 vers le sud, ensuite, vous tournez au kilomètre 8, à gauche, en direction de l'université de Dong Dok. Après l'université, vous tournez encore à droite vers Ban Nathom. C'est à trois kilomètres sur la gauche. Vous dites au patron que vous venez voir Tim, qui passe le week-end au bungalow n° 3. C'est notre COS. Vous lui raconterez tout ce que vous avez appris et nous aviserons.

Malko eut du mal à se rendormir. Il avait l'impression que la CIA ne mesurait pas le degré d'impréparation du général Teng Thao. Il éprouvait de la sympatie pour le vieux guerrier méo et voulait l'empêcher de finir bêtement, son rêve brisé, au minimum. Le Laotien avait planifié une invasion à des milliers de kilomètres du théâtre d'opérations, un peu comme les généraux américains faisaient la guerre en Irak, avec les résultats que l'on connaissait…

En plus, son entourage semblait coupé des réalités.

La Ford Fiesta fournie par Vientiane Car Rental avait dû avoir une vie difficile. Les pneus étaient lisses comme des joues de bébé, le freinage extrêmement

1. Chief of station.

approximatif et la suspension inexistante. D'ailleurs, le loueur n'avait même pas demandé son permis à Malko, avant de lui confier ce bijou... Il avait eu le choix entre cette épave et un 4×4 Toyota qui semblait avoir connu plusieurs guerres.

Il regarda sa montre. Avant de filer à son rendez-vous, il devait passer voir Pakao. Il l'avait appelée, tombant sur son répondeur. Grâce au point de repère qu'elle lui avait donné et à son plan de Vientiane, il retrouva facilement l'étroite entrée.

La jeep rouge était garée devant la vieille maison de bois. Malko gagna la terrasse et tambourina à la porte. En vain. Après plusieurs tentatives, il abandonna, laissant un mot sur la porte, promettant de repasser en fin de journée. Il devait savoir comment se passait la suite des opérations.

Avec la quantité de gin que la jeune femme avait avalée, elle allait dormir jusqu'à midi...

Conduisant avec une grande prudence, compte tenu de l'état de la voiture, il s'engagea dans l'avenue Lane Xang. La route n° 13, appelée aussi South Road, était son prolongement. Il repassa devant le ministère de la Défense et continua. Aucun panneau. Il dut s'arrêter à une station-service où on lui montra l'embranchement pour Dong Dok. On était déjà en pleine campagne. La suite du trajet fut facile. Il déboucha, une demi-heure plus tard, dans un bois clairsemé, entouré de rizières à sec où s'ébattaient des chevaux. Une piscine, des bungalows et un bar étaient éparpillés au milieu des arbres. Une femme vint à sa rencontre.

– Je cherche Tim, demanda Malko en anglais.

– Le bungalow là-bas, à gauche de la piscine. Vous déjeunez ici ?

– Je suppose.

Chaque petit bungalow se composait d'une terrasse, d'une grande chambre et d'une salle de bains.

Un homme lisait un livre sur la terrasse du bungalow n° 3. Le crâne dégarni, en T-shirt, en compagnie d'une grosse blonde vautrée dans un hamac derrière lui. Malko s'approcha.

– Tim ?

– *Yeah.*

– Gordon m'a dit de vous contacter.

Aussitôt, l'agent de la CIA posa son livre et serra vigoureusement la main de Malko.

– *Welcome ! Welcome !* Je m'appelle Tim Burton. Vous avez trouvé facilement ?

– Oui.

– C'est sympa, ici. Je viens tous les week-ends. À Vientiane, à part pêcher le serpent d'eau dans le Mékong, il n'y a rien à faire. Au moins, ici, il y a des chevaux. Alors, quelle est votre impression ?

– De Vientiane ?

– Oui, d'abord.

– Je ne reconnais pas grand-chose. C'était un village, c'est une ville, désormais.

– Oh, une ville, c'est un grand mot ! protesta l'Américain. Disons qu'il y a quelques buildings, des routes et des voitures. Les apparatchiks communistes adorent les Mercedes et quelques Laotiens gagnent beaucoup d'argent. Il y a tous les trafics ici. Il paraît que vous êtes réservé sur les projets de notre « protégé »...

Malko leva les yeux au ciel.

– Pas réservé. Catastrophé. Il va au massacre.

Le chef de station de la CIA à Vientiane sembla choqué.

– Pourquoi dites-vous cela ?

Malko lui expliqua tout, en vrac. Les objectifs hors de portée des explosifs prévus par le général Teng Thao, la fiabilité douteuse de ses alliés, en contact avec des membres des Services de sécurité, la taille de la ville.

– Et encore, conclut-il, je n'ai pas rencontré les hommes chargés de prendre Vientiane. Je crains le pire.

– Les Méos sont de bons combattants, assura l'Américain. Avec des armes modernes, ils sont redoutables. Surtout face à des Laotiens pas très motivés.

Malko se pencha en avant.

– Mais enfin, ce régime n'est pas sans défense ! Ils ont un système répressif, des organes de sécurité, une armée. Même si on ne voit personne…

– C'est vrai, reconnut Tim Burton, mais ils se sont endormis sur leurs lauriers. Ils se croient invulnérables. Leur seule crainte, ce sont les Méos. Chaque fois que je rencontre des officiels, ils me parlent des maquis résiduels qui continuent à se battre depuis plus d'un quart de siècle. C'est leur obsession.

– Et ils ne peuvent pas les réduire ?

– Il faudrait aller dans la jungle, le terrain de prédilection des Méos. Ils n'osent pas. Ils les ont bombardés, napalmisés, gazés, mais ils n'osent pas y aller à pied.

– Vous croyez à la théorie du général Teng Thao ? Qu'il suffit de prendre Vientiane pour que tout le pays bascule ?

– C'est très possible, dit prudemment l'Américain. Tout s'est toujours passé ici. Il n'y a pas d'autre véritable ville dans le pays. Phonsavan ou Luang Prabang sont des bourgs. Le pouvoir est ici.

– Il y a bien des unités militaires avec un armement lourd ?

– Certes, mais sans instructions, ils ne bougeront pas plus que les troupes d'élite du Shah d'Iran en 1979. Personne n'a envie de mourir pour ce régime…

Il se tut, regardant les poneys qui s'ébattaient dans la rizière à sec.

– Donc, conclut Malko, il faut laisser le général Teng Thao mener à bien son projet ?

– Je pense que oui.

Le silence se prolongea. Puis Tim Burton ajouta vivement :

– Si vous craignez pour votre personne physique, je peux vous garantir que l'on veillera sur vous. En cas de malheur, je vais vous laisser un numéro qui répond vingt-quatre heures sur vingt-quatre. Je viendrai moi-même vous chercher, où que vous soyez...

– Merci, dit Malko, tandis que l'Américain griffonnait un numéro sur une carte.

Visiblement, la CIA soutenait le général Teng Thao sans prendre beaucoup de risques. Le chef de station ajouta :

– Une envoyée du State Department est venue ici, il y a quarante-huit heures, après être passée à Bangkok, et les autorités locales ont été très chaleureuses avec elle.

– Alors, pourquoi voulez-vous changer un régime qui vous est favorable ? s'étonna Malko.

L'Américain hocha la tête.

– Il ne nous est pas vraiment favorable. Ils nous craignent. Un régime établi par le général Teng Thao, qui a longtemps combattu à nos côtés, serait évidemment plus sûr. C'est pour cela que nous approuvons sa démarche...

– Bien ! conclut Malko. Allons déjeuner.

La grosse chose dans le hamac s'était endormie. Tout le paysage respirait la paix.

Résigné, Malko lança à son interlocuteur :

– Dites à Gordon Backfield que je reste, même si je suis sceptique sur ce coup d'État.

– Il y a encore des centaines de Méos prêts à combattre, qui vont enfin sortir de leurs forêts, assura Tim Burton. Quand on pense qu'ils ont tenu tête pendant des années à la 316e division nord-vietnamienne, une unité d'élite, avec de l'armement lourd…

– Ce ne sont pas les mêmes, corrigea gentiment Malko. Ceux-là sont leurs fils. Espérons qu'ils ont hérité du feu sacré.

Tandis qu'ils gagnaient la salle à manger en plein air, Malko demanda :

– Vous connaissez une certaine Pakao, qui conduit une jeep rouge ?

– Oui, bien sûr. C'est la fille d'un ancien de chez nous. Elle est dans le coup ?

– Oui, confirma Malko, sans s'étendre.

Il enchaîna :

– Je dînais avec elle, hier soir. Elle a échangé quelques mots avec un apparatchik laotien. Un type mince, au visage creusé.

– C'est Som Savath Lang, dit immédiatement Tim Burton. Son amant.

– Que fait-il ?

– C'est un des vice-ministres du gouvernement. Il est très amoureux d'elle. Leur liaison est connue. Je sais qu'on lui a reproché, au comité central, cette liaison avec la fille d'un agent de la CIA, mais il a continué. Son père était un combattant « historique » du Pathet Lao, alors, il est intouchable.

Du coup, Malko avait les réponses à deux questions qu'il s'était posées : d'abord, l'allusion de Pakao à sa « couverture », ensuite l'attitude bizarre de la jeune métisse qui, tout en l'allumant, l'avait mis dehors. Lors de leur rencontre au restaurant, son amant avait dû lui donner rendez-vous plus tard dans la soirée…

– Bien, conclut Malko, je vais donc faire parvenir mes remarques au général. Je voulais que l'Agence soit aussi au courant.

Tim Burton eut un sourire en coin.

– Bien sûr, c'est un *long shot*. Mais nous ne risquons pas grand-chose.

Effectivement, avec les dollars du général Teng Thao, la CIA était gagnante de toute façon. Malko éprouvait quand même une sensation bizarre. Tout le monde, même les professionnels, semblait « acheter » l'histoire du général méo. Bien sûr, les armes et la volonté étaient là, mais est-ce que cela suffisait ? Il n'arrivait pas à croire qu'un régime communiste se laisse abattre sans combattre.

Même après trente ans de tranquillité.

***

En rentrant à Vientiane, Malko avait voulu faire un détour par Watthay, l'aéroport civil et militaire de Vientiane. C'était facile, la route suivait la clôture. À côté de trois Antonov-2, d'antiques biplans qui ne revoleraient jamais, d'un MIG-21 qui penchait sur le côté, il y avait deux hélicoptères d'assaut MI-8, qui eux semblaient en état de marche. Il se promit de communiquer cette information au général Teng Thao. Avec quelques grenades ou un RPG 7, ils seraient facilement détruits. Étrangement, ils ne semblaient pas protégés...

Lorsqu'il regagna le centre, il faisait presque nuit. À la recherche de ses souvenirs, il décida d'aller faire un tour à l'hôtel *Lane Xang* et se gara dans le parking, en face, pour 3 000 kips. C'était sinistre ! Un orchestre sur une petite estrade, à côté du bar, dévidait une musique larmoyante. Il n'y avait que des apparatchiks maussades. Un caravansérail stalinien. Il ressortit rapidement et réalisa que Pakao n'avait pas rappelé. Il essaya encore son numéro, sans succès, et décida de passer chez elle.

La jeep rouge n'avait pas bougé. La jeune femme

devait encore cuver son gin ! Il monta sur la terrasse et aperçut le mot qu'il avait laissé, intact.

Bizarre.

Après avoir frappé et appelé, il essaya d'ouvrir la porte et le battant s'écarta en grinçant. L'intérieur était plongé dans la pénombre. Il appela encore une fois et n'eut pour réponse qu'un miaulement. Un chat roux famélique lui fila entre les jambes comme s'il avait été le diable.

Soudain, ses narines enregistrèrent une odeur inattendue. Une odeur qu'il connaissait bien. Le pouls brusquement accéléré, il chercha le commutateur à tâtons et finit par allumer la lampe verte. D'abord, il ne vit rien de spécial. Se dirigeant vers le lit, il aperçut une forme sous la moustiquaire.

– Pakao !

Pas de réponse.

Il écarta la moustiquaire et distingua une forme sur le lit. Pakao était nue, à l'exception de son soutien-gorge. Il lui toucha l'épaule et en eut la chair de poule. En dépit de la chaleur lourde, elle était glacée !

Il retourna la jeune femme sur le côté et aperçut immédiatement le trait sombre qui coupait sa gorge d'une oreille à l'autre.

L'amie du général Teng Thao avait été égorgée ! Depuis plusieurs heures. Il essaya de lui bouger le bras, sans y parvenir. Lorsqu'il était passé le matin, elle devait être déjà morte. Le fait qu'elle n'ait plus que son soutien-gorge semblait indiquer qu'elle avait reçu son amant et fait l'amour avant d'être égorgée.

Malko entendit un bruit derrière lui et se retourna d'un bloc. Ce n'était que le chat qui venait se frotter contre ses jambes. Le cerveau en ébullition, il battit en retraite, sans rien toucher, puis ressortit, referma la porte et enleva le mot qu'il avait laissé. Ce n'est qu'au volant de sa voiture qu'il se remit à penser.

Qui avait tué Pakao, et surtout, pourquoi ?

Le premier suspect était évidemment son amant laotien. Celui qui l'avait probablement rejointe.

Lorsqu'il eut regagné le *Settah Palace*, il appela immédiatement Gordon Backfield. L'Américain marqua le coup, lorsque Malko lui apprit la mort de Pakao.

– Ce ne peut pas être une coïncidence, conclut-il. Juste le jour de mon arrivée ! Je suis presque sûr qu'elle avait rendez-vous avec ce membre du gouvernement laotien.

– Son amant, dites-vous.

– Certes, mais pourquoi l'aurait-il tuée ? Cette affaire sent de plus en plus la merde...

– Je vais me renseigner auprès de Tim, promit Gordon Backfield. Ne prenez aucune décision hâtive.

Visiblement, il en fallait plus que le meurtre de Pakao pour refroidir les Américains. Malko se demanda à nouveau pourquoi la CIA, d'habitude si prudente, se lançait à corps perdu dans ce combat douteux.

CHAPITRE XVI

Deux Mercedes noires s'arrêtèrent à sept heures du matin en face d'une luxueuse résidence de Phong Tieng Road, juste en face d'un énorme château d'eau qui servait de point de repère aux visiteurs du vice-ministre Som Savath Lang. Plusieurs hommes en civil en émergèrent. L'un d'eux carillonna à la porte, jusqu'à ce qu'une employée de maison finisse par ouvrir. Ils échangèrent quelques mots avec elle et trois des hommes pénétrèrent dans la villa. Le vice-ministre apparut en haut de l'escalier, mal réveillé, pieds nus, un pagne noué autour de la ceinture.

– Camarade Som Savath Lang ? demanda un des hommes.

Comme s'il ne le connaissait pas !

– Qu'est-ce que vous voulez ? demanda le vice-ministre.

– Nous avons ordre de vous emmener au ministère de l'Intérieur, annoncèrent-ils.

L'apparatchik ne broncha pas.

– Pourquoi ?

– Ce sont les ordres.

Som Savath Lang, furieux, fit mine de faire demi-tour. Aussitôt, deux des policiers de la Sécurité bondirent sur les marches, le ceinturèrent et, finalement, lui passèrent les menottes.

– Laissez-moi téléphoner à mon oncle ! glapit-il, je vais vous faire punir sévèrement.

On ne lui répondit même pas. Un troisième homme lui enfila de force une cagoule sur la tête, serrée autour du cou par un cordon. À demi étranglé, aveugle, il fut poussé dehors, pieds nus, trébuchant sur le gravier de son jardin. Un des policiers se tourna vers l'employée de maison.

– Il est parti en voyage d'affaires, lança-t-il.

Terrifiée, elle se dit qu'elle regagnerait son village le jour même…

Les deux voitures démarrèrent en même temps, redescendirent vers la ville et s'engouffrèrent sans ralentir dans la cour du ministère de l'Intérieur. Il était sept heures vingt lorsqu'on retira sa cagoule au vice-ministre encore étourdi. En face de lui, se trouvait un général en uniforme, le visage sévère, tenant un écritoire portable où était fixée une feuille de papier. Il le lui tendit.

– Camarade, je te demande de signer cette confession afin de simplifier les choses.

Som Savath Lang lut rapidement le formulaire et sursauta.

C'était une confession toute préparée où il s'accusait d'avoir gravement trahi le Parti en collaborant avec des éléments contre-révolutionnaires. Il acceptait la condamnation à deux ans de camp de travail prononcée par le tribunal révolutionnaire.

Effondré, il protesta.

– Je veux parler à mon oncle.

Un homme, demeuré silencieux jusque-là, s'avança à côté du général et dit sèchement :

– Camarade, vous avez beaucoup de chance. Sans votre famille, vous auriez été condamné à une peine beaucoup plus sévère. Signez.

Som Savath Lang reconnut Nguyen Van Lo, un des

conseillers vietnamiens du gouvernement, qui faisait la pluie et le beau temps à Vientiane. Le « grand frère » qui avait aidé à gagner la guerre contre les Américains, trente ans plus tôt, exerçait toujours une influence prépondérante. Som Savath Lang comprit alors qu'il n'avait plus de recours. Toutefois, avant de signer, il osa demander :

– Où vais-je être envoyé ?

– Au camp de rééducation n° 7, annonça d'une voix neutre le général. Vous y purgerez votre peine.

La main tremblante, Som Savath Lang signa. Au camp n° 7, près de Sam Neua, dans la province de Hua Phan, il était interdit de lire et d'écrire et il n'y avait pas de soins médicaux pour les prisonniers.

***

Extasié, le général Teng Thao regardait deux de ses hommes assembler une mitrailleuse M 60, la version moderne de l'ancienne calibre 30 qu'il avait tellement utilisée dans ses combats. Il était en train de préparer le prochain chargement pour Vientiane. Le camion arriverait à l'aube, le lendemain, et serait déchargé dans un hangar appartenant à une usine de confection, Sok Lao… Le responsable des achats de tissu était un Philippin corrompu jusqu'à l'os, recruté par Phu Tat. C'est lui qui réceptionnait les tissus, plusieurs fois par semaine, et faisait le tri, dissimulant ensuite les caisses d'armes au fond du hangar. Tous les ouvriers de l'usine savaient qu'il existait un trafic, mais ignoraient de quoi il s'agissait. Personne n'aurait pensé à des armes. Plutôt des télés ou des ordinateurs.

La mitrailleuse M 60 vérifiée, le général retourna dans le bureau que lui avait aménagé Gomer Brentwood. Fermé à clef en permanance. Il y fut rejoint par l'ancien « Forward Air Controller ».

– Ça avance ? demanda ce dernier.

Teng Thao était déjà penché sur une grande carte du Laos, couverte de signes cabalistiques.

– Oui, dit-il, demain ou après-demain, je ferai partir le premier chargement à destination de Vong Vianey. (Il désigna un cercle sur une carte.) Le camion arrivera ici avec six tonnes d'armement. Mes hommes, qui se trouvent dans la région de Luang Prabang, sont en train de faire mouvement vers cette zone. Ensuite, les autres chargements seront livrés par avion directement sur l'aéroport de Phonsavan.

– Où sont vos hommes ?

– À l'ouest de Phonsavan.

– Je connais, dit l'Américain. C'est à côté du site n° 1 de la plaine des Jarres. Un terrain découvert. Dangereux.

– Ils ne resteront pas longtemps désarmés, assura le général. Quelques heures au plus. Le second camion, parti de Vientiane, leur est destiné.

– Vous êtes sûr que personne ne se doute de rien ?

– Mes sources me disent que tout est calme, assura le général. Une fois équipés, mes hommes s'empareront de l'aéroport de Phonsavan, de la caserne de la milice et établiront leur QG à l'hôtel *Vasana* qui se trouve sur une colline. Un autre groupe venu de la Nam Ngo arrivera par le nord-est et rejoindra l'aéroport.

– Et les armes ?

– Elles arriveront de Vientiane. Entre-temps, nous nous serons emparés de l'aéroport de Watthay et d'un ou deux MS-60 d'Air Lao. Nous les utiliserons pour acheminer les armes dans la plaine des Jarres. Le gros de mes troupes se trouve là-bas.

Il désigna des cercles de différentes couleurs, tout autour de Phonsavan, et conclut :

– En tout, ils seront plus de deux mille combattants,

venus des quatre zones encore tenues par nos maquisards.

– Et Vientiane ?

– Phu Tat va me donner le rapport de notre ami autrichien. Je l'ai chargé d'une reconnaissance d'objectifs pour les points à détruire en priorité. Tout devra être fait en deux heures.

– Pas de réactions à prévoir ?

– Si, mais nous bénéficierons de la surprise.

– Et les hélicos ?

– Nous disposons de deux Stingers, plus trois mitrailleuses lourdes de 12,7 mm.

– Pourquoi ne pas les détruire sur l'aéroport ? suggéra Gomer Brentwood.

– Nous en aurons besoin plus tard, au cas où les Vietnamiens essaieraient d'intervenir. Il nous faudra un soutien aérien pour les stopper. Je ne veux pas détruire mon pays, mais le libérer...

– Combien de temps pour tout cela ?

– Tout doit être bouclé en trois jours, affirma le général Teng Thao. Mais le principal, c'est Vientiane. Là, cela se comptera en heures. Je dois m'emparer de la télévision et diffuser une émission en direct annonçant la chute de la ville. Ensuite, on réduira les îlots de résistance, s'il en reste. Mais je crois que tous les apparatchiks chercheront plutôt à traverser le fleuve pour se réfugier en Thaïlande.

– Que Dieu vous entende ! soupira l'Américain. Je viendrais bien avec vous !

– Vous nous aidez déjà assez ! Vous nous accompagnerez en voiture jusqu'à Na Pha, pour y retrouver l'ami de Phu Tat qui va nous faire traverser le Mékong sur son bateau.

Le général Teng Thao avait prévu de se cacher dans l'usine Sok Lao, afin d'y retrouver les partisans infiltrés dans la ville et de les armer avant de les lancer à l'assaut de Vientiane.

Yi Li pénétra dans la pièce, enveloppée dans un sarong et annonça :

– Je vais à la piscine !

Gomer Brentwood suivit sa silhouette des yeux. Il y avait longtemps qu'il n'avait pas croisé une femme aussi sexy.

*
* *

Malko n'avait pratiquement pas fermé l'œil de la nuit. Le meurtre de Pakao le perturbait profondément. Il hésitait à rappeler Gordon Backfield lorsque son portable sécurisé sonna. C'était justement le chef de station de Bangkok.

– J'ai de bonnes nouvelles pour vous ! annonça ce dernier. Tim a l'explication de ce qui s'est passé. Il vous attendra au Talat Sao, le marché du dimanche sur Lane Xang, au second niveau, vers onze heures

Avant d'aller au marché, Malko avait un problème à résoudre : Pakao était son lien avec le reste de l'infrastructure du général Teng Thao à Vientiane. Comment renouer ? Heureusement, Phu Tat lui avait laissé sa carte professionnelle. Il appela le bureau, tomba sur un répondeur et laissa un message, disant qu'il avait envie d'aller dans la plaine des Jarres. Ensuite, il rejoignit l'avenue Lane Xang. Le Talat Sao était un énorme bâtiment moderne de cinq étages, avec un parking sur le toit. Il comprit vite pourquoi Tim Burton lui avait donné rendez-vous là. Il y avait une foule compacte. Laotiens et étrangers traînaient le long de dizaines de boutiques qui vendaient de tout, des casseroles aux bijoux...

Il repéra l'Américain de la CIA au second niveau, devant une boutique d'électronique. Tim Burton était accompagné de sa femme et de son fils. Après un bref «*eye-contact*», ils se retrouvèrent devant les chaînes en or d'une bijouterie.

– L'amant de Pakao, Som Savath, a été arrêté ce matin, annonça le chef de station de la CIA. Il a avoué avoir assassiné Pakao au cours d'une crise de jalousie. Elle voulait le quitter.

– Comment savez-vous cela ?

– Les écoutes, et une source humaine.

Malko était étonné. Comment les choses avaient-elles pu aller si vite ?

– Il est allé se constituer prisonnier ?

– Non. Il était surveillé par la Sécurité, qui voyait d'un mauvais œil un dirigeant haut placé entretenir des relations avec une étrangère liée à la CIA. Ceux qui le suivaient ont entendu des cris chez Pakao et sont intervenus, mais trop tard...

– C'est public ? Les médias en parlent ?

Tim Burton eut un sourire désarmant.

– Ici, il n'y a qu'un seul journal en anglais, étroitement contrôlé par le gouvernement, comme la télé. Vous pensez bien que personne ne va en parler. Il sera jugé en secret et personne ne saura ce qu'il est devenu... Voilà, je voulais vous rassurer. C'est une fâcheuse coïncidence. *Adios !*

Il s'éloignait déjà, laissant Malko perplexe. Il n'aimait pas les coïncidences, mais ce que lui avait appris l'Américain était invérifiable. Il continua à errer entre les boutiques, puis regagna sa voiture. C'est aujourd'hui qu'il devait transmettre au général Teng Thao ses remarques sur les objectifs à Vientiane. Donc, de toute façon, Phu Tat le contacterait.

Il se mit à souhaiter de tout cœur que le général renonce à son projet. En plus des éléments dérangeants, il sentait autour de cette aventure une atmosphère délétère.

Comment éclaircir les circonstances de la mort de Pakao ? Il ne savait rien d'elle. Il pensa à son ami le restaurateur, Paolo. Peut-être aurait-il une idée... Il retrouva la carte du *Na Dao* et appela. On lui dit qu'il se trouvait dans son autre restaurant, l'*Opéra*, place Nam Pou, là où se trouvaient de nombreux restaurants, à deux pas du *Settah Palace*. Il redescendit vers la place Nam Pou. L'*Opéra* était ouvert. Vide. Le corpulent Italien surgit aussitôt et l'accueillit chaleureusement.

– Vous avez faim ? J'ai des pâtes fraîches.

– Vous savez que Pakao a été assassinée ? attaqua Malko.

L'Italien arbora aussitôt une expression contrite.

– Oui. On vient de m'apprendre ça. Radio trottoir. Il paraît qu'elle a été tuée par un voleur. Tout le monde savait qu'elle vivait seule.

– Il y a beaucoup de crimes crapuleux, à Vientiane ?

L'Italien secoua la tête.

– Non, très peu. Les Laotiens sont des gentils.

– Un meurtre similaire s'est déjà produit ?

– Non, reconnut le restaurateur, après quelques secondes de réflexion. Mais je ne vois pas ce qui aurait pu arriver d'autre.

– On m'a dit qu'elle avait été assassinée par son amant, Som Savath, qu'elle voulait quitter...

Paolo sembla abasourdi.

– C'est impossible ! Elle avait absolument besoin de lui pour sa protection ! N'oubliez pas que son père était un ennemi déclaré des Pathet Lao. En plus, elle n'avait pas d'autre mec, sauf une aventure de temps en temps. Elle aimait bien se faire baiser, mais Som Savath était le « régulier ». On vous a raconté n'importe quoi.

– Vous le connaissez ?

– Il vient souvent ici ou au *Na Dao*. O.K., vous les voulez, ces pâtes ?

– Ce soir, esquiva Malko.

En sortant de l'*Opéra*, il avait encore moins envie de déjeuner. Confusément, il sentait que la mort de Pakao était liée à son affaire, sans savoir comment. Ce qui était inquiétant. Si le général Teng Thao ne renonçait pas à reconquérir le Laos, il s'embarquait dans une dangereuse galère. Évidemment, c'était facile de regagner la Thaïlande, mais il n'avait pas une âme de déserteur.

***

Edgar Mac Bride était arrivé tôt à son bureau, devant expédier un certain nombre de mails cryptés liés à l'opération « Pop-corn ». Celle-ci, après quelques à-coups, se déroulait selon les plans. Encore une semaine et cela serait plié. Il commença par expédier un message chaleureux à Gordon Backfield. Le chef de station de Bangkok coopérait remarquablement.

Ensuite, il en expédia un à la Maison Blanche, *for your eyes only*, directement au Président... Au moins, dans l'océan de problèmes de George W. Bush, cela ferait un petit rayon de soleil.

Les Thaïs aussi avaient remarquablement joué le jeu Mais eux avaient des raisons particulières. Ils n'en pouvaient plus des réfugiés méos et voulaient avoir ce problème derrière eux.

Il prépara le *daily brief* du jour et gagna ensuite la cafétéria.

***

Gomer Brentwood venait de s'allonger sous une moustiquaire pour sa sieste quotidienne, une habitude sacrée, lorsqu'il sursauta. La porte de sa chambre s'ouvrait en grinçant légèrement. Il se redressa en voyant

Yi Li pénétrer dans la chambre, un sarong enroulé sur son deux pièces.

– Vous avez besoin de quelque chose ? demanda-t-il.

Yi Li eut un sourire ambigu.

– Oui.

Elle s'approcha et s'immobilisa à côté du lit. Gomer Brentwood, troublé, sentit son pouls s'accélérer. Yi Li avait passé sa main derrière son dos et faisait sauter l'agrafe de son soutien-gorge. D'un geste léger des épaules, elle le fit glisser, découvrant sa poitrine. Gomer Brentwood en eut le souffle coupé. Il poussa une exclamation étranglée.

– Hé, qu'est-ce qui vous prend ? Si...

– Le général est parti à Udon Thani, dit suavement Yi Li. Nous avons au moins deux heures. Depuis que je vous ai vu, j'ai envie !

Tranquillement, elle vint s'allonger sur lui. Sa peau était encore imprégnée de la chaleur du soleil et Gomer Brentwood eut l'impression qu'on lui appliquait un cataplasme parfumé et tiède.

Pourtant, il tenta de la repousser, mais elle avait passé ses mains sous sa nuque et s'était mise à onduler sur lui, une sorte de « body massage » sensuel, son regard plongé dans le sien, avec une sorte de sourire mécanique. Gomer Brentwood sentit son sexe se déployer avec la rapidité d'une explosion nucléaire. En même temps, il se sentait horriblement coupable. Le général Teng Thao était un des hommes qu'il respectait le plus au monde.

– Arrêtez ! fit-il d'une voix étranglée.

Yi Li était en train de glisser le long de son corps. Elle se mit à picorer ses seins, avec une langue aiguë et des lèvres très douces. Gomer Brentwood ne savait plus où il était. Yi Li descendit encore et, avec un sourire qui retroussait sa grosse bouche, souleva le caleçon de l'Américain, découvrant le membre gorgé de sang qui se dressa comme un mât.

Aussitôt happé par Yi Li, qui en avala le tiers. Sans cesser sa fellation, elle ôta son slip de bain avec une dextérité de prestidigitateur. Gomer Brentwood râlait, les deux mains appuyant sur sa tête. C'était trop bon ! Trop inattendu ! Les petites Thaïes étaient bien incapables de lui faire ça. Il poussa un gémissement frustré. Yi Li venait de l'abandonner. Il ne resta pas longtemps à l'air libre. Remontant le long de son corps, la Méo se souleva légèrement, saisit son membre à la racine, le dressa à la verticale et se l'enfonça dans le ventre, jusqu'à la garde, en se laissant tomber sur l'Américain.

Gomer Brentwood poussa un cri étranglé, puis, avant même que Yi Li ait commencé à bouger, explosa comme un volcan. La jeune femme continua à bouger doucement, puis s'allongea sur lui et, bouche à bouche, murmura :

– J'aimerais bien rester ici, avec toi, après ! Je n'aime pas l'Amérique.

Malko rentrait au *Settah Palace* lorsqu'un boy courut après lui et lui tendit une enveloppe soigneusement calligraphiée à son nom. Il l'ouvrit, étonné : personne ne savait qu'il était là. Elle contenait une invitation en lettres dorées sur fond rouge de dragons, à un cocktail au vingtième étage de l'hôtel *Don Chan Palace*, à 18 heures. À la main, on avait ajouté une mention : Soyez exact.

Qu'est-ce que cela signifiait ? Il allait déchirer l'invitation lorsqu'il se dit que ce n'était pas un hasard. Il devait aller « voir », comme on dit au poker.

Décidément, Vientiane recelait beaucoup de surprises.

Au moment où il se préparait à remonter dans sa chambre, il aperçut le minibus de Phu Tat qui s'arrêtait sous l'auvent de l'hôtel. Le Méo avait donc eu son message et il allait peut-être savoir la vérité sur la mort de Pakao.

CHAPITRE XVII

À la vue de Malko, le visage de Phu Tat s'éclaira fugitivement, mais son regard demeura sombre. À haute voix, il annonça :

– Je viens vous chercher pour la visite des monuments.

Tandis qu'ils gagnaient le minibus, Malko demanda rapidement :

– Vous savez ce qui s'est passé avec Pakao ?

– On en parle tout à l'heure, répondit à voix basse le Méo.

Une demi-douzaine de touristes attendaient déjà dans le véhicule. En avant pour le Patuxan, le Vat Si Muang, le Haw Pha Kaew et le Tat Dam…

Malko prit son mal en patience pendant les deux heures de visite. Ensuite, la culture reflua tandis que Phu Tat déposait ses clients à leurs hôtels respectifs. Le dernier au *Lao Plaza Hôtel*, juste en face de leur dernière visite, le musée d'Histoire nationale lao.

Malko put enfin poser la question qui lui brûlait les lèvres.

– Vous saviez, pour Pakao ?

– Oui. Elle ne répondait pas au téléphone, j'ai été voir, il y avait déjà la police. Quelqu'un l'avait prévenue.

– Qui l'a tuée ?

Phu That secoua la tête nerveusement.

– Je ne sais pas ! avoua-t-il. Et il ne faut plus y penser. C'est probablement une affaire personnelle. Nous devons continuer à exécuter les ordres du général. Vous avez les papiers pour lui, sur les objectifs d'ici ? Avec vos conseils ?

– Oui, dit Malko, sortant une enveloppe de sa poche et la lui tendant. Maintenant, qu'est-ce que je fais ?

Phu That avait redémarré et ils débouchèrent dans l'avenue Samsenthaï. Le Méo tourna à droite, en direction de l'aéroport.

– Où allons-nous ? interrogea Malko.

– Là où se trouve l'armement déjà arrivé à Vientiane, expliqua Phu Tat. Vous allez partir dès ce soir pour Phonsavan. Je vous ai apporté les ordres du général à l'intention de ses commandants que vous rencontrerez là-bas.

Il sortit de son blouson une enveloppe marron enveloppée dans une pochette de plastique.

– Mais le meurtre de Pakao, insista Malko, ce n'est pas inquiétant ?

Phu Tat eut un petit rire sec.

– Si, si, mais elle ne savait pas grand-chose. Il faut continuer. Vous devez partir ce soir. Tout est programmé.

– Comment ?

– Avec votre voiture.

L'idée de parcourir quatre cents kilomètres avec son épave aux pneus lisses glaça Malko, mais Phu Tat semblait inflexible. Ils passèrent devant le vieux *Novotel*, dont les quatre étages grisâtres respiraient la tristesse. Ils étaient déjà à plus de dix kilomètres du centre. Cinq cents mètres plus loin, le Méo ralentit pour s'engager dans un chemin de traverse en terre. Ils longèrent un mur jusqu'à une grille donnant sur une cour entourée de hangars. Ils s'arrêtèrent et descendirent de voiture.

Malko suivit Phu Tat qui se dirigea vers un hangar, tout au fond de la cour, séparé des autres par une épaisse haie de bambous. Un homme était assis sur un tabouret, en face d'une grande porte coulissante. En voyant Phu Tat, il se leva et ouvrit l'énorme cadenas condamnant l'entrée, puis écarta légèrement un des battants pour qu'ils puissent se glisser à l'intérieur.

Quelques ampoules jaunâtres entretenaient une demi-pénombre où Malko distingua des ballots de tissus et des caisses de toutes les tailles. Ils traversèrent la pièce pour aboutir à une seconde porte dont Phu Tat avait la clef. Il s'effaça pour laisser Malko entrer le premier. Ce dernier découvrit alors un spectacle qui lui expédia une bonne giclée d'adrénaline dans les artères. On aurait dit un campement de *bandidos* mexicains ! Des dizaines d'hommes, installés à même le sol, mal vêtus, souvent en haillons, quelques-uns en pantalon et tunique de coton noir, la tenue traditionnelle des Méos.

Le contraste était saisissant entre leurs hardes et les armes flambant neuves étalées un peu partout. Des AK47 encore luisants de graisse, des lance-roquettes RPG7, des caisses de munitions. L'un d'eux se reposait, la tête calée sur une caisse de grenades, un autre avait le torse ceinturé de bandes de cartouches au laiton scintillant. Assis sur une caisse vide, l'un d'eux, presque un enfant, avait accroché sur lui plusieurs étuis de toile contenant des chargeurs d'AK47, visiblement tout neufs.

– Ce sont les hommes du général ! annonça fièrement Phu Tat. D'autres arrivent sans cesse.

Malko en avait le souffle coupé : en pleine ville, il y avait déjà une unité de combattants lourdement armés qui s'apprêtaient à attaquer le gouvernement en place. C'était la première fois qu'il voyait concrètement réalisé le rêve du général Teng Thao.

Quelques-uns des guérilleros fixaient Malko avec curiosité, d'autres préparaient leur repas sur des réchauds à gaz ou fumaient des pétards. La lourde odeur de l'opium flottait sur ce campement improvisé. Phu Tat ne s'attarda pas.

– Venez ! lança-t-il à Malko.

Ce dernier dut enjamber une mitrailleuse M 60 avec une bande engagée. Juste avant une porte donnant sur un jardin en friche, où était stationné un pick-up à double cabine dont le chargement était dissimulé sous une bâche verte. Une porte grillagée donnait sur le chemin de terre qu'ils avaient emprunté pour venir. Une des portières du pick-up s'ouvrit et une jeune femme en pull et jean descendit et s'avança vers eux.

– Ti Sao est des nôtres, annonça Phu Tat. Elle va vous accompagner jusqu'à Phonsavan et vous mettre en contact avec nos hommes là-bas.

– *Good afternoon*, fit Ti Sao d'une voix chantante.

Elle n'était pas maquillée, avec des yeux très bridés, une grosse bouche et un nez un peu épaté. Pas plus de vingt-cinq ans.

– Il faut que vous soyez à six heures devant l'usine, ordonna Phu Tat. Ti Sao vous attendra et montera avec vous. Ensuite, avec votre voiture, vous roulerez devant le pick-up, en maintenant une distance d'environ un kilomètre. Si vous tombez sur un check-point – c'est peu probable –, Ti Sao avertira le conducteur du camion qu'il attende. Si on vous pose des questions, vous allez à la plaine des Jarres et Ti Sao est votre interprète, fournie par Vientiane Car Rental. Tout ce que vous risquez de rencontrer, ce sont des miliciens qui font un peu de racket. Vous leur donnez quelques milliers de kips et ils seront contents. Mais il vaut mieux être prudent. Tenez.

Phu Tat lui tendit un sac en plastique contenant un

Beretta 92 automatique, l'arme réglementaire de l'armée US, et quatre chargeurs.

– Désormais, « Max », vous êtes des nôtres. Jusqu'à la victoire, conclut Phu Tat.

Malko glissa l'arme dans sa ceinture, et les chargeurs dans ses poches.

– Je ne peux pas être là à six heures, j'ai un rendez-vous important. Il faut décaler d'une heure.

– Pas de problème ! affirma Phu Tat. Maintenant, nous repartons.

Ti Sao était déjà remontée dans le camion.

Ils retraversèrent tous les bâtiments pour remettre le cap sur le *Settah Palace*. Phu Tat s'arrêta juste avant et serra longuement la main de Malko.

– Nous allons gagner, dit-il. Parce que, cette fois, les Américains sont avec nous.

Malko regarda sa Breitling. Quatre heures cinquante. Avant de prendre la route, il avait deux choses indispensables à faire. D'abord, prévenir Tim Burton, l'homme de la CIA, et ensuite aller à son rendez-vous mystérieux du *Don Chan Palace*... Il remonta dans sa chambre et appela l'Américain au numéro qu'il lui avait donné.

Ce dernier répondit très vite et Malko entendit un brouhaha autour de lui.

– Il faut que je vous voie, tout de suite.

– O.K. Je suis à l'hôtel *Vansana* où il y a une petite fête folklorique. Prenez Don Palong Road, à partir de Lane Xang, et suivez-la. Après un château d'eau, c'est la seconde à gauche. C'est tout de suite là. Si vous vous perdez, demandez le supermarché Lao-Itecc. C'est tout à côté.

Malko avait juste le temps. Il avait décidé de ne pas

prévenir le *Settah Palace* de son départ. De toute façon, son séjour à Phonsavan serait de courte durée.

Il se perdit quand même deux fois avant de trouver le *Vansana.* C'était un charmant petit hôtel moderne, tout blanc, en U, autour d'une piscine où flottaient des bougies. On fêtait le That Luang, fête dédiée aux *phi.* Une cinquantaine d'étrangers se pressaient autour d'un buffet, à côté d'un petit orchestre et de trois danseuses aux évolutions gracieuses.

Malko repéra Tim Burton, un collier de fleurs autour du cou, près du buffet, et se rapprocha de lui.

La plupart des assistants étaient en train de s'asseoir en cercle autour d'un gourou. L'Américain sourit à Malko.

– Vous pouvez parler. Ce sont des Hongrois. Ils ne comprennent rien.

– Vous êtes certain de vos informations concernant le meurtre de Pakao ? attaqua Malko.

– Pourquoi ?

– On m'a dit que ce ne pouvait pas être son amant.

Il fit son récit à l'agent de la CIA, sans donner sa source. L'autre secoua la tête.

– *Cut that bullshit !* J'ai eu d'autres confirmations : le poste de vice-ministre est vacant et Som Savath est déjà dans un camp de rééducation. C'était un type très jaloux. C'est pour cela que vous vouliez me voir ?

– Non, dit Malko Je pars tout à l'heure pour Phonsavan.

Il raconta sa visite à l'usine de confection et ce qu'il y avait vu. Tim Burton n'en perdit pas une miette.

– C'est vraiment le QG de l'opération ? demanda-t-il.

– Pour Vientiane, en tout cas.

– Et vous emmenez beaucoup d'armes à Phonsavan ?

– Deux ou trois tonnes.

– Où allez-vous retrouver les partisans du général Teng Thao, à Phonsavan ?

– Je dois être contacté là-bas.

L'Américain conclut, à voix basse :

– Je vais transmettre vos informations. Cela se présente bien, ajouta-t-il d'un air gourmand. On dirait que le général a fait sortir tous les Méos du bois…

– Il en a besoin pour renverser le régime actuel, remarqua Malko. Avec les armes que vous lui avez fournies, cela devrait finalement être possible.

Tim Burton lui serra vigoureusement la main.

– *Take care !* N'oubliez pas, en cas de coup dur, vous avez mon numéro.

***

Le hall du *Don Chan Palace* ressemblait à une cathédrale de l'Empire soviétique. Des colonnes, des plafonds très hauts, peinturlurés, le style chinois des années 1980. Planté au bord du Mékong, le gigantesque hôtel écrasait de sa masse le *Lane Xang* situé presque en face sur le quai Fangun. Par contre, les clients ne se bousculaient pas : c'était Marienbad. Un bagagiste esseulé promenait une petite valise sur un énorme portant. Les rares boutiques étaient désertes, le restaurant chinois du premier étage fermé.

Malko se dirigea vers les ascenseurs. Un écriteau annonçait : « Club de danse au 20e étage. Entertainment ».

Il monta sans croiser personne. Le palier du vingtième était tout aussi désert. Il poussa la porte indiquant le club et tomba sur une pièce immense et sombre. À tâtons, il marcha jusqu'aux baies vitrées, d'où la vue sur le Mékong était magnifique. La berge thaïlandaise était presque à portée de la main. Il regarda son invitation, intrigué. C'était bien le vingtième étage. Mais, visiblement, l'endroit était fermé, s'il avait jamais été ouvert... Il se retourna, le pouls à 150. Une porte venait de s'ouvrir et de se refermer.

Quelqu'un était entré dans l'immense local désert. Malko réalisa soudain que c'était l'endroit idéal pour un guet-apens. Doucement, il sortit le Beretta 92 de sa ceinture et tira la culasse en arrière pour l'armer. Le claquement sec retentit dans l'obscurité comme un coup de tonnerre. Il attendit, le bras le long du corps, cherchant à distinguer dans la pénombre la silhouette de la personne qui se trouvait avec lui dans la pièce.

Gomer Brentwood, assis en face du général Teng Thao, leva la tête et annonça calmement :

– Général, je crois que je vais venir avec vous, quand vous franchirez le fleuve !

Surpris, le général méo posa ses baguettes.

– Gomer ! fit-il calmement, il ne faut pas. Déjà, vous m'apportez une aide précieuse. Vous êtes le seul spécialiste en explosifs que je possède. Mais il ne faut pas mettre votre nouvelle vie en péril. Vous avez travaillé dur. Et que pouvez-vous faire de plus ?

– Combattre à vos côtés. Comme à Long Tieng.

Le général Teng Thao demeura silencieux, touché. Yi Li était muette, en train de lapper délicatement sa soupe chinoise. Évitant de croiser le regard de Gomer Brentwood. Ce dernier, depuis l'irruption de Yi Li dans sa chambre et ce qui s'en était suivi, se sentait horriblement coupable. Certes, il aurait dû résister à cette petite garce, mais il n'en avait pas eu la force. L'idée de rester en tête à tête avec elle tandis que le général Teng Thao risquait sa vie de l'autre côté du Mékong lui était insupportable.

Il avait toujours respecté le général, qu'il considérait comme un homme courageux et fiable. Évidemment, il ne pouvait pas lui avouer sa véritable motivation. D'ailleurs, il ne se forçait qu'à moitié. Il n'avait pas réglé son compte avec les Laotiens communistes.

– Bien, conclut le général Teng Thao, si vous y tenez, vous viendrez. Je vous chargerai de traiter un des objectifs. Le ministère de la Défense, par exemple.

– À vos ordres, approuva Gomer Brentwood.

Il avait l'impression de se retrouver des années en arrière, lorsqu'il décollait de la base secrète de Long Tieng, aux commandes de son fragile 0-1, pour aller survoler la plaine des Jarres et se faire mitrailler.

Yi Li ouvrit la bouche pour dire de sa voix flûtée :

– C'est très courageux de votre part, Gomer.

Gomer Brentwood la fixa, partagé entre un furieux désir de l'ouvrir en deux avec son sexe et celui de l'étrangler. Il se remit à manger, en paix avec lui-même.

– Mister Malko ?

La voix nasillarde retentit dans la pénombre, faisant sursauter Malko. Il apercut un homme qui s'approchait : un Chinois en costume cravate, les mains le long du corps, sans la moindre attitude offensive.

– *Yes*.

– *O.K. You wait*[1].

Il sortit un portable de sa poche et composa un numéro. Au nombre de chiffres, Malko devina que ce n'était pas un numéro local. Il entendit la sonnerie. Puis une voix de femme répondre.

1. Vous attendez.

Il y eut une brève conversation en chinois puis l'inconnu tendit l'appareil à Malko.

– *Please.*

– Qu'est-ce que tu fais au Laos ?

La voix de Ling Sima lui expédia une puissante giclée d'adrénaline dans les artères. Depuis quelques secondes, il avait compris que la Chinoise était à l'origine de ce rendez-vous inattendu.

– Comment sais-tu que je suis au Laos ?

La Chinoise cracha comme un chat en colère.

– Tu oublies que j'ai beaucoup d'amis en Thaïlande ! On t'a repéré quand tu as franchi le pont. Ensuite, c'était facile de te retrouver. Vientiane, c'est tout petit.

– Je suis content de t'entendre, fit Malko. Tu veux me rejoindre ?

Ling Sima ne rit pas, mais dit d'une voix grave :

– Je veux que tu rentres. Tout de suite. Après ce coup de fil. Tu peux prendre un taxi qui te déposera à la frontière.

Surpris, Malko remarqua :

– Tu ne sais pas ce que je fais ici.

– Si.

C'était parti comme une balle. Son pouls grimpa encore plus. Comment Ling Sima était-elle au courant du projet secret de la CIA et du général Teng Thao ? Comme il demeurait silencieux, Ling Sima insista :

– Repasse le fleuve. Je t'expliquerai à Bangkok.

Il voulut contre-attaquer.

– J'ai déjà couru des risques dans ma vie, tu le sais. Il faut bien partir un jour.

– Imbécile ! fit-elle d'une voix vibrante, tu ne risques pas ta vie. Tu risques quelque chose de plus important que ta vie !

Malko ouvrit la bouche pour répondre, mais la communication avait été interrompue. Le Chinois s'approchait, la main tendue pour récupérer son téléphone. Malko appuya sur la touche bis. Numéro occupé.

Il réessaya trois fois de suite et abandonna. Ling Sima ne voulait plus lui parler… Le Chinois lui reprit le portable et s'éloigna sans un mot. Le laissant perplexe. Qu'avait voulu dire Ling Sima ?

CHAPITRE XVIII

Les marchands de vannerie qui bordaient la route du village de Vang Sang étaient partis se coucher. Malko traversa le bourg en quelques minutes. Il s'étira : depuis Vientiane, il n'avait parcouru que 52 kilomètres… La route, au revêtement inégal, tournait, zigzaguait, se faufilant entre les collines couvertes de jungle et de rizières. La route n° 13 avait beau être l'axe principal du Laos, la nuit tombée, il n'y avait pas grand monde.

À côté de lui, Ti Sao semblait somnoler. Il l'avait retrouvée devant l'usine et tout s'était passé comme prévu. Le pick-up bourré d'armes, avec une demi-douzaine de Méos à bord, roulait un kilomètre derrière lui. Sur les genoux de Ti Sao, une petite radio grésillait doucement.

Malko donna un brutal coup de volant pour éviter un tuk-tuk sans éclairage qui roulait au milieu de la chaussée. Ti Sao sursauta.

– On arrive à Vang Vieng ?

– Non, corrigea Malko. Il y a encore cent kilomètres.

Il se concentra sur la conduite. Très vite, il avait oublié les dangers potentiels liés à sa mission pour se consacrer à une tâche difficile : garder la voiture sur la route. Il devait effleurer le frein avec une douceur presque féminine pour que le véhicule ne se mette pas en travers de la route… Heureusement, la circulation était clairsemée et diminuait encore avec la nuit. Quelques rares cyclistes, des bus, des pick-up et des motos.

Le goudron étant à peu près lisse, il se détendit un peu et repensa à l'avertissement de Ling Sima. La Chinoise avait dû apprendre, par ses sources en Thaïlande, l'opération du général Teng Thao, et voulait que Malko se tienne à l'écart. Ce qui avait de graves implications : si le Goambu chinois était au courant, le Laos communiste risquait de l'être aussi.

Pourtant, il n'avait vu aucun signe d'une activité militaire ou policière inhabituelle, à Vientiane, et Phu Tat semblait tout à fait serein…

Les dés étaient jetés.

Depuis son départ de Vientiane, il n'avait pas vu un seul policier ! Et encore moins de militaires. Il décida d'être fataliste. Les villages défilaient. Tous obscurs, sans aucun signe de vie, à part quelques cochons noirs nains qui traînaient encore.

Ti Sao tourna la tête vers lui.

– Vous n'êtes pas fatigué ?

– Non, ça va, dit Malko.

– Nous nous arrêterons juste avant Vang Vieng, annonça-t-elle. Après le pont sur la Nam Song. Nos camarades nous attendent là pour récupérer les armes.

– Et ensuite ?

– Nous continuons sur Phonsavan, et le pick-up fait demi-tour pour retourner à Vientiane. Nous devrions arriver vers une heure du matin.

***

Les huit Méos étaient dissimulés dans la jungle épaisse qui s'étendait sur les deux rives de la Nam Song. Épuisés, effrayés et sur leurs gardes.

Comme armement, ils ne possédaient qu'une vieille carabine américaine USM 1 avec deux chargeurs, une Kalachnikov prise sur un milicien abattu et un pistolet Colt .45 avec six cartouches. Normalement, ils se terraient dans des grottes de calcaire, une vingtaine de kilomètres plus à l'ouest, en surplomb de la Nam Song, où ils vivaient comme des troglodytes, déterrant des racines, volant des cochons ou tirant à l'arc de petits animaux. Leur seul trésor était un téléphone satellite dont ils se servaient très peu, pour ne pas épuiser ses batteries. C'est par lui qu'ils avaient reçu le message annonçant l'arrivée d'un chargement d'armes et ils en oubliaient la faim qui les tenaillait. Vi Mot, leur chef, s'était avancé très près de la route, pour ne pas risquer de rater le précieux chargement. On lui avait communiqué le numéro du camion et ils attendaient.

Soudain, Vit Mot entendit un bruit de moteur et se glissa entre les bambous pour observer la route. Ce n'étaient que deux camions militaires bâchés qui passèrent devant lui sans ralentir. Il y avait souvent des patrouilles dans cette partie du Laos, fief de la guérilla méo, mais les miliciens n'osaient pas s'enfoncer dans la jungle.

Malko baissa les yeux sur sa Breitling. Déjà trois heures et demie de route. La circulation était presque nulle. Comme il n'y avait aucun panneau indicateur, il ignorait où il se trouvait exactement.

Soudain, Ti Sao se redressa.

– Le pont est devant nous, je crois. Ralentissez.

La route courait entre deux murs de jungle épaisse. Il obéit. Il aperçut soudain deux rambardes métalliques et le bruit des pneus changea : il roulait sur du bois.

Vaguement, il distingua le lit d'une rivière en contre-bas et Ti Sao lui jeta :

– Arrêtez-vous !

Ce qu'il fit, juste après le pont. Il coupa le moteur et éteignit les phares. Ti Sao était déjà dehors. La radio collée à sa bouche, elle prononça quelques mots, puis émit un sifflement aigu, d'une puissance incroyable.

Pendant quelques secondes, rien ne se passa, puis, à quelques mètres de Malko, les bambous s'écartèrent, révélant un homme de petite taille, une carabine USM 1 à la main, coiffé d'une sorte de turban noir.

Ti Sao courut vers lui et ils s'étreignirent. Il se retourna aussitôt, émettant un sifflement modulé. Presque instantanément, plusieurs hommes émergèrent de la jungle. Des guérilleros méos.

– Voilà le pick-up, annonça Ti Sao.

Le véhicule franchit le pont et vint s'arrêter derrière eux. Malko baissa les yeux sur les aiguilles lumineuses de sa Breitling. Juste dix heures.

Il était ému de rencontrer ces combattants dont les autorités laotiennes niaient l'existence, tout en cherchant à les exterminer… Les occupants du pick-up et les nouveaux venus tinrent un conciliabule rapide. Puis, le chauffeur reprit le volant et quitta la route, s'engageant sur une piste presque invisible, englouti par la jungle. Malko se tourna vers Ti-Sao.

– Où vont-ils ? Il y a une route ?

– Non, ils s'éloignent seulement pour qu'on ne les repère pas. Ils vont décharger les armes dans une ancienne grotte, toute proche, un ancien dépôt d'armes du temps de la guerre.

– Vos amis méos vont s'armer ici ?

– Oui, mais pas tout de suite. Le groupe se trouve à deux jours de marche d'ici, c'est très long de progresser dans la jungle. Il y a des mines et des patrouilles de miliciens. Une fois les armes cachées, les autres vont repartir chercher leurs camarades. Ce serait impossible de transporter les armes à pied. C'est trop lourd.

Ils repartirent, traversant très vite Vang Vieng. Ti Sao regardait Malko du coin de l'œil et finit par demander :

– Vous êtes américain ?

– Non, autrichien.

Elle resta silencieuse quelques instants, puis demanda :

– C'est en Amérique ?

– Non, sourit Malko.

– Ça ne fait rien. C'est gentil de nous aider. Nous avons beaucoup souffert.

Son regard exprimait une reconnaissance si éperdue que Malko en fut gêné.

Sans Ti Sao, il aurait raté l'embranchement vers la route n° 7, à Muang Phu Khun. Rien n'était indiqué et c'était pourtant la route de Phonsavan.

– Nous serons arrivés dans une heure, annonça Ti Sao.

Effectivement, un peu avant une heure du matin, après avoir traversé une sorte de canyon, Malko déboucha dans une large avenue, déserte à cette heure tardive. Phonsavan. Ti Sao le guida jusqu'à un chemin escarpé escaladant une colline couverte de pins. On se serait cru en Europe. Les phares éclairèrent une inscription, sur ce qui ressemblait à un gros chalet : AUBERGE DE LA PLAINE DES JARRES.

Ti Sao descendit, alla tambouriner à la porte, et un tout petit bonhomme finit par apparaître. Cinq minutes plus tard, ils partaient en direction du bungalow n° 4. Cela sentait encore la guerre : le porte-clef était une douille de cartouche de 12,7 et il fallait contourner un énorme cratère de bombe de B-52 pour arriver au bungalow.

La plaine des Jarres était criblée de ces excavations sur une zone de cinquante kilomètres de côté. Sans parler des bombes non explosées et de celles encore enfouies dans la vase des rizières. La zone avait été un des endroits du monde les plus bombardés. Infiniment plus que Berlin…

Le bungalow était succinct, avec un placard en forme de douche, plongé dans l'obscurité, et une cheminée.

– On peut se reposer, dit Ti Sao. Demain, j'irai au contact. Maintenant, je vais allumer du feu.

Ce n'était pas du luxe. Malko pelait de froid ! Phonsavan se trouvait à 1200 mètres d'altitude, et, en novembre, il ne faisait pas plus de 3 ou 4 °C la nuit…

Ti Sao était douée. En quelques minutes, elle eut enflammé les bûches préparées dans la cheminée. Elle se réchauffa quelques minutes près du feu et demanda timidement :

– Je peux prendre une douche ?

– Bien sûr, dit Malko, étonné.

– Pendant des années, j'ai vécu dans la forêt, expli qua-t-elle. Nous dormions sous des feuilles de bananiers, nous mangions des racines et nous nous lavions dans la rivière…

Il y a de quoi aimer l'eau chaude… Le chauffe-eau fit un bruit proche de l'explosion en se mettant en route. Malko entendait Ti Sao chantonner. Elle réapparut, une serviette grisâtre entourant sa taille, la poitrine à l'air : de petits seins courageux et fermes. Pas du tout gênée. Puis, elle rejoignit Malko devant la cheminée. Quand elle s'accroupit, la serviette tomba, révélant la toison noire sur son ventre bombé, mais elle ne la ramassa pas.

Ils se réchauffèrent en silence, puis, le feu diminuant, gagnèrent le lit. Ti Sao ne semblait pas embarrassée par sa nudité, pourtant elle avait bien un corps de femme, avec des seins fermes et une croupe ronde.

Malko, pudiquement, conserva son slip. À peine la jeune Méo fut-elle allongée qu'elle se serra contre lui, de tout son corps. Sans véritable connotation sexuelle. Simplement, un petit animal qui avait froid. Ce n'est qu'un long moment plus tard qu'elle parut s'apercevoir que c'était un homme. Sa main effleura son ventre dans une caresse timide.

Un geste qui lui paraissait très naturel. Le visage enfoui dans son épaule, elle continua, visiblement ravie de ce qu'elle obtenait, et finit par le débarrasser de son slip.

Cette fois, ce n'était plus le froid qui la guidait lorsqu'elle attira Malko sur elle. Soupirant fort lorsqu'il s'enfouit dans son ventre. Elle était si menue qu'il avait l'impression de l'ouvrir en deux. Ils ne s'embrassèrent pas, ils ne se connaissaient pas assez, mais quand il se répandit au fond de son ventre, elle lui griffa doucement les reins. Une sorte de rite païen.

Ensuite, elle dit à voix basse.

– J'espère que vous m'avez fait un enfant ! Nous aimons beaucoup les enfants, chez nous, et il en faut pour remplacer tous ceux qui ont été tués pendant la guerre.

Malko se réveilla en sursaut. Ti Sao le secouait doucement. Il faisait nuit noire et d'abord, il crut qu'elle voulait encore faire l'amour, mais elle chuchota d'une voix altérée :

– Il y a des gens dehors ! J'ai entendu des voix. J'ai peur.

Malko écouta, sans rien entendre. Tout doucement, il se leva et alla récupérer dans sa serviette le Beretta 92, fit monter une cartouche dans le canon et se dirigea vers la porte. Dès qu'il s'en approcha, il entendit à son tour des voix qui chuchotaient. Ti Sao l'avait rejoint. Collée contre lui, elle glissa dans son oreille :

– Pourvu que ce ne soit pas la milice.

CHAPITRE XIX

Malko demeura strictement immobile, collé au mur, le Beretta 92 à bout de bras, guettant les bruits de l'extérieur. Il y eu encore quelques chuchotis puis le silence retomba.

– Je crois qu'ils sont partis ! souffla-t-il à Ti Sao.

La jeune femme, nue, tremblait contre lui. Le froid ou la peur. Ou les deux.

– J'espère, dit-elle. S'ils me prennent, ils me tuent.

Ils se recouchèrent et il la sentit encore tendue pendant un long moment. Il mit longtemps à s'endormir. Repensant à Ling Sima et à toutes les choses étranges qui se produisaient depuis qu'il s'était engagé dans cette mission. Il avait hâte de retourner de l'autre côté du Mékong…

C'est le jour qui le réveilla : il était à peine six heures du matin. Ti Sao se réveilla en sursaut.

– Quelle heure est-il ?

– Six heures dix.

Elle retomba avec un soupir soulagé, lâchant :

– Nous avons rendez-vous à huit heures au village de Muang Sui, à cinquante kilomètres à l'est de Phonsavan. Là-bas, il y a tous les jours un grand marché méo. Quelqu'un nous y attend.

Aussitôt, elle vint se blottir contre Malko, sa bouche tout près de sa poitrine, à cause de la différence de taille. Il allait se lever quand il sentit un bout de langue effleurer son mamelon. Presque aussi léger que la caresse d'un chat. Ti Sao glissa la main entre leurs deux corps et enserra son sexe.

– Tu es très gros ! souffla-t-elle.

Comme un petit animal sensuel, elle se mit à le caresser, avec beaucoup de douceur, jusqu'à ce qu'il bande comme un fou. Alors, elle se retourna et s'agenouilla sur le lit. Malko n'eut qu'à guider son membre dans un étui étroit, chaud et humide. Les ongles de Ti Sao crissaient sur le drap. Elle haletait, balançant ses fesses cambrées. Quand il se répandit en elle, la jeune Méo poussa un petit cri et s'aplatit sur le drap, les jambes ouvertes. Avant de sauter du lit pour foncer vers la douche, visiblement son plus grand plaisir avec l'acte sexuel.

Vingt minutes plus tard, ils étaient partis, après avoir pris un *breakfast* improbable dans une salle à manger déserte dont les quatre baies dominaient Phonsavan et la plaine moutonnée qui l'entourait.

Pendant que Ti Sao terminait son thé, Malko retourna dans le bungalow pour appeler Gordon Backfield sur son Thuraya crypté.

– Je suis arrivé, annonça-t-il.

– Où ?

– Phonsavan.

– Tout va bien ?

– Jusqu'ici.

Il raconta le dépôt des armes dans la jungle et le contact.

– Tout à l'heure, compléta-t-il, je vais avoir un contact avec un autre groupe méo. Je vous rappellerai après.

Il avait à peine coupé la communication que Ti Sao arriva.

– On y va, dit-elle, il y a plus d'une heure de route.

Ils descendirent la colline, débouchant dans le centre de Phonsavan.

Cela ressemblait à une ville du Far-West : des rues trop larges, bordées d'une seule rangée de bâtiments, donnant directement sur la campagne. Elles se croisaient à angle droit. Quelques boutiques indispensables : des épiceries, des garages. La ville était très étendue mais dégageait une impression d'abandon.

– Je vais vous montrer où est l'aéroport, dit Ti Sao. Cela peut vous servir.

Un peu plus loin, Malko aperçut une manche à air. Puis une douzaine d'avions tout blancs, rangés le long du tarmac : des chasseurs MIG-21. Son pouls fit un bond.

– C'est une base importante !

Ti Sao éclata de rire.

– Non, non, ce sont des vieux avions, ils datent de la guerre et ils n'ont plus jamais volé. Il n'y a que les avions civils de Vientiane et de Luang Prabang. D'ailleurs, en voilà un.

Elle désignait un petit turbo-prop à aile haute en train de se poser. Elle le guida ensuite pour rattraper la route n° 7 en direction de Muang Sui. La chaussée était plutôt bonne et ils mirent moins d'une heure, après avoir traversé la Nam Ngum. Muang Sui avait servi de base aux Américains pendant la guerre du Vietnam et avait été entièrement détruit par les Nord-Vietnamiens. Quand ils l'atteignirent, le marché battait son plein, sur le bas-côté de la route. De nombreux étals offraient de tout : des coqs de combat, des cochons noirs nains, des poulets, des flopées de légumes et de fruits.

Aucun étranger, à part eux.

Malko essayait de ne plus penser aux inconnus qui avaient rôdé autour de leur bungalow la nuit précédente. Cela pouvait n'avoir aucun lien avec ce qu'il était venu faire. L'enveloppe confiée par le général

Teng Thao était dans la poche intérieure de sa veste et il avait hâte de la remettre à quelqu'un : c'était de la dynamite.

Muang Sui abritait beaucoup de Méos sédentarisés. Partout sur le marché, il apercevait leur tenue noire.

Pas un seul policier en vue, à l'exception d'un milicien, Kalach en bandoulière, en train de déguster une mangue, assis sur une caisse renversée. Il jeta un regard distrait au couple formé par Ti Sao et Malko. Rien d'extraordinaire. Les étrangers venaient nombreux dans la plaine des Jarres et utilisaient fréquemment des guides locaux.

Ti Sao papotait avec des marchands, tirant Malko par la main Un couple courant en Asie du Sud-Est : le touriste avec la jeune fille... Sous les regards complices des badauds. Ici, on n'était pas xénophobe et la sexualité avait toujours été débridée.

Ils étaient arrivés au bout du marché.

– Vous avez vu celui que vous cherchez ? demanda Malko.

– Oui, dit Ti Sao. J'ai parlé avec une femme qui m'a transmis le message. Vous avez rendez-vous au site n° 1 de la plaine des Jarres, à quinze kilomètres au sud, à midi. Il s'appelle Tivi et c'est à lui qu'il faut apporter le message du général Teng Thao.

Ils reprirent la route de Phonsavan. La ville ressemblait à une *ghost town*, une ville fantôme de la conquête de l'Ouest.

– Il y a un avion cet après-midi pour Vientiane, annonça Ti Sao. Vous pourrez le prendre.

– Et vous ?

– Moi, je ne peux pas prendre l'avion. C'est trop dangereux.

– Moi non plus ! réalisa soudain Malko, je dois ramener la voiture à Vientiane.

– Dans ce cas, conclut Ti Sao, je reviendrai peut-être avec vous, si j'en reçois la permission.

Après avoir traversé Phonsavan, ils filaient vers le sud. Le site n° 1 de la plaine des Jarres se trouvait à onze kilomètres de la ville, au milieu d'un moutonnement de collines entrecoupées de rizières.

L'entrée du site se trouvait en bas d'une légère déclivité. Une baraque en bois où on achetait des tickets et où on pouvait se restaurer, avec, à côté, un fronton de bois à l'orée d'un sentier qui conduisait aux jarres.

Dans cet environnement, la présence de Malko passait complètement inaperçue, la plaine des Jarres étant la destination première des touristes étrangers.

Il paya ses cent mille kips[1] et ils s'engagèrent dans le sentier. Deux cars de touristes vides attestaient de la présence de visiteurs.

Ils s'engagèrent sur un sentier grimpant jusqu'à une petite colline. À perte de vue, les vallonnements herbeux étaient couverts de centaines de jarres énormes, parfois brisées, en grés, plantées selon un ordre mystérieux. Les sentiers permettant de visiter le site étaient délimités par des bandes rouges, accompagnées d'écriteaux interdisant de s'éloigner du sentier qui seul avait été déminé. Des milliers de *cluster bombs*[2] étaient encore enfouies un peu partout et il y avait tout le temps des accidents.

Ils parcoururent presque deux kilomètres entre les jarres, dont certaines atteignaient deux mètres de haut, pleines d'eau croupie, fendillées, mais indestructibles. Croisant un groupe de touristes qui regagnaient leur bus, Malko s'arrêta, examina les lieux déserts et se tourna vers Ti Sao.

– Où est ce Tivi ?

1. Environ 8 euros.
2. Bombes à fragmentation.

On voyait très loin et il n'y avait personne en vue, sauf des gens dans une rizière, beaucoup plus loin.

Ti Sao semblait paniquée.

– J'espère qu'il n'a pas été arrêté ! souffla-t-elle. Il n'est pas habitué, il a toujours vécu dans la forêt… On va attendre un peu.

– Allons par là, proposa Malko, il y a d'autres jarres.

Au moment où ils s'éloignaient, un sifflement strident et modulé déchira l'air. Malko regarda autour de lui, sans rien apercevoir. Ti Sao s'était immobilisée, comme un animal à l'affût.

– C'est le signal des Méos, lança-t-elle. Il n'est pas loin.

Mais où ? Personne n'était visible.

Le sifflement se répéta et, cette fois, Malko repéra la zone d'où il venait. Un monticule supportant une énorme jarre enchevêtrée aux racines d'un arbre. Malko réaisa tout à coup que celui avec qui il avait rendez-vous était probablement dissimulé dans cette jarre ! Excellente cachette.

Ti Sao zigzaguait de l'une à l'autre, comme un chien de chasse. Soudain, elle s'immobilisa près de la grosse jarre et appela Malko.

– Ici !

Il la rejoignit et se pencha à l'intérieur de la jarre. Découvrant un homme accroupi, tout petit, à peine plus grand qu'un enfant, avec une maigre moustache très noire, la moitié des dents en moins et des yeux en amande. Type mongol.

– Tivi ? demanda Malko.

Le Méo inclina affirmativement la tête et se mit à parler à toute vitesse à Ti Sao.

– Il s'est caché parce qu'il a vu des gens supects en arrivant sur le site, expliqua-t-elle. Il a peur d'avoir été suivi. Il va rester là.

– Je dois lui remettre les documents du général.

Nouvel échange en lao. Ti Sao se tourna vers Malko.

– Tivi préfère que vous gardiez les documents jusqu'à ce soir ! Il viendra les récupérer cette nuit à l'*Auberge de la Plaine des Jarres*. Il craint d'avoir été suivi. Vous, vous ne craignez rien, vous êtes un étranger.

Malko se résigna, à contre-cœur. D'une part, ce contretemps le forçait à prolonger son séjour à Phonsavan, d'autre part, les papiers remis par le général Teng Thao étaient de la dynamite. Tivi avait replongé dans sa jarre. Déjà, Ti Sao tirait Malko par la main.

– Allons-nous-en ! J'ai peur.

Ils traversèrent le petit promontoire pour regagner le sentier menant à l'entrée du site. Malko s'arrêta net, l'estomac plombé. Les deux bus de touristes étaient partis, remplacés par deux grosses jeeps militaires en train de cracher des soldats en uniforme !

Ti Sao poussa un cri de souris.

– Ce sont des miliciens ! Ils cherchent Tivi.

Regroupés en une petite colonne, les miliciens s'engagèrent sur le sentier montant vers eux. Malko lança à Ti Sao.

– On descend. Nous sommes des touristes.

Évidemment, entre les documents du général Teng Thao et le Beretta 92 dans sa ceinture, il n'était pas un touriste comme les autres… Ti Sao demeura figée sur place

– Non ! Non ! Ils vont m'arrêter. Venez, on va essayer de gagner le village de Ban Hai Hin, de l'autre côté du site.

Déjà, elle faisait demi-tour, fonçant vers l'autre extrémité du promontoire. Malko la rattrapa. Ce qu'elle faisait était idiot. Elle avait ralenti en passant devant l'énorme jarre où se dissimulait Tivi et lui lança quelques mots d'une voix pressante. Il répondit sur le même ton et Ti Sao dit à Malko :

– Il dit qu'il ne faut à aucun prix que les miliciens s'emparent des documents...

Plus facile à dire qu'à faire ! Malko regarda autour de lui. Certes, il pouvait cacher les documents dans une des jarres mais on pourrait les y retrouver facilement. Ti Sao, affolée, avait pris de l'avance. Elle se retourna et poussa un cri, montrant un point derrière Malko.

Ce dernier se retourna et sentit son pouls s'envoler. Les soldats venaient d'atteindre le promontoire et celui de tête lui faisait de grands signes, lui signifiant de s'arrêter. Ce n'était pas Tivi qu'ils cherchaient, mais lui.

Ti Sao avait déjà détalé, dégringolant le sentier menant à la rizière en contrebas. Malko ne put faire autrement que de la suivre. Les soldats étaient désormais déployés sur le promontoire. Trois d'entre eux lancés à leur poursuite, les autres en train d'inspecter les jarres.

Malko dévala à son tour le sentier. Ti Sao semblait voler sur la diguette courant à travers les rizières. Soudain, un coup de feu claqua. Malko se retourna et aperçut un soldat couché par terre, juste à côté de la jarre où se dissimulait Tivi. Celui-ci, découvert, avait dû l'abattre. Deux autres soldats lâchaient rafale sur rafale sur la jarre. Un autre s'avança au bord du promontoire et épaula sa Kalachnikov. Malko entendit le claquement sec des détonations et de petits geysers d'eau boueuse jaillirent de la rizière, à quelques mètres de lui.

Ti Sao se retourna et hurla :

– Ils vont nous tuer ! Ils vont nous tuer !

Malko hésitait à se servir du Beretta 92. Contre plusieurs fusils d'assaut, c'était un peu léger. Il rejoignit Ti Sao.

– Courez ! intima-t-elle, les yeux hors de la tête, affolée. Prenez de l'avance. Il faut sauver ces documents. Vous les cacherez dans le village.

– Et vous ?

– Ils vont m'arrêter. Cela les retardera.

Il se remit à courir, en équilibre sur la diguette. Il fallait prendre assez d'avance sur ses poursuivants pour enterrer les précieux documents. Sinon, l'opération du général Teng Thao tombait à l'eau. La boue ralentissait sa course, mais il avait une bonne avance sur les soldats…

Il se retourna, juste pour voir deux soldats rattraper Ti Sao et la jeter à terre à coups de crosse.

Un des soldats s'était remis à sa poursuite et Malko accéléra, sentant très vite des pointes de feu dans ses poumons. La lisière des arbres signalant le village semblait s'éloigner au fur et à mesure qu'il avançait, mais la distance grandissait entre son poursuivant et lui. Gêné par son équipement, le soldat courait moins vite. Soudain, abandonnant la diguette, il sauta directement dans la rizière, pour couper la route à Malko, la diguette faisant un coude à angle droit.

Cette fois, c'était foutu !

Malko arracha son Beretta de sa ceinture et l'arma. Mais il se retint de tirer. D'abord, il était trop loin, ensuite, il se dit qu'avec le soutien de Tim Burton, il avait une minuscule chance de s'en sortir sans casse, si on l'arrêtait.

Mais aucune, s'il tuait un soldat laotien.

Ce dernier était presque arrivé à la diguette, devant Malko. Il lui restait deux mètres à parcourir et Malko s'arrêta, hors d'haleine. À quoi bon courir, il était coincé ! Il prit l'enveloppe entourée de plastique et s'apprêtait à la jeter le plus loin possible, lorsqu'il y eut une violente explosion, juste là où se trouvait le soldat. Ce dernier décolla de la boue au milieu d'une gerbe d'eau et retomba dans la rizière, où il resta allongé, en hurlant de douleur.

Il avait marché sur une *cluster bomb*. Une jambe déchiquetée, il gémissait, la tête dans la boue. Malko reprit sa course éperdue vers le village. Cette fois, il avait une chance d'y arriver. Il ne voyait pas plus loin.

Effectivement, dix minutes plus tard, il traversa un rideau de bambous et trouva un sentier, apercevant les toits de tôle ondulée du village. Il se retourna : des soldats couraient sur la diguette pour venir en aide à leur camarade. Il ralentit, pour soulager son point de côté, hésitant sur la conduite à tenir. Finalement, il s'arrêta et glissa l'enveloppe donnée par le général Teng Thao sous un rocher, puis tassa de la boue autour.

Il marchait normalement lorsqu'il entra dans le village. Se bénissant aussitôt d'avoir agi ainsi. Trois soldats, Kalach au poing, venaient de sauter d'une jeep russe et marchaient vers lui. L'un d'eux arma et le mit en joue. Il s'arrêta aussitôt. Ils se ruèrent sur lui, l'immobilisèrent, puis lui attachèrent les poignets dans le dos avec une fine cordelette, avant de lui passer une cagoule noire sur la tête.

On le poussa dans la jeep et on l'allongea sur le plancher. Le véhicule démarra. La crosse du Beretta 92 lui entrait dans l'estomac et il se dit qu'il allait être difficile d'expliquer sa présence.

Une pensée lancinante l'empêchait de se concentrer sur son sort : de toute évidence, l'opération du général Teng Thao avait été pénétrée.

Tim Burton était aux cent coups : les nouvelles qu'il venait de recevoir de Phonsavan bouleversaient tous ses plans. S'il ne réagissait pas très vite, l'opération « Pop-corn » s'écroulait. Le général Teng Thao était encore en Thaïlande et ignorait très probablement ce qui venait de se passer, sauf si les téléphones satellite fonctionnaient.

Car il savait que par prudence, depuis une heure, toutes les émissions de portables à partir de Phonsavan étaient brouillées. Le général ne serait mis au courant que par un messager qui mettrait du temps à passer de Phonsavan en Thaïlande.

Tim Burton descendit un étage et jeta à sa secrétaire :

– Je pars pour Phonsavan par la route !

Il mettrait moins de temps qu'à attendre un problématique avion. Le prochain partait le lendemain à sept heures de Vientiane et, en plus, passait par Luang Prabang…

Avant tout, il fallait sauver Malko.

Des hurlements aigus de femme perçaient le tissu de la cagoule comme des aiguilles. Malko n'en pouvait plus. On l'avait assis sur un tabouret, chevilles et poignets ligotés, après l'avoir fouillé. Il entendait encore les exclamations de ceux qui avaient trouvé le Beretta 92 et les chargeurs. Et aussi le numéro de Tim Burton, à l'ambassade américaine de Vientiane. Personne ne l'avait encore interrogé et, autour de lui, toutes les voix s'exprimaient en lao… Les cris redoublaient, entrecoupés d'interjections émises par des voix masculines. Cela cessa brutalement et il n'entendit plus que des sanglots.

Une main défit le lacet qui entourait son cou et on lui arracha sa cagoule. Il se trouvait dans une pièce carrée, aux murs jaunâtres, éclairée par une très haute ouverture grillagée. Une demi-douzaine de soldats en treillis s'agitaient autour de lui, l'air mauvais.

Dans un coin de la pièce, uniquement vêtue de ses dessous, Ti Sao gisait sur le sol, le corps strié de marques sanglantes. On l'avait battue sauvagement à coups de chaîne de vélo. Une grande traînée rouge coupait son visage en diagonale. Elle semblait évanouie. Un des hommes lui envoya un coup de pied dans les reins et elle ne réagit pas.

La porte s'ouvrit sur un nouveau venu, des épaulettes rouges et jaunes sur sa tunique, pistolet au côté. Aussitôt, on lui apporta un tabouret et il s'assit en face de Malko, le fixant d'un air mauvais.

– Vous avez tué un de nos miliciens, lança-t-il, dans un anglais rocailleux. Et un autre a été assassiné par un de vos complices méos. Vous étiez armé, vous avez tiré...

– Je n'ai tiré sur personne, protesta Malko, vérifiez, le chargeur de mon arme est plein.

L'officier laotien n'insista pas.

– Qui êtes-vous et que faites-vous au Laos avec la clique contre-révolutionnaire du général félon Teng Thao ? lança-t-il.

En tout cas, il était bien renseigné. Malko demeura d'abord silencieux, hésitant à se recommander des Américains. Pour l'instant, il n'y avait pas urgence.

– Je voulais visiter la plaine des Jarres, dit-il. J'en avais toujours entendu parler.

– Avec un pistolet automatique de l'armée américaine ! cracha le Laotien. Et, comme guide, une femme qui a déjà été internée au camp n° 7 pour menées subversives ! En plus, vous aviez rendez-vous avec une de ces vermines contre-révolutionnaires qui a tué un de nos vaillants miliciens. Il sera fusillé.

Malko demeura muet. Ils savaient tout. Comment ?

C'était une autre histoire... Soudain, le ton de l'officier changea totalement.

Penché en avant, il dit à voix basse, avec une certaine douceur :

– Mister Linge, je pense que vous êtes de bonne foi dans cette affaire ! Nous avons des éléments qui nous permettent de le penser. Vous êtes un ami du Laos.

« Pas de ce Laos », eut envie de répondre Malko.

L'officier continua :

– Nous savons qu'entre Vientiane et ici, vous vous êtes arrêté pour rencontrer d'autres criminels méos. Ceux qui volent nos récoltes et terrorisent nos pacifiques villageois. Nous savons aussi que vous acheminiez des documents importants pour les Méos. Alors, je suis autorisé par ma hiérarchie à vous faire une proposition généreuse : coopérez avec nous, aidez-nous à retrouver ces documents et vous pourrez prendre l'avion de 16 h 15 pour Vientiane. Évidemment, vous serez expulsé du pays, mais ce n'est pas bien grave.

Malko sentit sa bouche s'assécher. On était au cœur du problème.

– Je ne sais pas de quels documents vous parlez, dit-il. Je n'ai rencontré personne. Expulsez-moi si vous voulez, mais prévenez mon ambassade. Ce sont les Allemands qui représentent l'Autriche.

L'officier laotien se rejeta en arrière, lui jetant un long regard inexpressif, secoua un peu la tête et soupira.

– Vous n'êtes pas raisonnable, mister Linge, dit-il de sa voix gutturale. Mais je vais vous prouver que nous avons de bonnes intentions à votre égard.

Il se retourna et jeta quelques mots aux soldats. Aussitôt, l'un d'entre eux sortit de la pièce et deux autres entreprirent de relever Ti Sao qui gémissait sans complètement reprendre connaissance. Malko se demandait où l'officier voulait en venir. La jeune femme entrouvrit les yeux et lui jeta un regard de détresse absolue. Il ne put que lui sourire.

La porte se rouvrit sur le soldat qui pénétra dans la pièce, deux longues planches de bois sous le bras.

Tandis que ses compagnons forçaient Ti Sao à se tenir debout, le soldat prit la jeune femme entre les deux planches, comme un sandwich surréaliste... En un clin d'œil, ils l'eurent ficelée comme un monstrueux saucisson. Seuls sa tête et ses pieds dépassaient. Ensuite, ils posèrent la planche du bas sur une table métallique aux pieds vissés dans le sol. Malko commençait à comprendre et ses poils se hérissaient d'horreur. Un autre soldat entra dans la pièce, avec une énorme scie de bûcheron à deux manches. Deux soldats se placèrent de part et d'autre de la table et la lame de la scie commença à entamer le bois. Ti Sao poussa un hurlement de terreur, en sentant les copeaux de bois tomber sur elle.

L'officier aux épaulettes rouges et jaunes sortit de sa poche un paquet de cigarettes chinoises, en alluma une et se tourna vers Malko.

– Vous me direz, mister Linge, lorsque vous serez prêt à coopérer. Dépêchez-vous, ces hommes sont d'anciens bûcherons, ils travaillent très vite...

La scie allait et venait régulièrement, entamant un peu plus le bois à chaque aller et retour, pénétrant déjà d'un bon centimètre. Ti Sao hurlait sans discontinuer. Malko calcula que dans moins d'une minute, la lame de la scie allait entamer sa hanche, commençant à la couper en deux.

CHAPITRE XX

Ti Sao poussa un hurlement à glacer le sang. Malko crut qu'on l'électrocutait. La lame de la scie venait d'entamer la chair de la jeune Méo. Cela avait été plus vite qu'escompté.

– Arrêtez !

Sans même s'en rendre compte, il avait hurlé. L'officier leva la main et les deux soldats s'immobilisèrent, absolument impassibles, comme s'ils avaient été en train de découper du bois de chauffage. Des robots décervelés par trente ans de communisme.

– Où se trouvent les documents ? demanda l'officier poliment, sans élever la voix.

Malko comprit que ce n'était pas la peine de gagner du temps. Une fois les organes vitaux de Ti Sao atteints, cela ne servait plus à rien. Pendant quelques secondes, il pensa à ce qu'il allait déclencher. Certainement des centaines de morts et l'échec de l'aventure du général Teng Thao. Mais il ne pouvait pas assister au supplice de la jeune Méo sans réagir, et il était certain que l'officier laotien ne bluffait pas.

Il était prêt à la couper en deux.

– Je les ai cachés, juste à l'entrée du village où j'ai été arrêté, dit Malko. Sous un gros rocher, à gauche du sentier. J'ai remis de la terre par-dessus.

L'autre lui posa encore quelques questions. Puis

donna un ordre à l'un des soldats qui sortit de la pièce. Aussitôt, il prit une carte à grande échelle du Laos, la posa sur les genoux de Malko et demanda d'une voix égale :

– Maintenant, montrez-moi sur la carte où ce camion d'armes s'est arrêté, je connais la zone, mais j'ai besoin de plus de précisions.

Il parlait calmement comme s'il s'agissait de déterminer l'emplacement d'un pique-nique.

– Détachez-la d'abord, demanda Malko.

– Non.

C'était sans appel. Il avait affaire à des gens dépourvus de la moindre humanité. Il se pencha sur la carte et repéra très vite l'endroit où le camion s'était enfoncé dans la jungle.

– Il faut que vous me détachiez les mains, dit-il, pour que je puisse vous montrer.

L'officier aboya un ordre bref et un soldat défit le lacet de Nylon. Malko se frotta les poignets, gagnant quelques secondes. Puis il posa l'index sur un point de la route n° 13, là où la Nam la croisait.

– C'est là, dit-il.

L'officier entoura la zone d'un trait rouge et proposa aimablement.

– Voulez-vous du thé ?

– Non, merci, détachez-la.

Ti Sao sanglotait toujours entre ses deux planches. Les deux soldats chargés de la couper en deux semblaient ennuyés par ce contretemps. L'officier avait allumé une autre cigarette chinoise. Une vingtaine de minutes s'écoulèrent, puis la porte s'ouvrit à la volée sur un soldat, visiblement ravi. Malko reconnut tout de suite dans sa main le plastique protégeant l'enveloppe remise par le général Teng Thao. Il avait honte, aurait voulu disparaître sous terre.

L'officier sortit les documents du plastique, les examina longuement puis fixa Malko d'un regard vide.

– Merci, dit-il, vous venez de rendre un grand service à la République populaire du Laos : il en sera tenu compte pour le sort qui vous est réservé.

– Détachez-la ! répéta Malko en scandant chaque syllabe.

Sans même se retourner, l'officier lança un seul mot. Docilement, les deux soldats retirèrent la scie de l'encoche déjà profonde puis entreprirent de couper à la machette les liens réunissant les deux planches. Le corps de Ti Sao apparut, strié d'une ligne rouge où suintait un filet de sang, juste au-dessus des hanches. Elle semblait avoir perdu connaissance. Malko ouvrit la bouche pour demander qu'on la laisse en paix quand, brusquement, un soldat lui enfila par-derrière la cagoule noire sur la tête. Le lacet lui serra le cou. Il appela. Se débattit. Mais personne ne répondit. Déjà, on le traînait dans le couloir. Il entendit une porte s'ouvrir et il tomba sur les genoux. La porte claqua derrière lui. On lui avait de nouveau lié les poignets et il ne pouvait même pas ôter sa cagoule.

– Il y a quelqu'un ? demanda-t-il en anglais.

Personne ne répondit. Vraisemblablement, il était seul dans sa cellule.

Il avait honte et cherchait désespérément un moyen de prévenir le général Teng Thao que son projet était éventé.

Le général Teng Thao enfila sa tenue militaire, une veste verte avec quatre grandes poches, et se regarda dans la glace. À part les lourds cernes sous les yeux, il n'avait pas trop changé. Désormais, il se trouvait à quelques heures du départ. Il n'avait plus qu'à attendre le retour de Malko Linge de Phonsavan, afin d'être certain que ses guérilleros étaient prévenus. Tous les hommes qui devaient rejoindre Vientiane y étaient arrivés. Des jeunes filles remplissaient les chargeurs des AK 47, les hommes les vérifiaient. Gomer Brentwood, après avoir frappé, pénétra dans sa chambre.

– Quand partons-nous ? demanda-t-il.

Le général le toisa.

– Vous êtes certain de vouloir venir ?

– Oui.

Il semblait si déterminé que le général méo en fut ému. Il essaya encore de parlementer.

– Ce n'était pas prévu. Je n'ai pas besoin de vous. Vous viendrez plus tard.

– Et s'il n'y a pas de « plus tard » ? Ce ne sera pas aussi facile que vous le pensez…

Phu Tat avait rapporté les reconnaissances d'objectifs établies par Malko Linge. Le ministère de l'Intérieur et celui de la Défense n'étaient pas vulnérables comme le général l'avait imaginé. Seule, la résidence du secrétaire général pouvait être détruite par une charge explosive. Pour la télé, il ne fallait surtout pas faire sauter l'émetteur. Donc, un commando, mené par le général en personne, s'en emparerait.

– C'est vrai, reconnut le général Teng Thao, mais si un véhicule avec une charge d'une centaine de kilos explose devant le ministère de l'Intérieur, tout le monde l'entendra et le verra. Même si les occupants ne sont pas tués, tout sera désorganisé.

– J'espère, soupira Gomer Brentwood.

Yi Li entra dans la chambre et l'Américain s'éclipsa. Le général regarda tendrement son épouse.

– Je voudrais tant t'emmener ! Mais cela ne serait pas raisonnable.

– Je te rejoindrai, promit-elle, dès que Vientiane sera sécurisé.

Elle se pencha et embrassa le petit bouddha de jade qui pendait au bout de sa chaîne, sur la poitrine du général.

***

Gomer Brentwood venait d'ôter sa chemise pour prendre une douche quand Yi Li pénétra silencieusement dans sa chambre. Avant qu'il puisse réagir, elle se colla à lui, le visage levé.

– Je ne veux pas que tu partes là-bas ! supplia-t-elle Tu es fou ! C'est très dangereux. Je veux rester ici avec toi.

Son ventre se pressait impérieusement contre le sien et Gomer Brentwood faillit craquer. Mais, déjà, elle s'éloignait en murmurant.

– Ce soir, je viendrai te retrouver !

Il fonça sous la douche et mit l'eau froide à fond pour faire diminuer son érection. Cette affreuse petite garce aurait mérité qu'il l'étrangle. En même temps, il brûlait d'envie de s'enfoncer encore dans son ventre. L'idée l'effleura de dire la vérité au général, mais ce n'était vraiment pas le moment. Il le ferait après la victoire.

Malko entendit la clef tourner dans la serrure et les gonds grincer. Il se dressa aussitôt, pris en sandwich entre deux hommes. Il sentit qu'on défaisait son lacet. On lui arracha la cagoule et on libéra ses poignets et ses chevilles, et il put enfin voir qui se trouvait dans la cellule.

Tim Burton, l'air stressé, en nage, mal à l'aise. Les deux soldats ressortirent, les laissant seuls.

– Vous êtes O.K. ? demanda l'Américain.

– Oui.

Il avait honte de lui et des dizaines de questions se bousculaient dans sa tête.

– Comment êtes-vous ici ? demanda Malko.

– Ils ont trouvé mon numéro dans vos affaires et m'ont contacté à travers mes homologues. Ils m'ont dit que l'affaire était très grave, que deux soldats avaient été tués, que vous vous trouviez en compagnie d'éléments contre-révolutionnaires. Qu'ils auraient pu vous abattre sur place. Mais ils ont voulu faire preuve d'humanité.

Malko s'étrangla.

– D'humanité ! Ils ont commencé à scier entre deux planches la jeune Méo arrêtée avec moi ! Ils auraient été au bout si je ne leur avais pas dit ce qu'ils voulaient.

Tim Burton hocha la tête et dit simplement :

– Ce sont des brutaux… Il faut vous sortir de là. Je vais parler au responsable.

La porte de la cellule était restée entrouverte. Malko le vit disparaître dans le couloir. Il s'assit par terre, cherchant à comprendre où les choses avaient dérivé. Désormais, les Laotiens connaissaient toute l'implantation des Méos, autour de Phonsavan. Il fallait les prévenir pour qu'ils retournent dans la jungle. Surtout avertir le général, pour qu'il ne vienne pas se jeter dans un traquenard. Vingt minutes s'écoulèrent avant que Tim Burton ne réapparaisse. Plus détendu.

– O.K., annonça-t-il, j'ai fait un deal. Ils ne retiennent aucune charge contre vous et vous retournez à Vientiane avec moi, en voiture. Bien entendu, il faudra quitter aussitôt le territoire laotien. Ils gardent votre passeport qu'ils vous rendront au poste-frontière du pont de l'Amitié.

– Comment avez-vous obtenu cela ?

Tim Burton eut un geste évasif.

– Les Laotiens ne veulent pas se brouiller avec

nous. Je leur ai dit que vous faisiez partie de l'Agence et que j'étais responsable de votre sécurité. Et surtout, que vous aviez été infiltré à notre demande dans le dispositif du général Teng Thao pour surveiller ses agissements, et les contrer au besoin.

– C'est faux.

– Il fallait bien leur dire quelque chose ! Vous préférez rester ici ? Ils ne vous feront pas de cadeau.

– Non, bien sûr ! reconnut Malko, mais je ne partirai pas seul.

– Que voulez-vous dire ?

– Je veux emmener Ti Sao, la jeune Méo qu'ils ont torturée sauvagement et qu'ils allaient assassiner.

Tim Burton eut un soupir excédé.

– *God damn it !* Vous compliquez les choses.

– Si on la laisse ici, ils vont la tuer.

– C'est une insurgée, fit de mauvaise grâce l'Américain. Ils ont eu deux morts aujourd'hui.

– Tim, lança Malko d'une voix glaciale, en se rasseyant dans sa cellule. Je ne partirai pas d'ici sans elle. Alors, débrouillez-vous...

Une heure s'était écoulée. Malko se demandait si, finalement, Tim Burton n'était pas reparti sans lui ! Mais, humainement, il ne pouvait pas laisser Ti Sao aux mains de ces brutes. Assommé par la fatigue, il somnolait presque lorsqu'il entendit la porte s'ouvrir à nouveau. Il leva la tête. Tim Burton se tenait dans l'embrasure, Ti Sao à côté de lui, le visage bouffi de larmes, le regard hagard, une grande balafre rouge du nez à la mâchoire.

– Venez ! lança sèchement l'Américain.

Cette fois, Malko ne se fit pas prier. Satisfait d'avoir obtenu cette modeste victoire.

– Ça va ? demanda-t-il à la jeune femme.

Elle inclina affirmativement la tête, sans pouvoir parler.

Au bout du couloir, il y avait un escalier en béton. Ils débouchèrent dans un petit hall avec des rateliers d'armes, un poste de garde ressemblant à celui d'un commissariat. Une porte donnait sur une cour où Malko vit une Toyota Land Cruiser avec une plaque diplomatique bleue.

Il monta à côté de Tim Burton, tandis que Ti Sao s'allongeait sur la banquette arrière. Déjà, un soldat ouvrait le portail. Surprise : ils se trouvaient en plein Phonsavan, en face de l'agence de voyage organisant les excursions dans la plaine des Jarres ! Malko tourna la tête. Le portail noir venait de se refermer. Aucun signe extérieur sur cette annexe de la Sécurité. Juste de hauts murs.

Même pas une sentinelle !

Tim Burton se tourna vers lui.

– Il a fallu téléphoner à Vientiane, ils ne voulaient pas la laisser partir. C'est mon homologue qui a donné son accord, mais elle doit quitter immédiatement le Laos et ne jamais revenir.

Malko ne répondit pas : après ce qu'elle avait subi, Ti Sao préférerait n'importe quel camp de réfugiés en Thaïlande plutôt que le Laos… Pendant un long moment, l'Américain conduisit en silence, puis Malko demanda :

– Que vont faire les Laotiens avec les documents que je leur ai donnés ? Ils vont massacrer ces malheureux Méos.

Tim Burton, mal à l'aise, répondit :

– Je ne sais pas. Je n'ai pas le droit de m'en occuper, c'est une affaire intérieure laotienne. Le fautif est le général Teng Thao qui a sûrement été imprudent. Désormais, nous devons nous désolidariser.

– Comment sont-ils arrivés jusqu'à moi ?

– Je ne sais pas, des imprudences…

– Ils savent d'où viennent les armes du général Teng Thao ?

– Je ne pense pas.

Malko pensa au vieux général méo, probablement encore en Thaïlande, ignorant que ses plans étaient percés à jour par ses ennemis. Il se tourna vers Tim Burton.

– Il faut absolument prévenir le général Teng Thao, qu'il n'aille pas se jeter dans un piège.

Tim Burton ne répondit pas, comme s'il se concentrait sur la route. Il tourna enfin la tête vers Malko et dit d'un air gêné :

– C'est impossible !

Malko crut avoir mal entendu.

– Qu'est-ce que vous voulez dire ?

L'Américain eut un soupir agacé et dit :

– J'ai donné ma parole, celle de l'Agence, aux Laotiens que nous ne le préviendrions pas. C'était la condition *sine qua non* à votre élargissement. Et à celle de cette personne.

– Vous avez donné votre parole, rétorqua Malko, mais pas moi !

– Je suis responsable de vous tant que vous êtes au Laos, répondit Tim Burton, et vous devez demeurer à l'ambassade, *incommunicado*, tant que cette affaire ne sera pas terminée.

Malko avait envie de se frotter les yeux.

– Vous voulez dire que je suis prisonnier ?

– Non, bien sûr, mais il y a un deal avec les Laotiens.

– C'est pourtant vous qui avez aidé le général Teng Thao à se fournir en armes, qui m'avez placé près de lui pour le conseiller et l'aider, protesta-t-il. Et maintenant, vous l'envoyez au massacre !

– Je sais. C'est désolant. Mais il a merdé. S'il apprend ce qui s'est passé à Phonsavan, il va sûrement annuler son opération.

– Et s'il ne l'apprend pas ?

Tim Burton eut un geste évasif.

– Ce n'est pas notre aventure. Nous avons simplement aidé un peu. Désormais, nous nous retirons.

– C'est immonde ! s'emporta Malko. Vous trouvez que l'Amérique n'a pas assez trahi les Méos, en les abandonnant en 1973 ? Ils ont été des dizaines de milliers à mourir pour vous.

– Je sais, reconnut le chef de station de la CIA, mais je n'étais même pas à l'Agence à ce moment-là. Je ne peux pas agir autrement. Ce sont les ordres de Langley. Sinon, nos relations avec les Laotiens sont foutues. Le général Teng Thao n'a plus aucune chance de réussir.

– Je veux bien le croire, reconnut Malko, mais empêchez-le, au moins, d'aller se jeter dans la gueule du loup.

– Si je le pouvais, je le ferais, prétendit l'Américain, mais c'est impossible, j'ai donné ma parole.

Malko se tut. La jungle défilait de chaque côté, monotone. Il y avait peu de circulation. La nuit allait tomber bientôt. Encore deux bonnes heures de route. Tim Burton se tourna vers lui, avec un demi-sourire un peu forcé.

– O.K., on ira dîner en arrivant. Ils doivent encore servir au *Lao Palace*, il y a un bon chinois. Vous pouvez me passer le paquet de cigarettes qui se trouve dans la boîte à gants ?

Malko ouvrit la boîte à gants. Un paquet de Camel était posé sur un pistolet automatique, un Glock. Tim Burton alluma une cigarette. À l'arrière, Ti Sao s'était redressée, mais demeurait muette. Enfin, vers neuf heures, ils entrèrent en ville, descendant South Road et passant devant le ministère de la Défense.

Aucune animation inhabituelle. Ils contournèrent le Patuxan et s'engagèrent dans l'avenue Lane Xang. La rue Borthulam, où se trouvait l'ambassade américaine, donnait sur l'avenue à droite, juste avant le palais présidentiel. Il y avait un feu. Il passa au rouge et Tim Burton s'arrêta. Il ne vit pas Malko ouvrir la boîte à gants. Lorsqu'il se tourna vers lui, il se trouva nez à nez avec son propre pistolet braqué sur lui.

– Désolé, Tim, dit Malko, ne cherchez pas à me poursuivre, je serais obligé de réagir.

Il ouvrit la portière et sauta à terre, arrachant les clés du contact, et se tourna vers l'arrière.

– Ti Sao, venez !

La jeune Méo mit quelques secondes à réagir, puis sauta à terre à son tour. Malko claqua la portière du 4×4 et traversa l'avenue en courant, s'engageant dans une petite rue sombre. Le feu était repassé au vert et une voiture klaxonnait derrière le 4×4. Il vit Tim Burton en descendre.

Ti Sao le rattrapa.

– Où allons-nous ?

– Je n'en sais rien encore ! avoua Malko. Au pire, nous franchirons le Mékong à la nage. Mais il faut absolument prévenir le général. Vous savez où joindre Phu Tat ?

– Oui. Dans la journée, à son bureau.

Ils étaient arrivés dans un coin sombre et il s'arrêta. Dans très peu de temps, il serait traqué par les Laotiens et peut-être même par les Américains. Il n'avait plus de portable, ni de téléphone satellite et, d'ailleurs, ne connaissait pas le numéro du général Teng Thao. Pourtant, il devait à tout prix le joindre.

– Allons vers le Mékong, dit-il.

Une fois en Thaïlande, il arriverait bien à rejoindre Udon Thani.

Ti Sao s'accrocha à son bras.

– Je ne sais pas nager. Ne m'abandonnez pas.

CHAPITRE XXI

Depuis plus d'une heure, le général Teng Thao tentait de joindre ses différents responsables guérilleros, qui se trouvaient tous dans la région de Phonsavan, là où ils s'étaient regroupés pour recevoir leurs armes. Certains avaient marché plusieurs jours dans la jungle, laissant leurs familles à l'abri.

Quelque chose le tracassait. Bien que quatre de ses chefs de groupe aient des téléphones satellite, impossible d'établir la moindre liaison avec eux. Il alla demander conseil à Gomer Brentwood. L'Américain sembla surpris et ennuyé.

– On dirait qu'il y a un « dôme », dit-il, un brouillage de toutes les communications. Cela se fait parfois sur une zone précise, pour la bloquer. Ou alors, c'est un phénomène naturel. Vous n'avez pas d'autre moyen d'entrer en contact avec eux ?

– Non, mais je pense avoir des nouvelles par « Max ». Il doit revenir à Vientiane, après avoir rencontré Tivi. Normalement, il reprenait l'avion aujourd'hui.

– Vous ne pouvez pas le joindre ?

– Non, je n'ai pas son portable. C'est Phu Tat qui doit le ramener demain matin.

– O.K., conclut Gomer Brentwood. Demain matin,

vous aurez des nouvelles. Et sur Vientiane, tout est prêt ?

– Ils n'attendent plus que moi, avoua fièrement le général Teng Thao. Nous partirons demain soir, de façon à arriver là-bas vers deux heures du matin et à attaquer à l'aube. Phu Tat a prévu un *long tail* qui nous déposera au sud de l'aéroport. Il sera là pour nous accueillir.

– Pour acheminer les hommes sur les objectifs, vous avez des véhicules ?

– Oui, quatre minibus qu'il a loués, soi-disant pour des touristes.

Yi Li entra, jetant un regard en coin à Gomer Brentwood et dit à son mari :

– Tu devrais te reposer. Demain, tu auras une très longue journée.

– Je n'ai pas sommeil, fit le général.

Elle battit en retraite, après un long regard à l'intention de Gomer Brentwood, laissant le général Teng Thao penché sur ses cartes. Elle s'aventura peu après jusqu'à la chambre de l'Américain : il ne s'y trouvait pas. Aussi, elle gagna le jardin où il se retirait souvent en fin de journée pour se baigner ou se reposer, dans un coin de la piscine, protégé par un épais massif de bambous. Arrivant silencieusement, elle l'aperçut enfin. Il était allongé, entièrement nu, sur une chaise longue en teck, sortant vraisemblablement de la piscine. Il adorait se baigner nu.

Gomer Brentwood ne s'aperçut de sa présence que lorsqu'il la vit debout à côté de lui, souriant dans la pénombre.

– Bonsoir, dit-elle.

Puis, elle se laissa tomber à genoux à côté de la chaise longue et, délicatement, comme un chat prend ses petits dans la gueule, referma les dents sur le sexe au repos de l'Américain. Il voulut la repousser, mais les dents s'enfoncèrent dans sa chair et il poussa un cri de douleur.

Il retomba en arrière et jeta :

– *Get away! You little bitch*[1] *!*

Au lieu d'obéir, Yi Li commença à le masturber doucement, tout en le tenant dans sa bouche. Ce n'est que lorsqu'il fut en érection qu'elle écarta les dents et l'enfonça jusqu'au fond de son gosier.

Gomer Brentwood aurait pu alors l'écarter d'un revers de main, mais il n'en eut plus le courage.

Yi Li profita de son avantage quelques minutes, puis le libéra et souffla :

– Maintenant, tu vas me baiser ! Comme tu veux. Dépêche-toi ou je crie.

– Salope ! gronda Gomer Brentwood.

Déjà, Yi Li s'agenouillait, la croupe haute, débarrassée de son slip, sur la chaise longue voisine. Elle sentit l'Américain s'abattre sur elle, puis son sexe puissant la pénétra d'un seul élan, l'embrochant jusqu'à la racine. Elle poussa un léger cri.

– Ce que tu es gros !

– Tais-toi !

Il l'aurait tuée ! Mais, les deux mains agrippées à ses hanches fines, il la martelait comme s'il voulait l'ouvrir en deux. Yi Li se retourna et lança d'une voix haletante :

– Je suis une garce et une salope, mais, en ce moment, tu es enfoncé dans ma chatte...

– Salope ! répéta-t-il.

En cette seconde, il ne pensait plus qu'avec son sexe. Encore quelques coups de reins et il explosa avec un grognement sourd, se relevant aussitôt, comme pour fuir ce plaisir interdit. Yi Li se retourna.

– Ne pars pas avec le général ! Trouve un prétexte.

1. Tire toi, petite garce !

Tu pourras me baiser, me prendre par le cul ou jouir dans ma bouche tous les jours. Réfléchis bien.

Elle se drapa dans son sarong et s'éloigna vers la maison. Quelque chose échappait à Gomer Brentwood. Yi Li se comportait comme si le général Teng Thao, son mari, n'existait pas. Ou plutôt, comme si elle était certaine qu'il ne reviendrait pas vivant du Laos.

Edgar Mac Bride venait d'arriver à son bureau à neuf heures pile lorsque sa secrétaire lui apporta un long câble portant le sceau «*for your eyes only*».

– Cela vient de la station de Vientiane, *sir*, annonça-t-elle.

Edgar Mac Bride lut le câble et eut instantanément envie de vomir son petit déjeuner ! Alors que tout était dans la phase finale, l'opération «Pop-corn» déraillait de nouveau. Et quel déraillement ! Il appuya sur son interphone.

– Suzie, appelez Tim Burton sur une ligne protégée.

Moins d'une minute plus tard, il eut le chef de station de Vientiane en ligne. Là-bas, il était neuf heures du soir.

– Vous l'avez retrouvé ? demanda aussitôt Edgar Mac Bride.

– *No, sir*, avoua Tim Burton. Ici, il fait nuit et je n'ai aucune idée de l'endroit où il se trouve.

– Quels sont les risques ?

– Élevés, *sir* ! avoua le chef de station de Vientiane. Il peut traverser le fleuve à la nage. Ou trouver quelqu'un pour le transporter. Peut-être est-il déjà trop tard. Il a des contacts ici avec les partisans du général.

– Il a de l'argent ?

– Non, mais il a une arme qu'il m'a volée…

Edgar Mac Bride souffla quelques secondes.

– Il faut le retrouver, coûte que coûte !

– J'ai déjà lancé à ses trousses tous les gens susceptibles de m'aider, *sir* ! assura Tim Burton. Mais c'est sans garantie de résultat.

– Vous avez alerté vos homologues ?

– Non.

– Faites-le. En plus, cela prouvera notre bonne foi.

– En plus, il n'est pas seul, précisa Tim Burton. Une « locale » l'accompagne. Celle qu'il a fait libérer. Elle peut l'aider.

Edgar Mac Bride souffla comme un phoque fatigué.

– Tim, vous êtes responsable de cette merde. Il faut le neutraliser, à tout prix. Pour quarante-huit heures. Il a un téléphone ?

– Non, *sir*.

– *Enfin*, une bonne nouvelle. Prévenez immédiatement la station de Bangkok. Qu'ils surveillent les abords de l'endroit où loge le général. Pour intercepter cet idiot !

Edgar Mac Bride raccrocha, se demandant s'il prévenait tout de suite la Maison Blanche. Il décida d'attendre une heure, pour avoir éventuellement de bonnes nouvelles à leur apprendre. Ou plutôt pour ne rien leur dire, si l'incident était résolu. Il songea qu'on ne compte jamais assez avec le facteur humain. Le prince Malko Linge était un excellent chef de mission, mais il ne pouvait pas être considéré comme fiable à 100 %, n'étant pas né dans le moule rigide de l'Agence.

Alors, il avait parfois des réactions affectives fâcheuses.

***

Malko et Ti Sao étaient blottis sur un banc de sable herbeux au bord du Mékong, juste en face du quai

Fungu. De là, ils apercevaient les lumières de l'hôtel *Lane Xang* et les balises rouges de la tour de radio, à côté du *Settah Palace*.

Pour une fois, Malko avait une vue globale de la situation. Il avait été aveugle ! Pour des raisons qu'il ignorait, la CIA souhaitait désormais l'échec du général Teng Thao. Peut-être pour l'arracher aux militaires laotiens, comme Tim Burton l'avait laissé entendre. Mais il soupçonnait autre chose. Il essaya de se vider le cerveau : il avait une priorité absolue, prévenir le général Teng Thao que ses plans étaient éventés. Même si son opération sur Vientiane réussissait, ce qui était loin d'être certain, ses guérilleros seraient décimés par les troupes laotiennes. Jamais les Laotiens ne laisseraient passer les armes vers Phonsavan.

Il regarda la surface sombre du Mékong. Le fleuve était large mais il pensait arriver à le traverser à la nage. Seulement, une fois de l'autre côté, que ferait-il ? Pas de téléphone, pas d'argent. En plus, il n'était pas certain de retrouver la propriété de Gomer Brentwood, à près de cent kilomètres du Mékong. Il fallait trouver de l'aide sur place. Ti Sao grelottait contre lui. La fatigue et la peur.

– Si on allait à l'usine ? suggéra-t-elle.

Malko n'eut pas le temps de lui répondre. Une voiture venait de s'arrêter à une trentaine de mètres d'eux, le long du quai. Malko aperçut un projecteur qui s'allumait et commençait à balayer la berge.

Son pouls grimpa en flèche. Tim Burton avait fait appel, pour le retrouver, aux policiers laotiens ! Déjà, plusieurs hommes descendaient sur la berge sablonneuse ! Il prit Ti Sao par la main et la força à se lever.

– Partons !

Ils longèrent la berge pour remonter sur le quai deux cents mètres plus loin, le traverser et s'enfonçer dans la rue obscure et déserte. Il essayait de contrôler une fureur aveugle. La CIA, son employeur, l'avait balancé aux Laotiens. Il fallait une sacrée motivation pour cette entorse grave aux régles du Renseignement. Il n'en voyait qu'une : désormais les Américains avaient partie liée avec le gouvernement laotien, après avoir voulu le faire renverser par le général Teng Thao !

Et Malko était devenu un soldat perdu...

Ils ne pouvaient rester dans les rues. C'était tentant d'aller à l'usine de confection, mais il ignorait si la police ne s'y trouvait pas déjà. En réfléchissant, il se dit qu'il avait encore un peu de temps. S'il pouvait joindre Phu Tat le lendemain matin, le message serait transmis au général.

Il pensa soudain à une planque possible pour la nuit et demanda à Ti Sao :

– Vous connaissiez Pakao ?

– Celle dont le père était américain et qui a été assassinée ?

– Oui.

– Oui. Mais elle est morte !

– Sa maison doit être vide, dit Malko. Elle habitait seule.

– Vous savez y aller ?

– Je crois. C'est en face de l'ancien centre culturel soviétique.

Ils se mirent en route et, un quart d'heure plus tard, ils atteignaient la grille noire desservant les bungalows disposés autour de la cour. Ils avancèrent dans l'obscurité, gagnant la cour intérieure. Malko tira l'arme volée à Tim Burton et dit à Ti Sao :

– Attendez là. Je vais voir. S'il y avait un problème, sauvez-vous.

– Où ?

– Je ne sais pas, avoua-t-il. Vous devez connaître des gens à Vientiane…

Ses pas crissaient sur le gravier. Arme au poing, il gagna la maison de Pakao et monta sur la terrasse. Aucun bruit, sauf les cris de quelques oiseaux de nuit. Il effleura la porte et sentit sous ses doigts une sorte de ruban. Probablement des scellés.

Retenant son souffle, il arracha le ruban et pesa sur la porte qui s'ouvrit avec un craquement ! Il attendit encore quelques secondes avant de se glisser à l'intérieur. Ses oreilles bourdonnaient. Il fit tomber une lampe et s'arrêta, le pouls à 200. Rien ne se passa. Il ramassa la lampe et l'alluma quelques secondes. Le temps de voir que rien n'avait bougé depuis sa dernière visite. Il éteignit aussitôt et ressortit pour aller chercher Ti Sao.

Dès qu'ils furent à l'intérieur, il alluma quelques secondes pour qu'elle puisse s'orienter.

– Nous allons dormir ici, décida-t-il. Demain matin, vous irez au bureau de Phu Tat pour lui apprendre ce qui s'est passé. Il faut qu'il regagne la Thaïlande, prévenir le général.

Ils gagnèrent le lit à tâtons et s'y allongèrent. Peu à peu, le rythme cardiaque de Malko redevint normal. Il avait un toit, une arme et un peu de temps : personne ne viendrait les chercher ici. Les Laotiens étaient trop superstitieux pour imaginer qu'on puisse se cacher dans la maison d'un mort.

Il était cinq heures de l'après-midi à Washington, cinq heures du matin à Vientiane. Edgar Mac Bride avait été obligé de prévenir les sponsors de l'opération « Pop-corn » à la Maison Blanche. On n'avait pas retrouvé Malko Linge, mais tout un dispositif avait été mis en place afin de l'intercepter au plus vite et, surtout, d'empêcher qu'il ne contacte le général Teng Thao. Il avait Gordon Backfield en ligne.

– Une équipe de *field officers* surveille les abords de la propriété de Gomer Brentwood, annonça le chef de station de Bangkok. Ils ont ordre d'intercepter Malko Linge par n'importe quel moyen.

– Et le téléphone ?

– J'attendais vos ordres. Les Thaïs peuvent bloquer les communications.

– *No way!* Il y a un risque à prendre, mais il ne faut rien faire qui puisse alerter le général Teng Thao. Je pense que pour une affaire aussi sensible, Malko Linge n'utilisera pas le téléphone. Et du côté de Vientiane ?

– Rien de nouveau, *sir*. Ils ne l'ont pas retrouvé. Il a peut-être franchi le fleuve. Ils continuent à patrouiller, à l'heure où je vous parle.

– Une question, enchaîna Edgar Mac Bride : connaît-on le *timing* exact du général ?

– Non, *sir*, mais le déclenchement de son opération est imminent.

– *O.K., keep me posted.*

Après avoir raccroché, il appela Tim Burton.

Le chef de station répondit instantanément. Il ne dormait pas. Un bon point pour lui.

– Tim, fit Edgar Mac Bride, dites à vos homologues qu'ils ne bougent pas une oreille. Jurez-leur que nous avons la situation en main. Dites-leur que nous avons retrouvé Malko Linge et qu'il est neutralisé…

– Mais…

– *God damn it!* Soyez convaincant. C'est la seule façon de les faire se tenir tranquilles. Sinon, il vont tout foutre en l'air. Ils ont assez d'informations pour cela. C'est moi qui donnerai le feu vert.

Il raccrocha, les nerfs en pelote. Ce serait trop

con d'échouer à la dernière seconde, après des mois de préparation. Il avait envie de partir à la retraite sur un succès.

Une faible lueur éclairait la pièce, à travers les rideaux tirés. Malko avait à peine dormi. La tension nerveuse. Ti Sao elle, dormait encore, recroquevillée en chien de fusil. Il regarda les aiguilles lumineuses de sa Breitling. Cinq heures quarante-deux. Encore deux heures de paix. Laissant la jeune Méo dormir, il alla explorer le capharnaüm de la pièce. Désormais, il était certain que la mort de Pakao avait quelque chose à voir avec sa mission, mais ne savait pas encore quoi. Il tomba sur un téléphone. Un moyen de communiquer. Hélas, c'était pratiquement impossible de trouver le numéro de Gomer Brentwood. Il se maudissait de ne pas avoir demandé son portable au général Teng Thao, mais c'était trop tard…

Soudain, le téléphone se mit à sonner, expédiant une formidable poussée d'adrénaline dans ses artères ! Qui pouvait appeler à cette heure ? Est-ce que la police faisait un test ? La sonnerie avait réveillé Ti Sao en sursaut. Elle le rejoignit, pieds nus, les yeux agrandis par la peur.

– Qu'est-ce que c'est ? demanda-t-elle à voix basse.

– Rien, j'espère, fit Malko.

La sonnerie continuait, inlassable, entêtée, menaçante. Comme si on les avait débusqués.

CHAPITRE XXII

La sonnerie s'arrêta d'un coup et Malko eut l'impression de revivre. Pourtant, il n'était pas rassuré. Allant à la fenêtre, il écarta légèrement le rideau et regarda à l'extérieur. Rien ni personne. Soudain, un bruit le fit se retourner. Le fax s'était mis en route. Il lut le document sorti de l'appareil. Quelques mots d'une certaine Alice, expliquant qu'elle n'avait pas pu joindre Pakao et qu'elle envoyait un fax.

Cela venait de Brisbane, en Australie…

Il se recoucha et somnola encore deux heures. Fut réveillé par le jour.

– Ti Sao, dit-il, regardez dans la penderie, il y a des vêtements qui doivent vous aller. Ce sera mieux que ce que vous avez.

La jeune Méo alla farfouiller et se retourna.

– J'ai le temps de prendre une douche ?

C'était une obsession… Elle se déshabilla, exhibant la grande traînée rouge et boursouflée au-dessus de sa taille et les multiples traces de chaîne de vélo… Malko se prépara un café, le pistolet à portée de main. Quand Ti Sao ressortit de la salle de bains, elle était très présentable, presque pimpante, en dépit de son expression traquée.

– Bien, conclut Malko, il faut joindre Phu Tat d'urgence. Vous savez où est son bureau ?

– Oui, bien sûr.

– Il faut y aller. J'espère qu'il n'est pas surveillé. Si c'était le cas, vous revenez ici et on avisera.

Il se savait recherché par les Américains et les Laotiens. Ti Sao passerait inaperçue.

Il la regarda se glisser dehors, le cœur serré, puis retourna s'allonger sur le lit, pistolet à portée de la main. Le jour se levait peu à peu et il alla remettre en place le ruban jaune des scellés. Il avait hâte de se retrouver en face d'un responsable de la CIA pour exiger des explications. Mais, pour l'instant, il avait une seule priorité : alerter le général Teng Thao. Pourtant, l'étrange avertissement de Ling Sima continuait à lui trotter dans la tête. Soudain, il réalisa ce qu'elle avait voulu dire. Qu'y avait-il de plus important que la vie pour certaines personnes ? C'était l'honneur, bien sûr...

Et cela s'appliquait parfaitement à lui.

S'il avait sciemment entraîné le général Teng Thao dans une aventure vouée à l'échec. Comme il avait été de bonne foi, il ne restait qu'un coupable possible : l'Agence fédérale... Cependant, il n'arrivait pas à croire à une telle noirceur de sa part.

Il regarda sa Breitling. Ti Sao était partie depuis une heure et demie.

Ti Sao faisait les cent pas dans Thanon Samsenthaï Road guettant la petite agence de voyage de Phu Tat, toujours fermée. Elle s'immobilisa devant une bijouterie vietnamienne. Elle pouvait surveiller l'agence qui se refletait dans la vitrine.

Toujours personne... Pourtant, à Vientiane, on travaillait très tôt.

Enfin, le minibus du Méo se gara devant la boutique

et Phu Tat en descendit, accompagné d'un de ses employés. Ti Sao attendit que ce dernier fût reparti pour entrer. Phu Tat lui jeta un regard de reproche.

– C'est imprudent de venir ici. Pourquoi es-tu revenue ?

– J'ai été arrêtée, annonça la jeune Méo. À Phonsavan. Les commmunistes sont au courant de notre projet !

Phu Tat la regarda, stupéfait.

– Qu'est-ce que tu racontes ? Si c'était vrai, je serais déjà arrêté...

Elle lui raconta tout ce qui s'était passé depuis son départ de Vientiane avec l'ami du général Teng Thao. Le rendez-vous, l'arrestation, la torture, l'intervention des Américains. Et son retrour à Vientiane.

– Où est cet homme ? demanda Phu Tat. Je veux le voir.

– Chez Pakao. Nous avons dormi là-bas.

– Allons-y.

Ils s'éloignèrent à pied. Les rues de Vientiane étaient aussi calmes que d'habitude et Phu Tat avait du mal à croire la jeune femme. Pas un policier, pas un soldat, une circulation normale et plutôt intense...

Malko, incroyablement soulagé de voir Phu Tat, lui relata ce qui s'était passé et conclut :

– Vos amis guérilleros, cachés autour de Phonsavan, doivent regagner la jungle avant qu'il ne soit trop tard. Ils ne recevront jamais leurs armes.

Phu Tat écoutait, figé et incrédule.

– Je n'arrive pas à y croire !

– Les militaires attendent vraisemblablement que le général Teng Thao soit sur le territoire laotien pour se dévoiler. Il faut démonter toute l'opération.

– Qui a trahi ? demanda Phu Tat.

– Je n'en sais rien, avoua Malko. Nous éclaircirons ce point plus tard. En tout cas, les militaires laotiens possèdent les instructions du général. J'ai été obligé de les leur remettre pour sauver Ti Sao.

Phu Tat semblait dépassé.

– Je vais passer à l'usine, dit-il enfin, voir ce qui se passe là-bas.

– Il faut que les combattants qui s'y trouvent la quittent, s'il est encore temps.

Phu Tat secoua la tête.

– Seul le général Teng Thao peut donner cet ordre !

– Alors, passez le fleuve et allez le voir. À propos, quand est fixée l'attaque sur Vientiane ?

Le Méo marqua une imperceptible hésitation puis dit à voix basse :

– La nuit prochaine.

– Il n'y a pas une minute à perdre, répéta Malko.

Phu Tat lui jeta un regard aigu.

– Et vous, qu'allez-vous faire ?

– Si je n'avais pas pu vous joindre, j'aurais franchi le Mékong à la nage. Je pense que je vais attendre ici. C'est une bonne planque. Il faudrait que vous m'apportiez un portable.

– À mon retour, promit Phu Tat, je vais là-bas maintenant.

Sans portable, Malko se sentait coupé du monde. Il aurait donné n'importe quoi pour savoir ce que les Laotiens avaient appris des projets du général Teng Thao, en dehors des documents qu'il avait été obligé de leur remettre. Il fit un calcul rapide. Phu Tat pouvait être de retour dans quatre ou cinq heures. D'ici là, il n'y avait rien à faire qu'à prier. Il était quand même soulagé : le général Teng Thao saurait à quoi s'en tenir et ne viendrait pas se jeter dans le piège.

***

Phu Tat faisait la queue dans la file de véhicules attendant de franchir le pont de l'Amitié, en direction de la Thaïlande, comme tous les matins. Il ne restait plus que trois voitures avant lui. Malgré tout, son cœur battait très vite. Si ce que Ti Sao et l'ami du général Teng Thao avaient dit était vrai, les services de sécurité laotiens l'avaient repéré. Et il risquait d'être arrêté à la frontière.

Il essuya ses mains moites sur son pantalon. Heureusement, il n'avait rien de compromettant dans son véhicule.

Son tour arrivait : c'était un officier de l'Immigration qu'il connaissait. Ce dernier lui adressa un petit signe pour qu'il puisse le rejoindre dans sa guérite et Phu Tat sentit son cœur descendre dans ses chaussettes. Il sortit de son minibus, se dirigea vers la guérite vitrée. Le fonctionnaire laotien lui tendit la main. Phu Tat sentit qu'elle tenait des billets.

– Tu peux me rapporter un appareil photo numérique ? souffla le Laotien. Il y a deux cents dollars.

Phut Tat était tellement soulagé qu'il se dit qu'il mettrait la différence de sa poche.

– Pas de problème, promit-il, en enfouissant les billets au fond de sa poche. Je reviens cet après-midi. Tu seras là ?

– Non, laisse-le à mon copain…

En traversant la large chaussée du pont, Phu Tat avait envie de chanter ! Même si les nouvelles de Phonsavan étaient mauvaises, tout n'était pas perdu. Le fonctionnaire de l'Immigration ne se serait pas risqué à lui demander ce service s'il avait été suspect. Au Laos, on pardonnait la corruption, mais pas la déviance politique…

À peine le pont franchi, il fonça vers Udon Thani, passant devant la petite gare de Nang Khai. Il n'arrivait pas à croire ce que lui avaient raconté les fugitifs.

*
* *

On était dans l'œil du cyclone. Tout était calme. Personne ne bougeait, mais la tempête pouvait se déclencher à n'importe quel moment. Edgar Mac Bride n'était pas rentré chez lui, se faisant servir un repas amené de la cafétéria dans son bureau. Il avait fait préparer le lit de camp dans le cagibi attenant afin de pouvoir dormir sur place. Pour l'instant, il n'y avait pas de catastrophe, mais les choses pouvaient évoluer très vite. Le général Teng Thao n'avait pas bougé de la propriété où il résidait, ses lignes téléphoniques surveillées n'avaient rien révélé : il ne téléphonait pas, pas plus que son hôte, Gomer Brentwood.

L'équipe de la CIA chargée de surveiller le domaine avait vu l'épouse du général partir au marché, accompagnée de Gomer Brentwood, puis revenir.

De l'autre côté du Mékong, les Laotiens avaient obéi aux consignes de Tim Burton : ils ne bougeaient pas une oreille, quoi qu'il leur en coûte. Le chef de station de la CIA était en liaison constante avec ses homologues.

Un seul point noir dans ce paysage idyllique : on n'avait trouvé aucune trace de Malko Linge ! Comme s'il avait changé de planète. Pourtant, des dizaines de policiers avaient ratissé tous les hôtels de Vientiane, les lieux publics, les restaurants, les rues, sans trouver trace de son passage. L'hypothèse de Tim Burton était qu'il avait traversé le Mékong à la nage et tentait en ce moment de gagner Udon Thani.

Par acquit de conscience, deux *field officers* de la CIA surveillaient en permanence la petite gare de Nang Khai, d'où il pouvait prendre le train pour Udon Thani. Pratiquement, tout le personnel de la station de Bangkok était mobilisé sur cette affaire. Edgar Mac Bride alla s'allonger sur le lit de camp. Il avait hâte d'être au lendemain et se préparait à passer une mauvaise nuit. Là-bas, en Asie du Sud-est, la journée ne faisait que commencer et pouvait réserver de mauvaises surprises. Le général Teng Thao était un homme imprévisible et déterminé. C'est justement sur cette détermination, parfois aveugle, que comptait Edgar Mac Bride, pour remplir son contrat avec les Laotiens, en dépit des imprévus. L'interpellation de Malko Linge à Phonsavan avait été une grossière erreur des Services laotiens, qui risquait de tout faire capoter.

Phu Tat avait été introduit immédiatement auprès du général Teng Thao, enfermé dans le bureau mis à sa disposition avec ses cartes et ses plans. Tout le temps du récit de Phu Tat, il avait pris des notes et posé des questions.

– Tu n'as eu aucun problème pour venir ? demanda-t-il.

– Aucun.

– Et à Vientiane ?

– Il n'y a rien d'anormal. Mais à Phonsavan, je ne sais pas. Nous n'avons pas de contacts.

– Moi non plus ! reconnut le général méo.

Toujours impossible de contacter ses responsables militaires. Les communications n'aboutissaient pas. Visiblement, les Laotiens étaient au courant de certaines choses, mais probablement pas de tout.

Avant de le rejoindre, Phu Tat était passé à l'usine de confection. Là aussi, tout était calme. Le général Teng Thao n'arrivait pas à croire que les Laotiens n'auraient pas réagi, en apprenant l'existence d'un important dépôt d'armes au cœur de la capitale. Il connaissait les apparatchiks communistes. Personne n'aurait osé prendre une telle responsabilité. Peu à peu, le général se forgeait une conviction : ses ennemis savaient un certain nombre de choses, concernant les opérations dans le centre du Laos, mais ignoraient tout ce qui se préparait à Vientiane. Peut-être même pensaient-ils que la reconquête du pays était prévue à partir de Phonsavan, jadis champ de bataille entre d'une part Américains et Méos et, d'autre part, Pathet Lao et Nord-Vietnamiens. Ce qui expliquait leur attitude. En plus, il connaissait les Laotiens : ce n'étaient pas des foudres de guerre. Ils avaient peut-être demandé l'aide des Vietnamiens et cela prenait du temps.

– Qu'est-ce que je fais ? demanda timidement Phu Tat, troublant la méditation du général.

Celui-ci le regarda en face, avec un petit sourire.

– Tu retournes à Vientiane et tu attends mes instructions. Je ne change rien à mes plans. Ils ne te connaissent pas, sinon tu aurais déjà été arrêté.

Phu Tat n'en croyait pas ses oreilles. Le général était devenu fou ! Mais il n'avait pas pour habitude de discuter ses ordres.

– Cette nuit, continua le général, tu viens me chercher à l'heure prévue au bord du fleuve et, de là, nous irons à l'usine de confection.

Phu Tat salua et ressortit, assommé.

Resté seul, le général Teng Thao alluma une cigarette et continua sa réflexion. Cela lui rappelait l'époque où, chaque année, après la saison des pluies, il attaquait avec ses troupes la 316e division nord-vietnamienne. Les Vietnamiens savaient qu'il allait attaquer, mais il arrivait toujours à les prendre par surprise.

Il en serait de même cette fois. Ils ne l'attendaient pas à Vientiane. Il balaierait facilement leur résistance et ensuite, à partir de la capitale, reconquerrait le pays, y compris Phonsavan.

Ça serait la plus belle offensive de sa vie de combat. Ragaillardi, il alla se verser un verre de Chivas Regal. Dans la glace, il vit le bouddha suspendu à son cou se tourner sur le côté : c'était un bon signe du destin.

CHAPITRE XXIII

Malko avait vu le jour tomber, tenaillé par l'angoisse. Une balle dans le canon du Glock, il guettait chaque bruit de l'extérieur, les nerfs à vif. Phu Tat aurait dû être revenu depuis longtemps. Il avait trouvé sur une étagère du maïs en boîte, des biscuits et du corned-beef, pour assouvir sa faim. Ti Sao somnolait, allongée sur le lit.

Il regarda le téléphone. Il aurait probablement pu appeler Langley. Il connaissait par cœur certains numéros. Ou même son ami Frank Capistrano, à la Maison Blanche. Mais, à quoi bon ? D'abord, c'était contre toutes les régles de sécurité. Ensuite, on ne lui aurait sans doute pas dit la vérité au téléphone. Au moins, le général Teng Thao avait été prévenu ! Dès qu'il en aurait la certitude, il gagnerait l'ambassade américaine pour une sérieuse explication. Un frottement à la porte envoya un jet brutal d'adrénaline dans ses artères. Quelqu'un se trouvait derrière le battant ! Il écouta, serrant la crosse du pistolet, et vit le battant s'écarter lentement. Ce n'est qu'en apercevant dans l'entrebâillement la moustache de Phu Tat que sa tension retomba. Le Méo se glissa à l'intérieur.

– J'ai vu le général ! annonça-t-il.

– Alors ? Vous lui avez tout raconté ?

– Oui, oui, mais il ne veut pas arrêter. Il va traverser le fleuve cette nuit. Il vous donne rendez-vous à l'usine de confection, vers cinq heures du matin. Je viendrai vous chercher.

Malko n'en croyait pas ses oreilles.

– Vous lui avez dit que les Laotiens savent où sont ses guérilleros ? Qu'ils s'apprêtent à attaquer !

– Oui, oui. Mais le général pense qu'ils ne savent rien de ce qu'il prépare à Vientiane ! Il m'a dit qu'il va prendre la ville et, ensuite, il attaquera Phonsavan.

Visiblement, Phu Tat n'avait pas fait l'école de guerre et cela lui paraissait absolument normal.

– Il est fou ! soupira Malko.

Il se dit que s'il était allé lui-même avertir le vieux chef de guerre, il ne l'aurait pas fait dévier de sa ligne... Le général Teng Thao était têtu, croyait en son étoile et ne voulait plus reculer. Comme dans les tragédies antiques, le script était écrit, on connaissait la fin, mais cela n'empêchait pas les protagonistes d'aller vers leur destin.

– Je viens quand même vous chercher ? demanda timidement Phu Tat.

– Oui, fit Malko, sans même réfléchir.

Lui non plus ne se donnait pas le choix de dévier de ce qui était écrit. Une sorte de réflexe. Il s'était attaché à la personnalité du général Teng Thao et à sa folle aventure. Et désormais, il commençait à soupçonner la vérité. Les Américains l'avaient trahi depuis le début, pour une raison qu'il ignorait. Il voyait bien que les informations livrées à la CIA étaient passées de l'autre côté. Il n'avait jamais parlé de Phu Tat, donc, le Méo était à l'abri. Il n'avait pas non plus donné d'informations aux Américains sur ce qui se passait à Vientiane.

Sauf la fabrique de confection... Donc, les Laotiens attendaient tout simplement que le général Teng

Thao vienne se jeter dans leurs filets pour frapper. Ils étaient assez intelligents pour ne pas se contenter de saisir un stock d'armes. Celui qu'ils voulaient, c'était le vieux général méo, indomptable malgré l'âge, pour s'en débarrasser une bonne fois pour toutes. Ensuite, ses derniers guérilleros seraient massacrés comme du bétail, attendant des armes qu'ils ne recevraient jamais.

L'avertissement de Ling Sima prenait tout son sens. Elle était au courant de ce qui se préparait, mais n'avait pu prévenir Malko, pour des raisons d'éthique : elle l'avait seulement mis sur la voie, espérant qu'il comprendrait son allusion, désormais transparente. En trahissant involontairement le général Teng Thao, Malko se déshonorait sans le savoir.

Il n'était même pas dégoûté par la CIA. Les États sont des monstres froids et on l'avait utilisé, comme d'autres avant lui. S'il se rendait à l'ambassade américaine de Vientiane, il serait accueilli comme l'agneau perdu qui revient au bercail. Et aux premières loges pour voir ce qui allait se passer. La CIA avait quand même fait de son mieux pour lui sauver la mise à Phonsavan. Mais on n'avait pas échangé sa vie contre des informations : les Laotiens ne pouvaient rien refuser à ceux qui leur amenaient leur vieil ennemi sur un plateau d'argent.

Il ne lui restait plus qu'une chose à faire pour pouvoir se regarder dans une glace sans rougir : se rendre au rendez-vous de la nuit prochaine à l'usine de confection. Avec un minuscule espoir : réussir à faire renoncer à son aventure le général Teng Thao, en le convainquant qu'à Vientiane aussi, ses ennemis l'attendaient... Mais il n'y croyait pas trop. Le général était venu de trop loin pour faire demi-tour au dernier moment.

Au moins, Malko lui prouverait qu'il ne l'avait pas

trahi, en combattant à ses côtés, dans un combat perdu d'avance. Comme le disait Bismark : « *Aufklärung-dienst ist Herrendienst*[1] ».

***

Ti Sao était restée muette depuis la venue de Phu Tat. Elle vint s'asseoir en face de Malko et demanda :

– Je viens avec vous cette nuit ?

– Non, c'est trop dangereux.

– Alors, qu'est-ce que je vais faire ?

– Restez ici, je reviendrai vous chercher.

Leurs regards se croisèrent. Il y avait des larmes dans les yeux de la jeune Méo.

– Vous allez à la guerre, dit-elle doucement. Quelquefois, on n'en revient pas.

Malko ne se formalisa pas de cette brutalité.

– C'est vrai, reconnut-il, mais je ne peux rien vous offrir d'autre.

– J'ai une cousine qui habite à That Luang, dit-elle. Je vais essayer de me réfugier chez elle. Je partirai cette nuit, après vous. J'ai trop peur de rester seule ici. Ensuite, je tâcherai de traverser le fleuve. Même si je dois me retrouver dans un camp de réfugiés.

– C'est peut-être le plus sage, conclut Malko. Je vous laisserai tous mes numéros de téléphone pour vous venir en aide.

– Merci, dit-elle. Venez, il faut vous reposer, la nuit va être très longue pour vous...

Il la suivit jusqu'au fond de la pièce et elle s'allongea sur le lit où il la rejoignit. Ti Sao se tourna vers lui.

– Je voudrais dormir un peu avec vous. Vous

1. Le Renseignement est un métier de gentlemen.

m'avez sauvé la vie et je ne vous reverrai probablement jamais.

Elle enlaça Malko dans une étreinte à la fois chaste et sensuelle. Dans la pénombre, il sentit qu'elle se débarrassait de ses vêtements. Le lit était encore imprégné de l'odeur fade du sang.

Ti Sao entreprit d'ôter les vêtements de Malko, avec des gestes délicats d'infirmière. Lorsqu'il fut entièrement nu, elle vint se coller à lui, le visage dans le creux de son épaule. Il voulut l'enlacer et elle eut un geste de recul, avec un petit cri. Il avait effleuré le sillon de la scie qui aurait dû la couper en deux.

Une sorte de guillotine sauvage.

– Caressez-moi, souffla-t-elle.

Il lui obéit. Peu à peu, elle se détendait, il sentait ses muscles jouer sous la peau. Elle respirait de plus en plus vite. Son corps s'arc-bouta et elle poussa un cri bref avant de retomber. Elle venait de jouir. C'est elle qui glissa ensuite le long de son corps et l'emprisonna dans sa bouche, avec une douceur infinie. Il la laissa faire ce qu'elle voulait. Pour une raison qu'il ignorait, elle ne tenait pas spécialement à faire l'amour.

Elle sentit qu'il allait exploser et elle accéléra le va-et-vient de sa bouche. Il hurla de toute la force de ses poumons, comme un cri jeté à la face du destin. Ti Sao le garda dans sa bouche le plus longtemps possible, puis revint dans ses bras et murmura :

– On va dormir. Prenez-moi dans vos bras.

Elle vint s'y blottir. Malko était bien incapable de dormir, mais il sentit, à sa respiration régulière, que Ti Sao s'était endormie. Il finit quand même par s'assoupir mais la peur de rater son dernier rendez-vous avec le général Teng Thao était trop forte, et il rouvrit les yeux alors qu'il faisait encore nuit noire. Les aiguilles lumineuses de sa Breitling indiquaient quatre heures vingt-sept. Il se jeta sous la douche, sans réveiller Ti Sao. Ensuite, habillé, il attendit.

***

- Il y a une voiture qui sort !

Équipé de jumelles de vision nocturne, Charles Russel, un des *field officers* assignés à la surveillance de la propriété de Gomer Brentwood, venait de voir un pick-up franchir le portail. Le véhicule tourna à droite et prit la direction de Udon Thani.

Aussitôt, l'autre agent, Jay Holt, démarra, suivant à bonne distance le pick-up. Il était quatre heures du matin et la route était totalement déserte. Les deux Américains demeurèrent à bonne distance jusqu'à Udon Thani. Le pick-up traversa la ville et se dirigea vers le nord, par la route menant à Nang Khai et au pont de l'Amitié.

Charles Russel appela aussitôt sur son portable crypté la permanence de Bangkok.

– Je crois que ça y est ! annonça-t-il. Ils vont vers le Mékong.

Quand ils sortirent de la ville, le pick-up était à cinq cents mètres et ils ne distinguaient que ses feux rouges. Ils ne s'en rapprochèrent qu'aux abords du Mékong. Le véhicule qu'ils suivaient tourna à gauche, remontant en direction de Vientiane. Il roula environ une demi-heure, dépassant la ville laotienne dont on apercevait les lumières de l'autre côté du fleuve, et disparut !

Les deux Américains parcoururent encore un kilomètre avant d'être certains qu'il avait tourné dans un des sentiers menant au Mékong. Ils revinrent sur leurs pas, se garèrent et partirent à pied. Grâce à leurs appareils de vision nocturne, ils y voyaient comme en plein jour.

Brutalement, des phares apparurent et ils plongèrent dans un champ. Le véhicule qu'ils avaient suivi venait de passer devant eux, repartant dans la direction opposée. Ils continuèrent à pied, gagnant la berge du Mékong, une sorte de banc de sable. C'est Jay Holt qui repéra une embarcation longue et basse en train de traverser le fleuve en biais. Presque silencieusement, car le bruit de son moteur était très faible. Il la suivit dans ses jumelles : elle s'approchait de l'autre rive. À deux kilomètres environ de Vientiane.

Cette fois, c'était sûr : le général Teng Thao venait, pour la première fois depuis trente ans, de regagner le Laos.

Phu Tat, dissimulé sur le bord de Kalio Road, entre la route et le Mékong, aperçut trois élairs bleuâtres successifs, venant de la berge du fleuve. Aussitôt, avec sa torche, il renvoya le même signal et attendit, accroupi dans les herbes. Quelques minutes plus tard, il vit surgir plusieurs silhouettes marchant en file indienne. L'homme de tête était le général Teng Thao, coiffé de sa vieille casquette d'uniforme, portant une tunique kaki à quatre poches. Il s'arrêta quelques instants pour serrer la main de Phu Tat et demanda :

– Tout va bien ?

– Tout va bien, général, répondit le Méo. Nous vous attendions !

Le général regarda le ciel étoilé où la lune commençait à se fondre dans les nuages. Il vivait un moment inoubliable.

– Tout va bien, répéta-t-il. En avant !

Ils gagnèrent tous le minibus de Phu Tat qui prit la direction de la ville. L'interminable avenue Samsenthaï était absolument déserte. Ils ne croisèrent qu'un tuk-

tuk et deux cyclistes. Vientiane dormait. Le minibus tourna dans le sentier longeant l'usine de confection, dont la grille était fermée. Au bout de cinquante mètres, il pénétra dans la cour de derrière. Tous ses occupants gagnèrent aussitôt le hangar du fond.

Le général Teng Thao fut salué par une clameur sortie de dizaines de poitrines. Les Méos arrivés des quatre coins du Laos étaient en train de s'équiper depuis la veille au soir. Ils n'avaient pas d'uniformes, mais des armes flambant neuves. Plusieurs vinrent, à genoux, demander la bénédiction du général. Celui-ci, ému aux larmes, les harangua rapidement.

– Nous allons mener notre dernier combat ! annonça-t-il. Cette fois, les Américains sont derrière nous. Vos frères vous attendent un peu partout dans le pays. Il faut, quand le soleil sera haut, que Vientiane nous appartienne. Je réunirai tous les officiers dans une demi-heure.

Il gagna le bureau transformé en salle d'op et y trouva un ceinturon supportant un étui à pistolet qu'il boucla autour de sa taille. La glace lui renvoya l'image d'un vrai militaire. On lui avait préparé du thé et il s'assit après avoir déployé la carte de Vientiane où étaient notés les objectifs de la première vague.

Cinq minutes plus tard, Gomer Brentwood fit son apparition. Lui aussi s'était équipé : grenades à la ceinture, pistolet et une mitrailleuse légère M 60. Des bandes de cartouches ceinturaient son torse. Il semblait ravi.

– Je m'occupe du ministère de la Défense, annonça-t-il. Le véhicule est prêt, avec deux cents kilos de C 4. On enfoncera la grille et on fera exploser la charge devant le bâtiment.

– Très bien ! approuva le général. Van Lo s'emparera du ministère de l'Intérieur tandis que j'irai prendre le contrôle de l'émetteur télé. Nous enregistrerons une émission en direct et, ensuite, nous nous dirigerons, en emmenant des cameramen, sur le palais présidentiel. Je veux prononcer ma pemière allocution à sept heures précises, de façon que le pays tout entier sache ce qui se passe.

Sept heures, c'était le moment du premier bulletin d'informations de la République démocratique populaire du Laos.

– Vous avez posté des sentinelles ?

– Absolument, confirma Gomer Brentwood. Ils viennent rendre compte toutes les cinq minutes. La situation semble parfaitement normale.

– C'est bien ! approuva le général Teng Thao.

Il avait eu raison de ne pas écouter les pronostics pessimistes de Malko Linge. Comme toujours, les dirigeants communistes réagissaient avec retard et lourdeur.

– Départ dans une heure ! lança-t-il. Que tous les groupes soient prêts. Emmenez le maximum de munitions. Nous ne pourrons pas nous ravitailler avant la fin de la journée.

CHAPITRE XXIV

Malko sauta de son fauteuil avant même que la porte ne s'ouvre, après avoir entendu les trois coups légers frappés au battant. Phu Tat se tenait dans l'embrasure. Par-dessus son habituelle veste de toile, il avait enfilé des étuis bourrés de chargeurs d'AK 47, et avait un chapelet de grenades accroché à sa ceinture.

– Le général vous attend, dit-il simplement.

Malko se retourna : Ti Sao dormait toujours. Il sortit et referma doucement la porte. Il n'aimait pas les adieux.

– Je vous suis.

Ils traversèrent rapidement la ville endormie. Le minibus était plein de caisses de munitions. La grande avenue menant à l'usine de confection, totalement déserte. Il eut un choc en découvrant les hommes en armes, beaucoup plus nombreux que lors de sa précédente visite. Certains étaient à peine plus grands que leurs armes... Phu Tat le mena jusqu'au bureau surélevé où le général Teng Thao était en train de donner ses ordres. Le vieux chef méo lança à Malko un sourire triomphant.

– Vous voyez, je suis là !

– Puis-je vous parler seul quelques minutes ?

– J'ai beaucoup de travail. Plus tard.

– Plus tard, ce sera probablement trop tard, rétorqua Malko. Je n'en ai pas pour longtemps.

Après une courte hésitation, le général méo lança quelques mots à ceux qui l'entouraient, qui sortirent aussitôt. Malko ne perdit pas de temps.

– Général, la CIA et le gouvernement laotien vous ont tendu un piège. Si vous persistez dans votre projet, vous allez à la catastrophe.

Il lui expliqua rapidement ce dont il était persuadé : les Laotiens attendaient le déclenchement de son opération pour l'écraser, lui et ses Méos. S'ils n'avaient pas encore réagi à Phonsavan, c'était pour ne pas l'alerter. En dépit du calme apparent de la ville, les forces de sécurité laotiennes étaient certainement en alerte et allaient se dévoiler lorsqu'il attaquerait.

Le général l'écouta sans l'interrompre, puis sourit.

– Monsieur Linge, j'apprécie vos conseils. Mais vous ne pouvez pas être sûr à cent pour cent de ce que vous dites. Je connais les communistes : ils sont lents et désorganisés. Alors, je prends le risque. Je ne peux plus reculer, je suis venu de trop loin. Vous m'imaginez rejoindre ma femme et lui dire que je me suis dégonflé ! Elle me mépriserait ! Depuis des mois, je mobilise tous ceux qui croient en moi pour cette attaque. Je ne reculerai pas. Lorsque je traversais le Mékong tout à l'heure, j'avais le choix entre deux barques. Je suis monté dans la première, puis j'ai senti des ondes mauvaises et j'ai pris la seconde. Le moteur de la première est tombé en panne et elle est partie à la dérive. Aujourd'hui, les *phi* sont avec moi.

Il se leva et lui tendit la main.

– Merci de m'avoir prévenu. Retournez vous coucher.

Malko ne prit pas la main tendue.

– Très bien, conclut-il. Je vous accompagne.

Le général Teng Thao lui jeta un regard sincèrement surpris.

– Pourquoi ? Ce n'est pas votre combat. En plus, vous êtes persuadé que nous allons droit à la catastrophe.

– Si c'est le cas, j'en suis en partie responsable.

– Vous allez risquer votre vie, bêtement.

Malko lui renvoya son sourire.

– Récemment, une amie chinoise m'a rappelé qu'il y avait une chose plus importante que la vie : l'honneur.

L'ambassade américaine de Vientiane était comme une ruche. Grâce aux hauts murs blancs, on ne pouvait apercevoir le bâtiment de l'extérieur, mais presque tous les bureaux étaient occupés, surtout au troisième, l'étage de la CIA. L'ambassadeur lui-même était à son bureau, en liaison constante avec le State Department de Washington. Là-bas, il était cinq heures de l'après-midi, la veille…

Tim Burton pénétra en trombe dans son bureau.

– *Mister ambassador*, il y a un Américain parmi les hommes du général Teng Thao !

– Un Américain ! Qui ?

– Un ancien FAC installé en Thaïlande depuis un quart de siècle, Gomer Brentwood. Le général habitait chez lui. Il l'a accompagné et va probablement participer aux combats.

– Il faut absolument l'extraire de là ! lança le diplomate. Il a dû se faire embobiner. Comment pouvez-vous entrer en contact avec lui ?

– S'il a une radio, ce sera possible. Nous avons déjà intercepté plusieurs communications sur leur VHF. Ils utilisent l'ancienne fréquence des pilotes de l'Air Force.

– Essayez d'entrer en contact avec lui, immédiatement. Dites-lui, de ma part, de tout plaquer et de venir se réfugier ici. Nous l'exfiltrerons ensuite. Les Laotiens nous doivent bien ça. Sinon, du nouveau ?

– D'après ce que nous captons, les combattants méos se sont dispersés dans la ville, à partir de l'usine de confection qui leur sert de quartier général, là où ils se sont armés...

– Quand les Laotiens vont-ils réagir ?

– C'est leur décision, *sir*. Mais ils nous préviendront.

– Bien, occupez-vous de ce Gomer Brentwood.

***

Gomer Brentwood, au volant d'un vieux fourgon, roulait doucement sur l'avenue Lane Xang, sa radio coupée. Une quinzaine de Méos étaient tassés dans le véhicule. Deux autres camionnettes suivaient, remplies d'hommes armés, avec deux mortiers de 60 et des lance-roquettes.

Il regarda sa montre : encore dix minutes avant l'action. Il ne devait agir qu'après le général Teng Thao. Il ralentit encore et tourna dans une rue à droite, juste avant un château d'eau, immobilisant son petit convoi. Il n'était qu'à deux ou trois minutes du ministère de la Défense. Tandis qu'il fumait sa dernière cigarette, il repensa à Yi Li. Quelle horrible garce ! Désormais, il était certain qu'elle était de mèche avec les ennemis du général. C'est la raison pour laquelle elle voulait rester avec lui. Certaine que son époux ne reviendrait pas de son équipée de l'autre côté du Mékong. Il jeta sa cigarette et alluma sa radio. Attendant le signal du général.

***

Le général Teng Thao avait pris le volant du 4×4 Toyota mis à sa disposition par Phu Tat. Malko se trouvait à côté de lui et six combattants méos étaient entassés à l'arrière, dont deux équipés de RPG 7. Derrière le véhicule de tête, suivaient deux camions « empruntés » à la fabrique de confection, remplis de combattants armés jusqu'aux dents.

Le général ralentit, après un coup d'œil à son plan. Ils venaient de dépasser le kilomètre 6 de South Road et une route non asphaltée s'ouvrait sur leur gauche. Il s'y engagea et annonça à Malko :

– Nous sommes presque arrivés !

Encore deux cents mètres et ils aperçurent sur leur gauche une réplique miniature de la tour Eiffel, en face d'un bâtiment de trois étages, où quelques fenêtres étaient éclairées. Le siège de la Télévision nationale laotienne. Les phares éclairaient la rue vide. Pas la moindre sentinelle.

Le général arrêta son véhicule, attrapa son M 16 et sauta à terre, suivi par ses hommes. Les deux autres véhicules, derrière eux, avaient stoppé aussi et vomissaient leur cargaison humaine. Les combatants méos se dissimulèrent aussitôt dans le fossé, le long de la grille d'enceinte. Le général Teng Thao activa sa radio et lança à voix basse :

– Ici Méo One, Méo 4, agissez immédiatement.

C'était l'ordre d'aller faire sauter les deux hélicoptères militaires. Sous la pression de ses officiers, le général Teng Thao avait changé d'avis : c'était un risque trop grand de ne pas détruire ces redoutables machines de guerre. Il se tourna vers Malko avec un sourire radieux.

– Ce soir, nous ferons un formidable *baci*[1] !

Ensuite, il marcha sur le portail donnant sur la cour de l'immeuble de la télévision et l'ouvrit. Elle n'était même pas fermée à clef ! En quelques instants, ses hommes se furent dispersés dans l'ombre, encerclant le bâtiment. Le général Teng Thao marcha vers l'entrée principale, M 16 à bout de bras. Là, c'était fermé. Il se retourna vers ses hommes.

– Ouvrez cette porte.

Un des Méos, d'un coup de crosse, fit sauter la serrure et les vitres tombèrent avec un fracas épouvantable, brisant le silence. À peine quelques secondes s'écoulèrent et une longue rafale d'arme automatique claqua, assourdissante. Les autres vitres dégringolèrent à leur tour. Malko sentit son pouls s'envoler. Ce n'étaient pas les Méos qui avaient tiré. Les lueurs de départ venaient d'un camion bâché immobilisé dans la cour.

Ses pressentiments se réalisaient : ils étaient tombés dans une embuscade. Il tourna la tête pour interpeller le général Teng Thao et ne le vit pas. Il dut baisser les yeux pour le découvrir à terre, couché sur le côté, ayant perdu sa casquette, grimaçant de douleur. Il se pencha vers lui et vit une tache sombre s'agrandir sur sa cuisse.

– Aidez-moi ! lança le général. Aidez-moi !

Maintenant, cela tirait dans tous les coins. Les Méos d'abord, qui ripostaient de toutes leurs armes. L'un d'eux tira une roquette de RPG 7 sur le camion d'où était partie la première rafale et le véhicule explosa dans une gerbe de flammes. Seulement, d'autres coups de feu étaient tirés du bâtiment. Soudain, Malko entendit un son reconnaissable entre tous : le grincement de chenilles d'un char sur une chaussée asphaltée. Cela venait du fond de la rue. Phu Tat avait surgi de l'obs-

1. Fête.

curité et, à deux, ils relevèrent le général Teng Thao, incapable de se tenir debout tout seul, le fémur brisé. Mais quand même indomptable.

– Il faut qu'ils attaquent, lança-t-il. Qu'ils se retranchent dans le bâtiment. Qu'on prévienne la population.

– Général, rétorqua Malko, des chars sont en train d'approcher. Il faut se replier. Phu Tat, aidez-moi.

Le soutenant chacun sous une aisselle, ils entreprirent de traîner le général méo vers l'extérieur, en dépit de ses protestations. Il y avait encore une petite chance d'arriver au 4×4 et de se dégager. Malko arracha son pistolet de sa ceinture et l'arma.

Un bruit le fit se retourner. Une masse sombre avait surgi du fond de la rue : un char T 72 de fabrication soviétique ! Sa mitrailleuse balayait la rue et ils s'aplatirent dans le fossé. Heureusement, sa tourelle pivota et se mit à rafaler les Méos encore à l'intérieur de la cour.

Au moment où Malko se relevait, une ombre surgit, brandissant un AK 47 et les mettant en joue, criant quelque chose dans une langue inconnue. Instinctivement, Malko tendit le bras et appuya sur la détente du Glock. Trois fois. Le soldat laotien tomba comme une masse. Phu Tat, son bras droit coincé par le général, n'avait pu utiliser son arme. Ils reprirent leur marche vers le 4×4, traînant le général presque inconscient.

Miracle, le véhicule était toujours là ! Ils hissèrent le général sur la banquette arrière et Malko, utilisant le foulard qui lui entourait le cou, lui posa un garrot à la cuisse. Il avait déjà perdu beaucoup de sang. Puis, il récupéra la radio VHS accrochée à son épaule et la tendit à Phu Tat.

– Appelez tous les officiers. Qu'ils se replient vers le fleuve et qu'ils essaient de le franchir. C'est leur seule chance.

– Qu'est-ce que va dire le général? bredouilla le Méo. C'est lui qui donne les ordres.

– Il en est incapable, trancha Malko, faites-le, moi, je ne parle pas lao.

Ils durent se taire, tant la fusillade dans leur dos était intense. Les Méos étaient en train de se faire tailler en pièces. Malko savait qu'ils avaient une toute petite chance de s'en sortir s'ils filaient immédiatement.

– Allez-y ! répéta-t-il en se glissant au volant.

Trente secondes plus tard, il filait sur l'avenue Lane Xang. Pas longtemps. Des feux clignotaient, un peu plus bas. Un barrage militaire. Il jura. Phu Tat était en train de parler dans la radio d'une voix hésitante. Malko fit demi-tour, remontant l'avenue Lane Xang et, dès que le Méo eut fini de parler, lui lança :

– Il faut me guider, trouver des petites routes pour gagner le Mékong.

– Continuez cent mètres et tournez à droite, dit Phu Tat.

Malko sentit les battements de son cœur s'apaiser en retrouvant une obscurité complice. À l'arrière, le général Teng Thao semblait dormir.

Guidé par Phu Tat, il commença à descendre, par de petites rues sombres, en direction du Mékong.

- Ça y est, monsieur l'ambassadeur, les combats ont commencé ! annonça Tim Burton.

Le diplomate leva la tête.

– Ça se déroule comment ?

Le chef de station de la CIA secoua la tête.

– Les Méos n'ont aucune chance ! Les Laotiens ont fait venir un bataillon vietnamien qui boucle la ville avec des blindés. Ils vont les massacrer. Il paraît qu'ils ont commencé à Phonsavan à pilonner à l'artillerie lourde les concentrations de guérilleros méos. Tout sera terminé très vite. Vous entendez ?

En tendant l'oreille, on entendait des rafales d'armes automatiques et des explosions sourdes. On se battait dans Vientiane.

– Ils ont fait sauter deux hélicos à Watthay, annonça Tim Burton.

– Et cet Américain qui se trouve avec eux ?

– Pas encore de contact, *sir*.

– *Keep trying*[1].

Il alluma une autre cigarette, mal à l'aise. C'était un vieux diplomate qui connaissait mal l'Asie, mais il avait entendu parler des Méos et de leur aide à l'Amérique, trente ans plus tôt, dans le combat contre les communistes. Certes, ce n'étaient pas des Américains, mais quand même…

Gomer Brentwood allait se lancer à l'attaque lorsque les premiers échos de la bataille, un kilomètre plus au sud, arrivèrent jusqu'à lui. Armes automatiques, explosions et lance-roquettes. Soudain, il reconnut le claquement lourd caractéristique d'un canon de char.

Or, les Méos n'avaient pas de chars…

Quelques minutes plus tard, il capta le message de Phu Tat appelant à rompre le combat. Il patienta encore deux ou trois minutes, attendant un contrordre éventuel. Puis, des véhicules militaires s'arrêtèrent derrière lui et des soldats laotiens en descendirent, faisant mouvement dans sa direction. En même temps, d'autres descendaient l'avenue. Il était coincé.

Soudain, une voix inconnue, incontestablement américaine, éclata dans sa radio.

1. Continuez à essayer.

– Gomer Brentwood ! Gomer Brentwood, si vous êtes à l'écoute, répondez.

Surpris, il appuya sur la touche « call ».

– *Roger*, je vous reçois, qui êtes-vous ?

– L'ambassade américaine de Vientiane. Nous savons que vous vous trouvez avec les rebelles méos. Ils n'ont aucune chance. Abandonnez-les et gagnez l'ambassade. Vous savez où elle se trouve ?

– Je sais.

– Alors, venez. Ou dites-nous où nous pouvons vous récupérer. J'assurerai votre sécurité.

– O.K. Rappelez-moi dans cinq minutes.

Il se tourna vers l'officier méo assis à coté de lui.

– Mong, dit-il, c'est foutu ! On se replie. Essayez de gagner le fleuve à pied. Vite. Quittez ce véhicule qui est une cible. C'est un ordre du général Teng Thao.

On ne discutait pas les ordres du général. L'officier méo sauta à terre, suivi de ses hommes et se précipita vers les deux autres camionnettes. Déjà, des coups de feu éclataient. Resté seul, Gomer Brentwood, laissant sa radio ouverte, démarra doucement, tournant dans South Road, en direction du ministère de la Défense. Des projecteurs éclairaient la façade. Il repéra de part et d'autre de son entrée deux petits blindés sur roue, des BRB russes. Son interlocuteur de l'ambassade ne lui avait pas menti. Il passa la main dans ses cheveux gris, pensif.

Il lui suffisait de se glisser hors de son véhicule et de filer. Les Laotiens ne recherchaient pas de Blancs. Il se dit que, s'il repassait le fleuve, il serait obligé d'étrangler cette petite garce de Yi Li. Une sorte d'hommage posthume au général. Quelque chose lui disait que ce dernier non plus ne repasserait pas le Mékong. Ce n'était pas son genre. Alors il passa en « low » pour avoir plus de puissance et accéléra.

Il fut aussitôt pris dans le faisceau d'un projecteur.

Un haut-parleur hurlait en lao. Il accéléra encore, fonçant vers la grille du ministère de la Défense. À nouveau, la voix américaine éclata dans la radio.

– Gomer Brentwood ! Gomer Brentwood, vous me recevez ?

– *Roger*. Cinq sur cinq.

– Je vous passe monsieur l'ambassadeur.

Des traçantes arrivaient droit sur lui Il se baissa et, d'une voix distincte, lança dans la radio :

– *Alpha Mike Fox Trott, Over*[1].

Il baissa la tête mais une balle le frappa en pleine gorge et il perdit connaissance au moment où son fourgon s'écrasait contre la grille du ministère de la Défense, déclenchant l'explosion des deux cents kilos de C 4, qui balaya tout ce qu'il y avait de vivant dans un rayon de cinquante mètres.

L'ambassadeur des États-Unis écarta brusquement le récepteur de son oreille.

– Il y a eu une explosion ! fit-il.

– Il vous a parlé, *sir* ?

– Non, il a juste dit quelque chose d'incompréhensible. *Alpha Mike Fox Trott*. C'est un code ?

Tim Burton avala sa salive.

– Oui, *sir*, en quelque sorte.

– Qu'est-ce que cela veut dire ?

– Euh, *sir*, c'est un *four letters word*[2]... Je ne sais pas si...

– Écoutez, je ne suis plus un enfant, protesta le diplomate. Qu'est-ce que cela veut dire ?

– *Sir*, Gomer Brentwood a servi dans l'Air Force

1. Alpha Mike Fox Trott. Terminé.
2. Un gros mot.

au Laos, dans les années 1970. Il était « Forward Air Controller », un job très dangereux. Il guidait, à partir d'un avion léger, les bombardiers et les avions d'attaque. Les FAC ont eu de lourdes pertes. Lorsque l'un d'eux était abattu, il envoyait ce dernier message.

– Qui signifie quoi ?

– *Adios motherfuckers*[1] *!* monsieur l'ambassadeur, fit Tim Burton, horriblement gêné.

L'ambassadeur demeura muet quelques instants puis releva la tête et fit le signe de croix.

– Je ne suis pas ce qu'il a dit. Prenez un véhicule officiel de l'ambassade et allez récupérer ce qui reste de lui. Qu'il ait un enterrement décent.

Brusquement, ils débouchèrent sur un quai sombre et désert. Bien en aval de la ville. Malko arrêta le 4×4 et sauta à terre. Dans le lointain, il entendit des détonations sourdes, des rafales d'armes automatiques. Les hommes du général Teng Thao se battaient encore. Il se tourna vers Phu Tat.

– Aidez-moi, on va le transporter. Vous pensez qu'on peut trouver une embarcation ?

– Je ne sais pas. Je vais voir.

Il disparut dans l'obscurité, suivant la berge du Mékong. Malko ouvrit la portière arrière. Le général Teng Thao était livide, les narines pincées, le teint cireux. Malko le secoua légèrement.

– Général, ça va ?

– J'ai froid, balbutia le général méo, je ne sens plus ma jambe.

– Je vous ai fait un garrot, dit Malko. Phu Tat est parti chercher une jonque.

1. Adieu, les enculés !

Le général Teng Thao secoua faiblement la tête.

– Non, je ne veux pas déserter. Je veux rester ici. On peut contre-attaquer.

– Général, vous êtes gravement blessé ! coupa Malko. Il n'y a plus rien à faire. Vous êtes tombé dans une embuscade. Vos hommes vont se faire massacrer.

Brusquement, des coups de feu éclatèrent, à environ deux cents mètres. Un bref échange, puis le silence retomba. C'était dans la direction où était parti Phu Tat. Mauvais signe. Le général semblait s'être endormi. Malko patienta plusieurs minutes, puis comprit que Phu Tat ne reviendrait pas. Il n'y avait plus de temps à perdre.

– Général, nous allons essayer de traverser le fleuve ensemble. Je vous soutiendrai. Je pense qu'on devrait y arriver.

Au lieu de lui répondre, le général referma la main sur le petit bouddha suspendu à sa chaîne d'or, essayant de l'enlever. Malko l'y aida et le vieux Méo le lui mit dans la main.

– Donnez-le à Yi Li ! souffla-t-il. Elle m'a beaucoup aidé. Dites-lui que j'ai fait de mon mieux…

Il poussait le petit bouddha de jade entre les doigts de Malko. Ce dernier comprit qu'il n'arriverait pas à le faire bouger. Or, le temps pressait. Comme si le général Teng Thao avait lu dans ses pensées, il tourna la tête vers lui et dit :

– À l'avant, il y a une caisse de grenades. Donnez-m'en une et partez. Je veux que Yi Li sache ce qui s'est passé.

Cette fois, Malko ne discuta pas. Il rouvrit la portière avant et prit une grenade « ananas » dans la caisse posée sur le plancher. Le général avait les mains croisées sur sa poitrine. Il posa la grenade et glissa l'index du Méo dans l'anneau de la goupille. Il suffisait de tirer pour relâcher la cuillère, déclenchant l'explosion au bout de quelques secondes. Le général Teng Thao ouvrit les yeux. Ils étaient déjà vitreux. Il esquissa une grimace qui voulait être un sourire et murmura :

– Ils ne me prendront pas vivant.

Malko posa sa main sur celles du général. Elles étaient déjà froides. Il dit simplement :

– Adieu, mon général.

Il avait parcouru cinquante mètres lorsqu'une explosion sourde, suivie d'une autre beaucoup plus violente, secoua le silence. Il se retourna : le 4×4 n'était plus qu'une gerbe de flammes. La lueur éclairait des maisons. Il sentit du sable sous ses pieds, puis la fraîcheur de l'eau. Lorsqu'il en eut jusqu'à la taille, il se débarrassa du pistolet et commença à nager.

CHAPITRE XXV

– Ce sont tes amis qui ont tout organisé ! Tout, depuis le début. Tu as été enfumé comme un débutant. Les Américains ne respectent que les Américains. Même toi, tu n'es qu'un étranger à leurs yeux. Un « alien ».

Les yeux de Ling Sima flamboyaient de fureur. Dieu qu'elle était belle ! se dit Malko. Moulée dans une robe chinoise rouge, maquillée comme la reine de Saba, la Chinoise bouillait d'une fureur sincère. Visiblement, elle en savait beaucoup plus que Malko sur l'affaire Teng Thao. Il prit la bouteille de Taittinger Brut dans le seau et remplit sa flûte. Personne encore ne savait qu'il se trouvait à Bangkok.

Il avait traversé le Mékong à la nage sans difficulté, mais avait marché deux kilomètres avant de trouver de l'aide, dans un village.

L'aube se levait à peine. Expliquant qu'il était tombé dans le fleuve, il avait pu téléphoner à Bangkok. Ling Sima lui avait aussitôt envoyé une voiture, qui était arrivée cinq heures plus tard et l'avait installé dans un petit hôtel à Yeowarat. Le *Bangkok Post* ne parlait que des événements de Vientiane et du Laos. Le calme était revenu dans la capitale laotienne et les autorités minimisaient l'opération des Méos, parlant de quelques groupes d'insurgés. Une insurrection vite réprimée. Pas un mot sur ce qui se passait dans l'intérieur du pays. Les Laotiens reprochaient aux Thaïs leur coupable négligence. Officiellement, le général Teng Thao était toujours recherché. Comme il n'y avait pas de presse indépendante au Laos, seule la version gouvernementale existait... Bien sûr, Ling Sima avait appris l'intervention de troupes vietnamiennes et l'écrasement à l'artillerie lourde des guérilleros méos autour de la plaine des Jarres. Cette fois, le mouvement méo était bien liquidé.

L'ordre régnait à nouveau dans la République démocratique populaire du Laos, où les touristes étaient les bienvenus.

– Qu'ils m'aient manipulé, reconnut Malko, c'est certain, et courant. Mais pourquoi s'être attaqué aux Méos qui ont combattu à leur côté ?

– *Real* politique, ricana Ling Sima. Les Américains veulent normaliser complètement leurs relations avec le Vietnam et la Chine. C'était le prix à payer. Tout s'est noué au niveau diplomatique, puis entre les Services, il y a plus de deux ans. C'est à ce moment que la CIA a mis dans les pattes du général Teng Thao la ravissante Yi Li.

– C'était une taupe ?

– Bien sûr ! Il fallait quelqu'un pour faire bouger Teng Thao. Le reste était facile. On lui a fourni tout ce dont il avait besoin. Y compris toi, en fournisseur d'armes ! Bien sûr, il n'était pas question de te faire courir de risques. Seulement, les choses ont un peu dérapé...

Elle se tut et trempa à nouveau ses lèvres dans les bulles du Taittinger. Par discrétion, ils dînaient dans un box discret du restaurant *China House* de l'*Hôtel Oriental*.

Malko comprenait mieux pourquoi Yi Li s'était jetée

à son cou. Elle n'avait rien à faire de son mari. Dans sa poche, il avait toujours le bouddha remis par le général à l'intention de son épouse...

– Pourquoi as-tu appelé à Vientiane ? demanda-t-il.

– Je savais que les choses allaient mal se passer. Les gens de chez nous, en place à Vientiane, m'ont parlé du meurtre de cette jeune femme, Pakao, et j'ai compris que tu devais prendre du champ. Seulement, je n'avais pas le droit de t'en dire plus.

– Tu sais pourquoi elle a été tuée ?

– Bien sûr ! Son amant, Som Savath, la veille au soir, avait dîné avec une diplomate américaine de passage à Vientiane, venue lui annonçer que l'opération de Teng Thao entrait dans sa phase finale. Il savait Pakao très proche de Teng Thao et a voulu la prévenir. Seulement, la maison de Pakao était « sonorisée », car elle était considérée comme un élément contre-révolutionnaire. Les Services laotiens ont compris que si elle parlait au général Teng Thao ou à toi de cette visite, l'opération du général serait annulée. Alors, ils ont envoyé des tueurs dans la nuit pour la liquider.

– Et son amant ?

– Il est au camp de travail n° 7. Il n'est pas certain qu'il en ressorte...

Voilà, tout était clair... Ling Sima lança un regard tendre à Malko.

– La prochaine fois, écoute-moi, je te veux du bien...

Il lui reversa encore du champagne. Le restaurant de l'*Oriental* était sombre à souhait et le premier étage presque vide. Ling Sima se pencha vers lui.

– Demain, tu iras voir tes amis américains, mais ce soir tu es à moi.

– Et Yi Li ?

La Chinoise eut un claquement de doigts.

– Elle a disparu, tu peux en être sûr. Elle n'a plus d'utilité.

– J'avais quelque chose pour elle.

– Une balle dans la tête ? demanda ironiquement la Chinoise.

– Non, le bouddha porte-bonheur du général Teng Thao.

– Jette-le. Il porte malheur. Viens, nous allons le faire tout de suite, sinon, je ne rentre pas avec toi.

Ils quittèrent le restaurant et traversèrent l'*Oriental*, gagnant le restaurant en plein air donnant sur la Chao Praya. Presque vide à cette heure.

– Donne ! ordonna Ling Sima.

Malko lui tendit le bouddha. De toutes ses forces, la Chinoise le jeta dans les eaux limoneuses de la Chao Praya, puis se tourna vers Malko.

– Maintenant, nous pouvons rentrer.

– Attends ! Je voudrais savoir qui savait quoi à la CIA.

Ling Sima lui jeta un regard apitoyé.

– Ne fais pas l'enfant. Tu as le choix entre deux solutions. Soit tu leur dis ce que tu penses et tu romps avec eux. Soit, tu fais semblant de les croire.

– Tu penses que Gordon Backfield savait ?

– Peut-être pas. Pas plus que Tim Burton, à Vientiane.

Il n'y avait que quelqu'un de très haut placé qui possédait toutes les pièces du puzzle.

Malko se dit que Frank Capistrano n'était probablement pas au courant du rôle déplaisant qu'on lui avait fait jouer. Il préférait, en tout cas, le penser.

– Tu viens ? insista Ling Sima.

Il la suivit. C'était un bon moyen de tourner la page. Le lendemain matin, il sortirait de la clandestinité.

***

— Malko ! *Where have you been*[1] ! On vous croyait…

– Mort ? Cela aurait pu se faire.

Il était arrivé à l'ambassade de Wittaya Road et avait demandé le chef de station au poste de garde. Maintenant, il se retrouvait dans le grand bureau de Gordon Backfield. La chaleur de l'Américain ne semblait pas feinte.

– Où étiez-vous passé ? demanda celui-ci.

– J'étais avec le général Teng Thao, jusqu'à la fin. Ensuite, j'ai traversé le Mékong à la nage.

– Pourquoi ne pas vous être réfugié à l'ambassade ?

– Je ne voulais pas laisser le général. À propos, vous savez ce qui s'est passé ?

– Pas tout ! reconnut Gordon Backfield. Il semble que le réseau du général ait été « infecté » à Phonsavan. Ils ont suivi un de ses hommes et sont tombés sur vous, avec ces documents. Vous connaissez la suite.

Malko le sentait mal à l'aise. Il n'insista pas. À quoi bon ?

– Si on allait déjeuner ? proposa Gordon Backfield.

– Oui, mais pas à l'italien ! Il est trop mauvais. Allons au *Lord Jim*.

– Très bien, approuva l'Américain, j'appelle mon chauffeur. Ensuite, vous regagnerez votre appartement. J'ai un autre jeu de clefs, dont celle du coffre. Où il y a cet argent qui n'appartient plus à personne.

Un million deux cent mille dollars.

Le fantôme des tuiles de Liezen frôla Malko, mais il l'écarta courageusement.

– Merci, Gordon, mais je n'en veux pas.

Il aurait eu l'impression de toucher les trente deniers de Judas… Cela s'était passé deux mille ans plus tôt, mais le prénom de Judas continuait à être très peu

1. Où étiez-vous ?

porté… Bizarrement, établissant une sorte de complicité muette entre eux, Gordon Backfield n'insista pas.

Dans la voiture, il demanda presque timidement.

– Vous étiez avec lui quand le général Teng Thao…

Malko se tourna vers lui.

– Oui. *He died with a smile on his face*[1].

1. Il est mort en souriant

Désormais
vous pouvez commander
sur le Net :

SAS

BRIGADE MONDAINE — L'EXECUTEUR

POLICE DES MOEURS

BLADE

NOUVEAUTÉS

BRUSSOLO : D.E.S.T.R.O.Y.

PATRICE DARD : ALIX KAROL

GUY DES CARS: INTÉGRALE

LE CERCLE POCHE

EN TAPANT

WWW.EDITIONSGDV.COM

DÉJANTÉ

HILARANT

ÉNORME

prix france TTC : 6 €

LE SAN-ANTONIO DE L'ESPIONNAGE

parution : mars avril 2008

L'INTÉGRALE

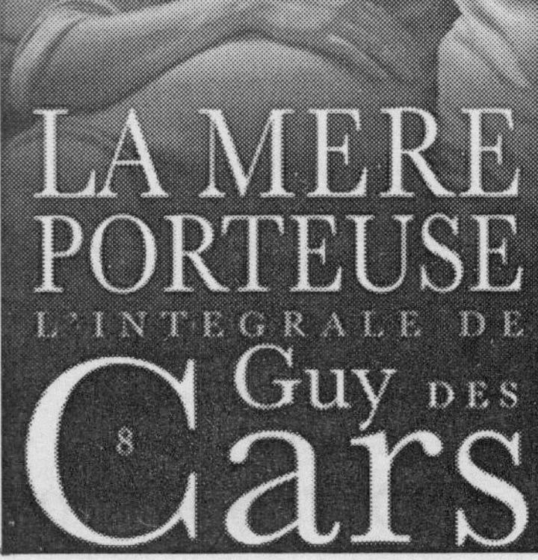

**TOUS
LES MOIS**

GUY DES CARS

LE GRAND MONDE
Tome 2 LA
TRAHISON
L'INTEGRALE DE
Guy DES
Cars

PRIX TTC :

6,80 €

Cercle Poche

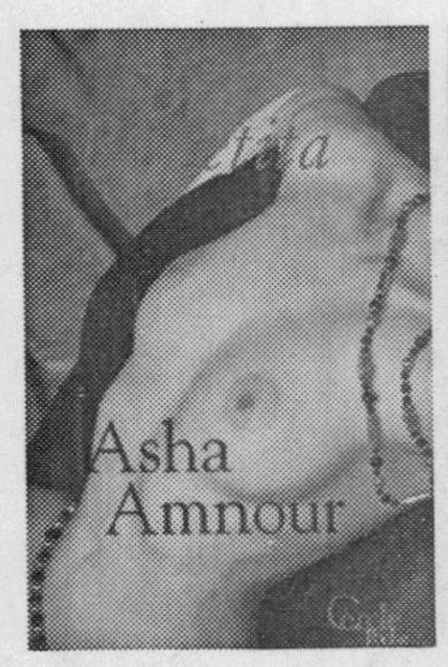

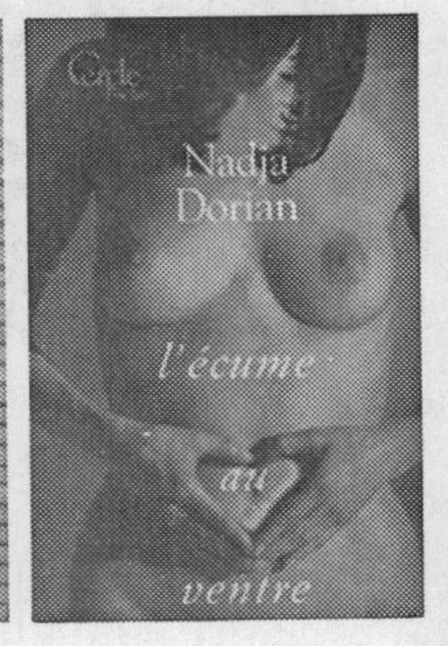

L'érotisme a trouvé sa collection…

Le Cercle Poche

Prix France TTC 6 /9,5 €

Les premières aventures de Richard Blade

BLADE COLLECTOR

Projeté
par un ordinateur à travers l'immensité
de l'Univers et du Temps,
Richard Blade parcourt les mondes inconnus
des dimensions X pour le compte du
service secret britannique.

N° 1 LA HACHE DE BRONZE

N° 2 LE GUERRIER DE JADE

N° 3 LES AMAZONES DE THARN

N° 4 LES ESCLAVES DE SARMA

N° 5 LE LIBÉRATEUR DE JEDD

N° 6 LE MAUSOLÉE MALÉFIQUE

N° 7 LA PERLE DE PATMOS

N° 8 LES SAVANTS DE SELENA

N° 9 LA PRETRESSE DES SERPENTS

N° 10 LE MAITRE DES GLACES

N° 11 LA PRINCESSE DE ZUNGA

N° 12 LE DESTRIER DORE

N° 13 LES TEMPLES D'AYOCAN

N° 14 LES REVEURS DE XURA

N° 15 LA TOUR DES DEUX SAGESSES

N° 16 LES MERS DE CRISTAL

N° 17 LES CHASSERESES DE BREGA

N° 18 L'ECHIQUIER VIVANT DE HONGSHU

N° 19 LES RAVAGEURS DE THARN

N° 20 LES BARBARES DE XCADOR

N° 21 LES CONSACRÉS DE KANO

N° 22 L'EAU DORMEUSE DE DRAAD

Pour toute commande, 6 €/titre
(Frais de port : 1,50€ par livre)

Désormais, vous pouvez retrouver les premières aventures de MACK BOLAN

L'EXÉCUTEUR COLLECTOR

N° 1 Guerre à la mafia

N° 2 Massacre à Beverly Hills

N° 3 Le masque de combat

N° 4 Typhon sur Miami

N° 5 Opération Riviéra

N° 6 Assaut sur Soho

N° 7 Cauchemar à New York

N° 8 Carnage A Chicago

N° 9 Violence A Vegas

N° 10 Châtiment A Chicago

N° 11 Fusillade À San Francisco

N° 12 Le Blitz de Boston

N° 13 La Prise de Washington

N° 14 Le Siège de San Diego

N° 15 Panique à Philadelphie

N° 16 Le Tocsin Sicilien

N° 17 Le Sang appelle le sang

N° 18 Tempête au Texas

N° 19 Débacle à Détroit

N° 20 Nivellement de New Orleans

N° 21 Survie à Seattle

N° 22 L'Enfer Havaiien

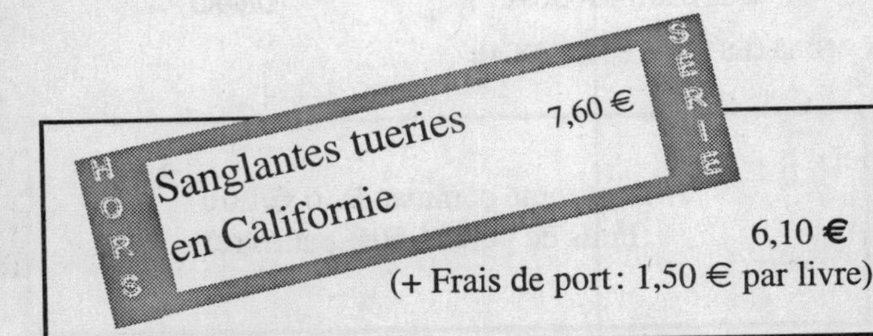

SAS THÉMATIQUES : 20 €

5 titres
rassemblés
pour mieux traquer la vérité

PARUTION : janvier 2008

VIOLENCES AU MOYEN ORIENT

INTÉGRALE

BRUSSOLO

PRIX TTC : 8 €

Achevé d'imprimer sur les presses de

BUSSIÈRE

GROUPE CPI

à Saint-Amand-Montrond (Cher)
en mars 2008

Mise en pages : Bussière

ÉDITIONS GÉRARD DE VILLIERS
14, rue Léonce Reynaud - 75116 Paris
Tél. : 01-40-70-95-57

— N° d'imp. : 80328. —
Dépôt légal : mars 2008.

Imprimé en France